匆匆那年

Fleet of Time……

九夜茴 —— 著

JIUYEHUI WORKS

[全彩电影纪念版]

上

目 录
Contents

匆　匆　那　年

Fleet
of
Time
· · · · · ·

我觉得我们可能是挺特殊的一代。

这种特殊不是说多值得炫耀，而是某种介于年代、历史、命运之间的特色。

我们在贫与富的边界上走过，在自由与约束的边界上走过，在纯良与邪恶的边界上走过，在闭塞与开放的边界上走过，在金钱与财富的边界上走过，在道德与道义的边界上走过，在世纪与时代的边界上走过。

甚至在我们出生之前，长辈们可能就先决定了我们人生中很重要的一部分，于是更加成就了这种特色。

小学时我们一边在老师面前唱"太阳当空照，花儿对我笑，小鸟说早早早，你为什么背上小书包"，一边在伙伴面前唱"我去炸学校，从来不迟到，一拉线，我就跑，学校轰的一声炸没了"；

初中时我们一边学人体生理卫生，一边看《古惑仔》研究《满清十大酷刑》；

高中时我们一边传着纸条看着漫画，一边练习东西海三城模拟做四中黄冈试题。

大学时我们一边狂热世界杯看《哈利·波特》同居翘课，一边学邓论马哲毛概与时俱进的科学发展观和"三个代表"重要思想。

我们吃过小豆冰棍喝过北冰洋汽水用过粮票，也吃过哈根达斯喝过 Johnnie Walker 用过信用卡。

我们穿过棉衣棉裤白球鞋，也穿过 ZARA BOSS 耐克阿迪。

我们读过《雷锋的故事》《钢铁是怎样炼成的》《红岩》，也读过《神雕侠侣》《月朦胧鸟朦胧》《幻城》。

我们迷过《哆啦 A 梦》《七龙珠》《灌篮高手》《圣斗士星矢》，也追过《名侦探柯南》《火影忍者》《海贼王》。

我们学过唐诗宋词，也自学过三毛席慕容。

我们看过《渴望》《我爱我家》《新白娘子传奇》，也看过《还珠格格》《流星花园》《越狱》。

我们玩过魂斗罗刺猬索尼克超级玛丽，也玩过任天堂 Wii PSP。

我们喜欢过四大天王林志颖，也喜欢过周杰伦谢霆锋 Super Junior《超级女声》。

我们一边被人注目着，一边被人鄙视着。

我们一边任人宠溺着，一边任人声讨着。

我们让爸爸妈妈爷爷奶奶姥姥姥爷默默保护着，和男朋友女朋友同学发小网友偷偷长大着。

我们——八零年以后生人，被叫作 80 后，现在又多了一拨小孩跟着叫 90 后，大多数别称独生子女。

我们度过了没有电脑和综艺的童年，正经历着没有战争和饥饿的成年。

就这样不知不觉，当新时代偶像比我们年纪还小，当姚明退役小贝挂靴，当我们开始挣钱养家还房贷车贷，当周围同龄人已经有人结婚生子甚至有人结了又离，当一个哥们儿跟我说初恋那女生如何如何，遥想起当年怎样怎样，我才发现原来我们已然长大，也有了所谓的曾经，也有了故事可讲。

每个人都有青春，每个青春都有故事，每个故事都有遗憾，每个遗憾都有回味不尽的美。

我们也不例外。

如果你是八零年以后生人，那么看这篇文章的你，
16 岁的时候在做什么？
那时同学少年的名字还能一字不差地念出来吗？
有喜欢的人吗？
那个人现在还有联系么？
是否还在一个城市？
交往过么？
分手了么？
是因为太小所以喜欢得太短暂，
还是因为根本不懂而无意伤害？
当初牵着的手如今握紧了谁？
偶尔还会想念么？
偷偷发过誓么？
实现了么？
还是……已经全部忘了？

　　问这些的时候，我又不自觉地想起方茴，想起陈寻，想起很多很文艺但很实在，很伤感但又很不想忘记的事。
　　这是个关于我们的故事，是转眼匆匆那年的事，如果一起经历，或尚有所感，如果正在怀念，或打算回忆，如果曾经落泪，或不曾忘记，如果已经不屑，或正要抛弃，那么，请坐下来，待上那么一会儿，听我慢慢讲述……

卷一
不忘

Fleet
of
Time
......

方茴说：
"可能人总有点什么事，
是想忘也忘不了的。"

Fleet
of
Time
. . . . . .

匆
匆
那
年

1

之所以选择出国留学是因为大四那年的第一场招聘会把我吓着了。

其实我条件挺不错的，至少我自己坚持这么认为。

北Ｙ大不算什么一流大学，但是足够我在写简历时不用遮遮掩掩。大一时曾借机混在学生会里，以帮忙搬桌椅之名和同系女生搭讪，所以在学校工作一栏，我理直气壮地冒充了下外联部长，把几个听上去挺响亮其实总共不超过 50 人参加的活动包圆在自己帐下。专业课成绩虽然偶有岌岌可危的情景，但在我软磨硬泡百般讨好不择手段牺牲色相的努力下，老师们都很配合地在期末给了我 60 分的及格。所以成绩表不算亮眼，但至少一片蓝色。外加上我不够英俊潇洒，但还勉强风流倜傥的外貌，我还真比较自信。

"月薪 5000 以下根本不考虑！单位给配车我还得问问索纳塔还是帕萨特！年终奖至少够万才能和我谈，否则，没戏！"

这是那天我去参加招聘会前跟同屋放的话。虽然比较搞笑，但还证明我曾经万丈豪情过。

我的自信在排了 2 小时队仍没能进入会场时已经几近消失。在这个过程中，我深深地论述了一遍人口论、社会发展论、独生子女生存现状、中国就业问题等等。

想当年我们刚出生的时候争床位，入幼儿园的时候争小红花，入少先队的时候争第一批，小升初争保送名额，初升高的时候1：8，高考时1：4，找工作的时候1：N！真是在独木桥上成长，在战火中前进啊！

最后我得出结论：我们真他妈的不容易！

好不容易进到会场内，我以为终于可以大展拳脚，哪想到挤身接近展台都困难。满地传单简历，满处吆喝叫喊，放眼望去各色人等纷纷使出绝招前进。

一男生鄙视身边某联大学生，递简历时大声说："我是北科的！"

联大败退。

另一男生马上站出来："我是北航的！"

北科败退。

又一男生推开他说："我是北大的！"

北航败退。

就在他得意扬扬傲视群雄时，身后有一声音响起："我也北大的，研究生。"

众本科生皆败退……

此情此景让我想起《报菜名》那相声完全可以改为《报校名》来娱乐大众。

再往前走看见很多女生挤在一展台前，她们的简历封皮上最醒目的不是毕业院校，不是专业水准，而是几乎五寸大的靓照，让我以为自己误入《超级女声》选拔现场。

两个女孩从我身边走过。

甲说："你觉得有戏么？"

乙说："悬，那几个二外的看着还行。那经理都对她们笑出皱纹了！"

甲叹气："她们是弄得挺好看的。你知道一班××么？她提前三个月拉的双眼皮，看着就自然。×××前两天才拉，明显假。还描眼线，哎哟。"

乙说："所以她才照380一套的那种照片，掩饰一下呗！"

我惊愕地看着她们，心想就业问题果然拉动内需，整容市场和写真市场就这么被扩大了。

终于找到一个我还符合条件的单位，就在我想介绍一下自己优势的时候，一个大叔走了过来，递上一份简历给负责人。

"您看看我这个，我有相关工作经验！"他谄媚地说。

我上下左右地看都不觉得他是 22 岁左右的大好青年，于是打断他："那个……叔叔，今天的招聘会不是面向毕业大学生么？您……"

"我也是毕业的大学生呀！看看，这是证书复印件！比你没早几年！"他一脸义正词严。

我心想这人怎么这么不懂事，跟孩子辈的抢饭碗，还排队加塞理直气壮，笑笑说："您不能这么说，还是早那么几年的。您领第一份工资的时候，我估计刚刚呱呱落地。你驰骋商场的时候，我正和泥拍画儿。您洞房花烛的时候，我刚戴上红领巾加入少先队。您壮志未酬和我相遇的时候，我刚正式成为八九点钟的太阳打算为社会主义事业奋斗终生。怎么着我还得管您叫叔叔呢，是不？"

他叹了口气："没错，所以我上有老下有小急得没辙的时候，你还溜达着边玩边找工作呢！"

这下我没的说了，看看他一脸沧桑，那也是天涯沦落人啊！

"你在 S 公司做过助理？"负责人突然问。

"啊对对对，"大叔点头如捣蒜，"所以相应业务还是很熟悉的！您可以进一步考察！"

眼看人家对我没什么兴趣了，我顺势作出牺牲，要回了自己每份价值 5.5 元人民币的简历，在会场转悠了两圈就出去了。

那时候我就决定，条条大路通罗马，工作这事，看来要曲线自救！

②

其实找找家里关系，安排个工作也不是什么太大的难事。只是当时我高估了自己，所以压根没想走这条路。现在感觉到形势严峻，又不想凑合了事。于是我选择了出国留学。

最近这几年确实很流行留学，留学回来身价就高了，先不管你之后是海归海待，总之带了个海字，比土特产就金贵点。不过说实在的，出国留学也不见得是多出息的事。家里有权的，孩子都当公务员了。家里有钱的，孩子都直接继承家族产业了。家里有权有钱的，孩子都在我根本想象不到的领域自由发展。家里没钱没权的，孩子都考研了，如果不争气点就去服务大众了。家里有点小钱小权的，不太缺孩子这份工资，又对未来有美好的设想，对未知的高级世界有憧憬的，就像我一样，漂洋过海了。

公平的愿望是美好的，现实的表现是残酷的。我们很幼稚，但我们明白事理。

后来我报了新东方，考了雅思，和同学吃了散伙饭，带上老爸老妈的血汗钱，收拾了大小行李箱，在鞋窠里装上黄连素和牛黄解毒丸，穿着羽绒服，所有兜都塞得满满的，飞向了地球另一边。

那个时候我并不能看清未来，我想可能同代的我们都这样，从选文理科开始，一直到选专业留学，我觉得我没能掌握自己的人生，是人生在掌握我，他蒙着脸向我招手，我就懵懂地跟去。因为看不清他的表情，所以我不知道前方到底是劫是缘。

初到澳洲的日子五味陈杂。我迷过路，丢过包，最惨的时候每天吃三个面包却不想再伸手向家里要钱。上课不敢开口说话，下课急匆匆地打工，站在明媚的阳光下仰望蓝天，看着现代都市看着不同种族的人悠闲走过，觉得自己很茫然，很悲哀……

不过现在回想那时，我也不会去抱怨遗憾，至少我没趴下，没去骗别人的钱，没待在华人的圈子里沉沦，没被学校赶出去，没丢脸。有些矫情，但这也是一种 Pride。

也许长大就在一瞬之间。

之所以认识方苘，是因为欢欢。

欢欢是我女朋友，比我早一年到澳洲。其实留学生谈恋爱挺简单的，异国他乡好像就更需要人陪伴，所以爱情也顺理成章地速食，从认识到同居，我们总共花了 28 天的时间。

欢欢已经有了自己的朋友圈，我的生活随之丰富多彩了起来。那天我们和她几个朋友一起去钱柜唱歌，唱到半截的时候，又来了两个人。

"Aiba！你们怎么这么慢啊！"欢欢说。

"狗没拿伞！"（日语，对不起）那个叫 Aiba 的仿佛是日本人的女孩说，"塞车塞车！"

其实形容 Aiba 的这几个词当时我是拿不准的，因为她虽然头一句说的是很标准的日语，但后来的中国话也特别利索，还有，在她没张嘴之前，我还以为她是男孩呢！

Aiba 个子很高也很瘦，穿了件大花 T 恤，工装裤，还戴着顶歪歪的棒球帽，不仔细看绝对认为她是个俊俏的小男生。以至于后来我看到李宇春，顿时觉得特亲切。

"这就是你新找的那个啊？"Aiba 坐到欢欢旁边打量着我说。

"对，这是 Aiba 和方茴，这是我 Darling，张楠。"欢欢笑着介绍。

这时我才注意到在 Aiba 身后进来的那个女孩。

第一眼看方茴的感觉，我其实并不能说清楚。

她长发披肩，耳朵上戴了一对大银环，不是漂亮得扎眼的女生，但仿佛又有本事让人过目不忘。我印象最深的是她那天穿了件鲜红的长裙，裙摆很大，到脚踝，把她纤细的腰和完美的臀线尽显无遗。

"你好。"方茴冲我笑了笑，她笑起来眼睛弯弯的，很有风情。

"Hi ！"我挥了挥手。

她们没再理我，上另一边点歌去了。

Aiba 插播了几首日文歌，方茴坐在一旁，静静地听。

因为方茴装扮特殊，我又偷瞄了她几眼，她身材姣好，眉目妩媚，但不知道为什么，浑身却有一种禁欲的味道。

"嘿！看什么呢？"女生最敏感，欢欢很快发现了我的眼神有异。

"没。"我忙说。

"看上人家啦？"她掐了我一把。

"哪儿呀！"我搂过她说，"谁看上她了！有你我一生足矣！"

当时我真谈不上看上方茴，就觉这女孩骨子里透着一股和别人不一样的劲儿。

"切！看上我也不怕，你，没戏！"欢欢笑了笑，笑得很有内容，让我隐隐感到不寻常。

"人家喜欢女的，她和 Aiba 是一对儿。"

欢欢得意地看着我。

"啊？"我大叫一声。

方茴往我们这边瞥了一眼，我急忙别过了头。

就算我对她有点想法，在那一刻，也立马烟消云散了。

3

方茴的事，本来我以为这就是我留学生活中的一段小插曲，这在留学生中不算什么稀罕事，比她邪乎的有的是。有不少出来的孩子岁数比我们小很多，他们甚至不能分辨是非，不知道年轻既是资本也是危险，所以总会发生些不可思议的事。对于方茴，我听听也就过去了，估计以后也不会再有交集。女同这种东西，虽然我不特别排斥，但心里多少有点硌硬。

哪承想没过多久，我们居然住在了同一屋檐下。

起因是欢欢和我们的胖房东闹翻了。其实之前她们就一直互相看不顺眼，欢欢经常背地说她又老又蠢，丈夫是酒鬼加色鬼，儿子长得像名人——《哈利·波特》里的达利。而胖房东也经常用一种侦探特有的目光从上至下瞄着欢欢，向她不怎么像正派人的老公耳语几句。

就这样，由一袋垃圾，彻底引发了中澳大战。欢欢操着一口带四川味的英语和胖女人骂了个痛快，可是她虽然痛快了，那胖女人却使出了撒手锏，坚决地命令我们"Go out"，所以我们只好卷铺盖走人。

正在我们踌躇懊恼的时候，上帝发威了，他特仗义地在关了一扇门的同时给我们开了一扇窗。恰巧 Aiba 和方茴的邻屋回国，我们月底就搬了过去，欢欢非常得意，说这叫天无绝人之路，让丫胖房东得不了逞。

而我就没有那么高兴，说实话我没觉得胖房东多可恶，她对我还挺好的，有时候欢欢的确太挑剔了，在人家屋檐下你就得低头嘛。而且现在这房子比我们原来的租金高了些，离我学校更远了。最重要的是，隔壁住着对蕾丝边，我还是有点障碍，生怕听见什么特别的声音，看见什么特别的场景。

好在事实证明我的担心是多余的。Aiba 很喜欢出去玩，打工也好几份，一般在家的时候少，出去的时候多，有时还趁方茴不在，带另一个女孩回来。让我大呼同性恋间也有第三者云云。

　　而方茴，很安静，甚至安静得让我产生隔壁没住人的错觉。她好像格外喜欢红色，总是穿着红色的外套、裙子，还有披风。偶尔碰见她，那鲜艳的颜色和她淡然的神情总形成一种独特的对比，就像用色块分割了空间，猛然让我恍惚一下。

　　慢慢地时间长了，我觉得和她们在一块还挺方便的。她们来澳洲的时间比我和欢欢都长，哪买菜便宜，假期去哪玩的，哪个餐厅打工给的多，她们都知道。尤其是Aiba，其实这人除了性取向有点问题，哪儿都挺好，热心、爽快，还风趣。我和她是同一所学校的，所以早上经常一起上学。

　　有一次，我们坐车，检票的时候出了差错。她和我用的都是过期的颜色票，Aiba说，老外根本不怎么查，所以能省一澳是一澳，反正他们赚的都是侵略压榨我们先辈的，跟他们不用客气。结果没想到我们点背，让人给查出来了。

　　现在想想，那会儿我还是纯良少年，脸皮薄，在检票员的询问之下什么都说不出来了，用Aiba的话说，我当时就像初次偷腥的小寡妇，红着脸低着头玩命往后蹭，就差没揪起衣角抹眼泪了。

　　Aiba就不像我，她马上装出天真无邪的少女模样，双眼含泪地说："I'm sorry……We come from Japan……We just leave in Austrlia two months. We can't speak English very well. We can't find the station. I'm very sorry……"然后她就一边鞠90度躬，一边操着她流利的日语"狗没拿伞"了，我则在她身边把嘴张成了O形。

　　那检票员显然被Aiba蒙晕了，他很热心地告诉了我们应下车的站台（我们估计比他知道得还清楚），也没让我们补票。Aiba挥着手"阿丽噶朵狗宰你妈死"（日语，谢谢）和他道了别，我也很配合地鞠了鞠躬。

　　走出站台，我拍了她一下，笑着说："你干吗说咱们是小日本啊？"

　　Aiba皱了皱眉说："澳洲人对日本人都客气着呢，再说，丢脸也不能丢咱中国人的脸呀！"

　　"你丫不哈日么？"我说。

　　"你丫才哈日呢！"Aiba瞪了我一眼，"我呀，就是倒霉！人生简直是一出比莎士比亚还莎士比亚的悲剧！当年我是多直的女生啊，企盼能谈个轰轰烈烈的恋爱，嫁个男人养只狗，从此幸福地生活下去。结果好不容易喜欢个人，靠，她居然是日本人！更靠的是，她居然还是女生！我有什么办法，命运跟我开玩笑，我难道能说你哪儿来

的回哪儿去吧，奶奶我不玩了！？"

"日本人？方茴是日本人？"我惊讶地问。

Aiba白了我一眼："你们不是上次说过都是从北京来的吗！"

"哦对对对！那你……你说喜欢的人……是日本人。"我声音越来越小。

Aiba白了天一眼："欢欢个小娘皮就胡说八道吧！她跟你说我和方茴是那什么对不对？"

我猛点头。

Aiba笑了笑说："你以为方茴真是同性恋？"

我犹豫地点了点头，其实我觉得她什么恋都不是，看她的神情就压根没有恋谁的欲望。

"她不是同性恋，她是爱男人爱惨了的，和我住一块就是省得再去爱谁了。"

Aiba望着窗外叹了口气。

4

那天之后，我对方茴的好奇心又复苏了。

因为我怎么也想不通她为什么把自己置于这样一个无爱无欲的境界，按Aiba的说法大概是失恋，可失恋就至于如此么？要真这样那世界人口早控制住了！我也就不用大老远地来澳大利亚镀金了。然而其他的原因，我又猜不透。

晚上我问欢欢："我要把你甩了，你会不会一气之下去找Aiba那样的？"

欢欢掐了我一把说："哼！如果你把我甩了，我就卧薪尝胆，早晚找一又帅又有钱的男人，气死你！"

我抓住她的手说："就不会觉得身心俱疲，宁可和女同性恋一起搞同，也不想再爱男人了？"

　　欢欢把手抽出来，两眼一瞪说："张楠，你要是有歪心眼了直说，不用把我往同性恋那推！告诉你，我就是找个有残疾的男人，也不会找女人！"

　　我赶紧搂住她说："我逗你呢，我就是想看看你有多在乎我，唉，看来想让你为我守身如玉是没戏啊，要是我哪天出师未捷身先死，估计我尸骨未寒你就红杏出墙了！"

　　欢欢扭了扭，咯咯地笑着说："要不我明天找 Aiba 去试试，看有没有为你成为同性恋的可能？"

　　我翻身压上她说："别别别，您大小姐还是别去同性恋的圈子里搅和了，老老实实在咱'成人'的世界里折腾吧！"

　　欢欢的确没去同性恋的世界搅和，她上人家外国人的世界搅和去了。

　　简单地说，就是她跟一老外跑了。

　　分手的时候，欢欢还显得挺难受的，她说她其实更爱我，但是来澳洲以后才发现，有很多事特现实。比如华人就是低人一等，她就得被胖房东那样的人欺负。她一个人能力有限，不可能改变整个华人世界，让同胞们挺胸抬头活出自尊，但她不想过这样的生活了，而什么能改变现状呢，那就是找个老外，融入到他们的生活中去。这样她就可以理直气壮和胖房东吵架，不用害怕被轰走了。所以，作为一名华人为了能平等地在澳洲生活，她舍弃了和我的儿女私情，为中华的崛起而选择了一个她并不怎么爱的老外。

　　我沉痛哀悼了我们的爱情，并对欢欢的做法表示了深切的理解和支持，我也没办法不支持，我一个一穷二白的留学生拿什么让欢欢在澳洲立足？拿什么让她用四川味英语和澳洲人理论？

　　说归说，我还是懊恼了一阵，尤其晚上的时候，身边少了个人的感觉实在很不爽。

　　Aiba 很同情我的际遇，所以虽然欢欢搬走了，我和她们还一样是朋友。不仅如此，我还多了与方苘接触的机会。

　　那天，是方苘主动找我的，在她一向平淡的脸上出现了少见的慌张，她敲开我的门，有些局促地说："张楠，你……能过来看看么？"

　　我赶紧跟着她去了她们的房间，一进屋我就惊呆了，一股臭味冲门而出，整个地板被某种恶心的液体加少量固体侵占了。

　　她站在我旁边红着脸说："我回来就这样了，好像是厕所的管道裂了，Aiba 又不在，所以……你看怎么办？"

我一把拉住她，往外走了两步说："你快别在这待了！上我那屋等着去！"

她挣开我的手，疑惑地看着我。"啊，不好意思！"我赶紧手背后说，"我弄吧，你甭管了，快去快去！这屋没法待人！"

"那谢谢了。"

我以为方茴会有点感动什么的，没想到她又恢复了淡漠，扭头就走了。我琢磨着肯定是我刚才的一伸爪让她别扭了。

和租房中介联系了之后，我进行了短暂的抢救。那些澳产新鲜 ×× 总不能让方茴收拾呀！当然，我估计她也不会收拾，但凡她有办法，也绝不会来找我。

我趁机观察了下方茴的房间，想看看有没有她过去的蛛丝马迹，但一会儿我就放弃了。一是我实在没看出什么特别的，二是那味道实在不适合我继续搜索。

总算弄了个大概，我一刻都不想待地往外走，结果在马上走出门口的时候我滑了一下，顺手带翻了旁边一个小花瓶，一块小石头就转呀转地滚到了我脚下。

我捡起来看，那是某一年代北京小摊上随处可见的署名石，用金粉银粉在上面画上歪歪扭扭的名字，比如"贝贝""帅帅"什么的，我曾经也有一个，早就不知道扔到哪去了。

"给我。"方茴大概听见了响声，走了进来。

"啊？"

她的神色很严峻，莫名其妙的强烈压迫感，让我发愣。

方茴没再说话，她看都没看我一眼就一把抢过了那块石头，就好像那是什么宝贝似的。

我还没来得及洗手，那石头必然已经脏了，我甚至可以清晰地看见她白皙的手染上了一些不洁净的东西，可是她却仿佛丝毫不在意，只是紧紧地攥着，呆立在我身边眼神飘忽。

"那个……脏……"我不知道怎么办，只好说了这么一句。

她颤了颤，好像回过了魂，噌地站了起来径直走到窗边，打开窗户挥出一道漂亮的抛物线，把它扔了出去。

我目瞪口呆地看着她的背影，终于感觉自己找到了要找的线索。

那块石头上有一个名字：陈寻。

5

后来吧，方茴就没再搭理我。

但是我对那件事的印象很深。像她那样的人，你放一干干净净的澳洲大海螺在她面前她都不一定抬眼。可是她竟然会不顾一切地抢块脏了的石头，而且抢过来之后居然又给扔了，简直匪夷所思。光那个画着名字的破玩意就足以让她情绪失控了，可见陈寻对她而言很不一般。

本来方茴的神秘往事让我暂时缓解了失恋的痛苦，可是时间一长，我也就没什么兴趣八卦人家的生活了。转眼到了我生日，之前欢欢还兴致勃勃地说要送我限量手表，去酒店来个浪漫一夜，现在却只剩下我一个人，落差产生的效果，比我想象的要猛烈。

回家的时候路过一个蛋糕店，橱窗很漂亮，架子上摆满了各种花式蛋糕。我站在门口看了看，有一款樱桃芝士的，做得非常让人有食欲，是欢欢最喜欢的口味。但那会儿我们谁也舍不得花钱买，她说等我过生日时一定要买来尝尝。

里面胖胖的蛋糕师隔着玻璃冲我笑了笑，我咬了咬牙径直走进去，指指那个蛋糕说，我要这个。

和蛋糕师随便聊了聊，他知道是我的生日，便很慷慨地送了我蜡烛并以促销价卖了我一小瓶桃子汽酒。然而，独自拎着包装精美价格不菲的蛋糕走出来，我却发现自己更加可怜了。那个谁说过，寂寞面前，温馨只是种苍凉的掩饰。

在公寓楼道里我遇见了方茴，若是平时我肯定迎上去说说话，可我那天情绪实在低落，仅仅点了点头，于是方茴脸上的奇妙表情，便在不经意间被我错过了。

"今天你生日？"她看着我手里的蛋糕和蜡烛问。

"嗯。"我一边掏钥匙一边说。

"8月29日？"她仿佛不相信似的。

"对，"我打开门，随口说，"进来坐坐？"

没想到方茴真的跟了进来，这倒让我有点不知所措了。好在还有蛋糕掩护，我拆开丝带说："一……一起吃吧，我自己吃不了这么多。"

　　"樱桃芝士？"方茴看着蛋糕眼睛闪了闪。

　　"哈，女孩子都喜欢这个吧。"我笑着说。

　　"也有男生喜欢。"她拿出蜡烛说。

　　"嗯，我也喜欢。"我说，而她又用那种特别的目光看了我一眼。

　　"那你还喜欢什么？"她笑着问。

　　她从未如此温柔待我，因此我也就来了精神。

　　"我是万金油，永远跟不上潮流，不会来事儿，喜欢的都特土。当年看圣斗士，人家都崇拜星矢，可我就觉得他是打不死的小强，结果我们班女生都不借我书看了。再说男孩都不喜欢吃甜的吧，可我就喜欢，还老老实实跟别人说，经常被嘲笑……还有啊，现在特流行喝这种汽酒吧，你知道我喜欢什么吗？"

　　"百事？"她挺认真地问。

　　"那多洋气啊！我告诉你，你可不许笑，"我摆了摆手神秘地说，"冰红茶，统一的。"

　　方茴深深地看了我一眼，让我竟然有点不敢回望。

　　"今天我也流行一把，桃子味儿，来点么？"我摇摇手里的小酒瓶，遮挡自己的忐忑，方茴的眼睛随着淡粉色的玻璃晃来晃去，终于还是盯住了我，那种注视让我茫然，我不知道是自己做了什么还是怎样，总之今天的方茴对我有些……特别。

　　就在我胡思乱想的时候，她却垂下了头，轻轻地说："好，给我一杯。"

　　我拿出两只马克杯把酒倒了进去。其中一只是欢欢的，她没带走我也没丢掉，人原来对过去都有不可思议的执念。

　　方茴已经把蜡烛点燃，整个屋子被微微一点光晕笼着，浪漫而不真实。

　　"不好意思，偷吃了樱桃。"方茴指了指残缺一小块的蛋糕俏皮地笑了，那个时候我以为自己看到幻象。

　　我也拣起了一只樱桃扔进嘴里，努力几下吐了出来，樱桃梗漂亮地打了个结，是我舌头的杰作。

　　"如果能把樱桃梗打结，就说明很会接吻！"我不知所谓地说着，面对这样的方茴我不知道该怎么做，该怎么说。

　　因为不一样，真的不一样。

　　可惜那根打了结的樱桃梗没能让我脱离尴尬，相反地，它起了到现在我也说不清是好是坏的作用。

　　方茴平时略显苍白的脸颊泛起了微微粉色，两只眼睛雾蒙蒙的，她透过樱桃结，看着我，举起杯，嘴唇一张一翕地说："生日快乐！"

　　桃子酒一饮而尽，或许甜香的东西最易蒸发，她的眼角滑出了一点眼泪。

　　继而她哭出声音。那一瞬间，我突然明白了。今夜的方茴，说的每一句话、每一个可爱的小动作、每一次微笑、每一滴泪，都不是给我的。

　　我默默等她的肩膀停止颤抖，然后问她："今天，也是陈寻的生日么？"

　　方茴抬起头，刚才存在的那副生动面孔已经消失不见，这才是在我面前真正的方茴。

　　奇怪的是，发现了这点之后，我有些难受。

　　"你相信么？可能人总有点什么事，是想忘也忘不了的。就算时间再久，躲得再远，也不管用。心里放不下，只一点点，就够了。"她握着欢欢的马克杯轻轻地说，"你们一天生日，8 月 29 日，处女座……"

　　后来，在我和陈寻生日那天，方茴在我的澳洲小屋里缓缓地讲了很长的一个故事，长得我站在海这一头却看到了那一头，长得我和他们一起重新过了那年那月，长得他妈跨越了足足十年时光，长得让我看见青春突然白发苍苍……

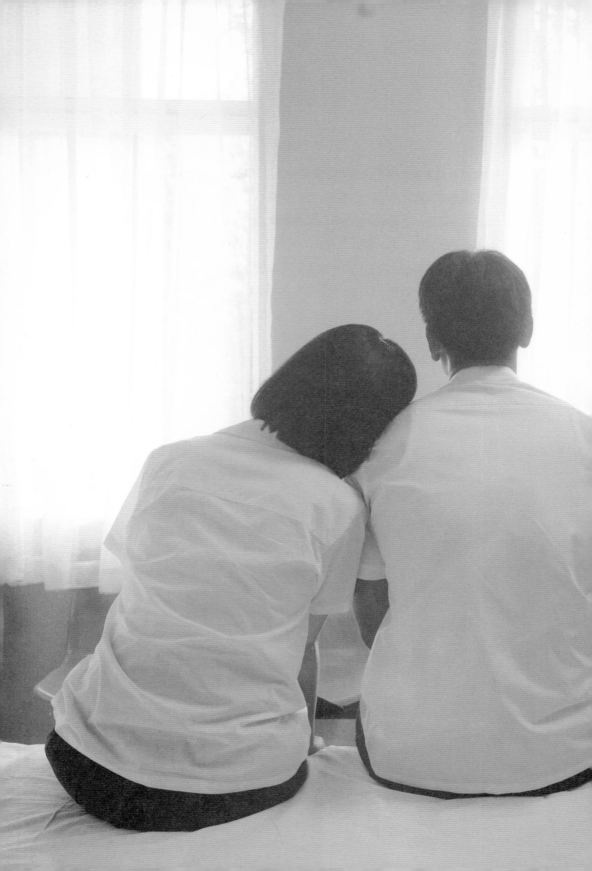

卷二
喜欢

Fleet
of
Time
......

方茴说：

"那时候我们不说爱，

爱是多么遥远多么沉重的字眼啊。

我们只说喜欢，

就算喜欢也是偷偷摸摸的。"

Fleet
of
Time
• • • • •

匆　匆　那　年

1

　　方茴说，她是陈寻的所有红颜中最不像红颜的一位。如果非说个形容词，她充其量算是清秀可人。

　　我很明白，一般清秀可人都是礼貌性的夸奖。这句话的潜台词就是，这姑娘不漂亮，一般人，很一般的那种。

　　当然，我觉得她这么说比较谦虚。方茴虽然不是明眸皓齿的美人，但是很有味儿。不过我觉得她的这种美丽多是源于她的过往，那些情感沉淀下来，自然而然地在她身上产生了幻化。我没见过她十几岁的样子，不知道在没经历这场恋爱之前，她是不是也这么别致。

　　而陈寻呢，据我分析就是一命犯桃花、祸水红颜的主儿。那时候北京的每个高中都可能会有这么个人，长得帅，个高，打球好，有点小聪明，你说什么他都知道，有的学习还不赖。他们为女同学提供梦想的空间，为男同学提供不错的玩伴。总之，就是危害人间来了。

　　陈寻的初恋就是方茴这么一个相貌平平的姑娘，方茴自嘲说以至于后来人们都会以一种奇怪的口气问："啊？她就是方茴？"但我想这种事都是没道理的，如果真琢磨出因果来，那不是看破红尘，就是命不久矣了。

　　反正，方茴是陈寻爱过的女人，虽然这么说有点酸，但是结合我的切身感受，我认为他的确深深地爱过。

　　他们两人的名字第一次被联系在一起，是在 90 年代末《北京晚报》某版下面的一角公告上。当时北京有名或有钱的高中通常会在报纸上刊登中考入榜学生名单。他们都被 F 中录取，名字上下一排。

　　继而，他们同时分在高一（1）班，真正彼此面对面的时候，大概十五六岁。

　　最先开始，陈寻根本没注意过班里还有这么一个人。方茴太默默无闻了，属于那种她就是不来上课，也只有班主任和考勤员知道的人。

　　陈寻是本校直升上来的，因为成绩突出而且有过干部经验，所以被年级主任钦点当了班长。那会儿他正是前有老师垂青，后有同学追捧，左右逢源的时候，所以他没空观察这种女生。

　　陈寻之所以注意方茴还是因为好朋友赵烨和乔燃。赵烨是班里的篮球特长生，一米九几的个儿，头发有点自来卷，长得跟樱木花道似的，一口白牙，笑起来特灿烂。按陈寻的话说，他不应该打篮球，应该去拍高露洁广告，那就不用每年都敲不同品种的贝壳了，可以随着他的成长直接往他牙上敲，效果一目了然，比贝壳真实可信多了。

　　乔燃是个文质彬彬的男孩，任班里的生活委员兼考勤员，他细心又安静，温和又周到，在男生女生里人缘都好。

　　陈寻、赵烨、乔燃三人个儿都高，一字排开，坐最后一排，上课的时候经常说说话、搞搞小动作什么的。那天上课，老师点名叫方茴回答问题，赵烨捅捅陈寻说："嘿，你和这女生说过话么？"

　　陈寻抬头看了看，说："好像没有，记不清楚了。"

　　"你呢？你呢？说过么？"赵烨又问乔燃。

　　"说过吧，前几天和她们组一起做过扫除，怎么了？"乔燃说。

　　"特绝！开学一个月了，咱们班女生就她没跟我说过话！"赵烨说。

　　"哦，是吗？"陈寻扫了方茴一圈，这个女孩他仅仅有一点模糊的印象。那次是他第一次仔细看她，然而也只看清楚了她瘦削的背影。

　　我们的高中时代，北京还没扩展得这么大，北四环是一片村庄土路，三环边上算住得远的，二环还是水泥铺的，开车在上面跑总是"咯噔咯噔"地响。基本不堵车，44路开快了，就跟过山车似的。而且那会儿生活水平也没现在这么高，私家车是少数家庭才拥有的奢侈品。所以不会一到放学时间，校门口就围满了车等着接孩子。基本上大家都结伴骑车或者坐车上下学，学校里有自行车棚，按班级划定区域，每天有人值日负责码车，统一存放。

　　放学取车的时候，方茴的自行车正好放在赵烨和陈寻的中间，她看见两个高大的男生站在那就没凑过来。赵烨却很热情，他推开陈寻，主动错开了一块地，露出他的白牙，使劲笑了笑说："方茴，你先取吧。"

　　方茴诧异地看了看他，轻声说："谢谢。"

　　"来来，我帮你。"方茴刚开完锁，赵烨就冲了上来，还没等她说话，把她的捷安特推了出来。

　　"麻烦你了。"方茴很客气，客气得显示出了距离感。

　　可是赵烨仿佛没想客气，他问："方茴，你家住哪啊？"

　　"双安。"

　　"这么远啊！出校门往东骑吧？我家住德外！咱俩顺路！"赵烨惊喜地说。

　　陈寻狠狠地瞪了他一眼，心里想你们家什么时候跑德外去了？明明在朝外！整个一南辕北辙！

　　"哦。"方茴好像没受启发，仍旧平淡。

　　陈寻歹毒地笑了笑，偷偷竖起了中指。他暗想赵烨，你小子折了吧？人家不吃那套！

　　不过他也瞄了方茴一眼，总体说来赵烨不惹人讨厌，也算半个帅哥，一般这时候，女孩都应该可爱点，说"是吗？好巧！"或者笑笑说"竟然顺路呢！"什么的，可她呢，就"哦"了一声，躲躲闪闪的，像是被惊吓的小猫，明显地不自在。

　　"咱们……一块回家吧？行吗？"赵烨明显受挫，说话都没底气了。

　　"那……好吧。"方茴犹豫了一下，点点头说。

　　赵烨如释重负，忙推着车赶了过去，临走之前还挑衅地冲陈寻挤眉弄眼了一番。

　　陈寻望着他们的背影，确切地说是望着方茴的背影，发了会呆。

　　他突然发现，在这个过程中，方茴一句话都没跟他说，甚至没抬头看他一眼。

2

　　F 中是开放式教学、封闭式管理的先驱。基本上北京的孩子都听说过这所学校。他们校长很有商业头脑，当年第一个高举素质教育的大旗，紧跟形势大步发展。通过各种宣传报道，一下子把沉寂很久的 F 中推上了教育界前列。

　　曾经流传一个关于 F 中校长的故事，他的爱车被学生不小心从楼上掉下的书砸了个大坑。他当时赶到现场之后说的第一句话竟然是："砸得好！砸车没事，千万不能砸到我的学生！"从此之后，该校长名声在外，名利双收。现在所谓的那些推手炒作比起他来，那真是差了档次。

　　因为是封闭式管理，所以规矩也多，上学必须穿校服，女生不能留披肩发，课桌要带桌套，就连中午休息未经许可也不可以离校。所有学生都在学校吃午饭。统一订餐，各班每天分别领自己班的饭箱回去。然后大家自由组合，把课桌腾出来吃饭。

　　第二天中午，没经陈寻和乔燃同意，赵烨就把他们吃饭的阵容扩大为了五个人。

　　"再搬个桌子！拿俩凳！"赵烨吩咐陈寻。

　　"干吗呀？"

　　"今天中午咱们和方茴、门玲草一起吃饭！"

　　"啊？！"

　　"快点啊！我和乔燃还得帮她们拿饭呢，别站着了。"赵烨蹦蹦跳跳地跑走了。

　　陈寻暗骂了赵烨的祖宗八辈外加子孙后代，不情不愿地码好了桌子。

　　门玲草，外号小草，是方茴在班里唯一熟点的女同学，但交好范围也仅局限于一起吃饭、上厕所什么的。她可不像方茴那么安静，是个敢说敢做、活泼可爱的女孩。刚开学的时候，她拿了个记事本，让每个同学把家里电话都写了下来。那会儿没有学生用手机，诺基亚均价 6000，爱立信还没和索尼合并，出了一个翻盖型的就标价7200，不说手机，连 BP 机都上千。这根本是高中生想都不敢想的东西。学生们联系，都是用家里座机。因此她和班里同学自然而然就熟悉了。

　　"既然你邀请我们一起吃饭了，赵烨，你以后得主动拿饭啊！"小草拿筷子点着赵烨说。

　　"行行行！"赵烨点头。

　　"陈寻，你就负责搬桌椅吧，乔燃负责吃完饭后擦桌子。"小草继续吩咐。

　　乔燃笑笑没说话，陈寻说："那你……们干什么啊？"

　　说"们"的时候他停顿了一下，整顿饭方茴都没怎么说话，他还没把她归入这个团体内。

　　"我们负责吃啊！"小草又笑了，两个酒窝闪了闪，很好看，"当然，可以顺便帮你们把桌套撤下来。"

　　"你就吃吧！你看看你，现在脸就是人方茴俩大了，再吃小心变猪啊！"赵烨比画着说。

　　"讨厌！"门玲草把刚擦完嘴的面巾扔了过去，她不服气地捂着脸蛋说，"方茴就是脸小占便宜，看着瘦，其实身上也挺有肉的。"

　　三个男生不自觉地往方茴身上看去，方茴脸腾一下红了，嘴唇动了动，愣没说出话。

　　乔燃赶紧收回目光，岔开话题说："赵烨，你今天训练么？"

　　"不训练！"赵烨转向方茴笑眯眯地说，"今天咱们还一起回家吧。"

　　"嗯。"方茴点了点头。

　　"啊？你们？一起回家？"门玲草惊讶地说，"赵烨你家……"

　　"我家住德外。"赵烨咬牙切齿地打断她。

　　陈寻看了门玲草一眼，她会意地点点头，做恍然大悟状，笑得一脸奸诈。

　　"哦哦，是德外！"

　　在回家的路上，赵烨很喧闹。

　　他没办法，如果他不说话，那两个人就会一直安静地骑下去，哦不，说一句话，最后分别的时候说拜拜……

　　所以他只能不停地说，不过他也不觉得辛苦，他最擅长的第一是打球，第二就是说话。

　　"方茴，你冷吗？"

"不冷。"

"要不我把手套给你？没事，别客气，我不冷！"

"不用了，谢谢！"

"方茴，你知道么，你破了我一个纪录！"

"什么啊？"

"我吧，从小学到初中到高中，绝对一周之内，和全班同学都混熟。可是你，居然一个月都没和我说过一句话！"

"是吗？"

"是啊！你是不是讨厌我啊？"

"没有。"

"那我就放心了，要不我高中生活就有遗憾了啊！"

方茴看了他一眼，不好意思地笑了笑。

赵烨也笑了笑，他觉得方茴很有意思，和其他的女生不一样。虽然沉默，但是不做作。有时钝钝的，很可爱。

"对了，你初中哪个学校的？"

方茴猛地刹住车，很警觉似的看着他问："干吗？"

"啊？"方茴的态度的转变让赵烨一时难以适应，明明刚才还和煦春风呢，转眼就寒风凛冽了。

"就……就是问问……你初中哪儿的……"他有些结巴地说。

"我不是本校考的，以前在很次的一个学校。"方茴大概也觉得不妥，说了很长的一句话回应。

"哦，哦。没什么，我也不是本校的，我们学校更次，我中考全校第一，总分才556，要不是体育特长，根本来不了咱学校。"

赵烨以为她有些自卑，忙开解她。

方茴抬起头，局促地笑了笑，恳切地说："以后别提初中的事了，也别和别人说，好吗？"

"没问题，咱俩一起保密，拉钩上吊一百年不变！"赵烨信誓旦旦地说。

那天以后，方茴和赵烨真正地熟了。赵烨总是跟她开玩笑的，偶尔方茴也会回两句嘴。乔燃学习认真，人又温和，经常和方茴对对作业答案，借借笔记，所以也相处得很好。

　　唯独陈寻，两人之间始终没有亲近。即使每天中午一起吃饭，大家吵吵闹闹的很开心，但方茴与陈寻仿佛永远绝缘。

　　然而这样的情况，却在突然之间发生了改变。

3

　　方茴成为宣传委员了，是陈寻执意推荐的。

　　那天是每周一的例行班会，因为板报评比一班只得了第六，而全年级只有六个班……所以班主任侯佳特别进行了一番训话。

　　侯佳是刚毕业的师大研究生，第一次带班特别有干劲，总是希望班级能有些突出的表现。当然"突出"和"表现"这两个词是结合起来出效果的，如果没有表现，也就不要突出。可是这次呢，没什么表现，但是突出了，倒数第一的位置让侯佳很挫败。尤其是年级办公室里，那群有点资历的老师还半咸不淡地说："侯老师，不应该呀，学生们是挺喜欢这种活动的嘛，下次要多做工作啊。"她更是有苦说不出。

　　"大家来自四面八方，既然组成一个新的班级，就要事事想到自己是班集体的一员，"侯佳板着脸说，"这次的板报我不能说是某一个同学不认真，是全班同学都没有重视起来。板报虽然只是一张纸，但是它也代表了班级的形象。我想你们谁也不希望让其他班的同学笑话对吧。月底就是中秋节了，还要出一期板报，现在我想征求一下大家的意见，看有没有什么好的创意，或者哪位同学在初中时出过板报学过画画，也可以一起帮忙出。"

　　同学们全都低着头，一声不吭。

那时的教育虽然也提倡个性和独立，但往往更注重形式而不在乎实质。全都个性了独立了，老师们还怎么管？从手背后排路队，到举手发言向右看齐，我们都是貌似被放养，实则被圈养。私底下无论玩得怎样热闹，在老师们面前也都成了沉默的羔羊。像板报这样的事，任你老师说得再慷慨激昂，底下的学生也不见得有多大反应。所以班会和德育课，基本上大家都在装鸵鸟。

就在全班都安静异常的时候，陈寻举手站了起来。

"这件事呢，首先我作为班长、何莎作为宣委，都是有一定责任的。但是我想大家也不想这样，何莎虽然是宣委，可是以前从来没出过板报。我觉得还是应该找一个画画好的同学协助她做这个事，才能得心应手。所以，我想推荐一个同学来和何莎一起负责出板报。"

侯佳满意地看着自己的班长说："你想推荐谁呢？"

陈寻仿佛胸有成竹，清晰响亮地说："方茴。"

一直在鸵鸟状态的方茴猛地抬起头，她根本没想到陈寻会说出她的名字，只觉得脑袋一下子蒙了。

"方茴以前学过画画，她出板报肯定没问题！"陈寻接着说。

侯佳点点头，望向方茴说："我也有些印象，你入学表里填着学过美术吧。"

方茴站起来，全班同学都望向她，她很久没接受过这样的注视了，异样的紧张感让她很不安，脸不自觉就红到了耳根。

她小声说："我是学过……可是……可是……"

"那么下期板报就由你和何莎一起出吧，其他同学没意见吧？"侯佳询问。

"没意见！没意见！"赵烨故意大声说。

方茴恨恨地回头瞪了他一眼，目光扫过陈寻，他却一脸淡然。

下课之后，方茴走到陈寻的座位前，这是她第一次和陈寻面对面地讲话，却仍旧半低着头。

"为什么让我出板报啊，我……"

"上次吃饭听小草说你学过画画，不是还得了区里二等奖么。"陈寻打断她说。

"可是，我没画过板报……"方茴没想到他会记得这样的事，上次聊天不过是插科打诨地一带而过。

　　"简单，会画画就行，你看上次何莎画的那个树，不知道的还以为是捆芹菜呢！"陈寻努力去看她的眼睛，却只看到细细的刘海，她的眼睛在下面一闪一闪地飘忽着，让人有想把她头发拨开的冲动。

　　"可是……"

　　"没关系，到时候我帮你，"乔燃抱着一摞作业本走过来说，"我不会画画，但涂个颜色写个字什么的总还行。"

　　方茴感激地看了他一眼，点了点头，默默走回座位。

　　那一刻，陈寻终于看见她的眼睛，可是那个温和的目光却并没有在他这里停留。

　　陈寻是故意的。

　　因为他突然发现，在这个女生面前，他落后了两个好朋友一大截。

　　好比说吃饭的时候，赵烨说喜欢吃土豆，每次盒饭里有土豆，方茴就会把自己的菜分给他一点。而陈寻也说过自己喜欢吃白菜，方茴却一次也没给他拨过。

　　再好比说，方茴有不会的作业题总是问乔燃，其实他物理学得比乔燃好多了，但方茴从来不找他。就算两个人琢磨半天也想不出来答案，陈寻主动去给他们讲题，也会最终演变成陈寻讲给乔燃，乔燃再转述方茴的情景。

　　最过分的是，有一次英语测验前的课间，方茴和乔燃聊天："也不知道是什么样的卷子，难不难。"陈寻正好从旁边走过，于是停下来说："刚才二班考完了，特难，正反四面的卷子，两节课根本做不完！"他本来是冲着方茴说的，可方茴却转过了身，只剩下乔燃一阵长吁短叹。一会儿她回过头，陈寻以为她要说点什么，哪知道人家拿出一个本递给乔燃说："今天留的作业，放学别忘记还我。"然后就又转了回去，理都没理他。

　　那种被忽视的憋屈感觉，已经超出了他从小到大体验的极限……

　　因此他就决定，不管怎么样，好歹要让方茴正正经经地面向他一次。

　　其实当时陈寻这么做，仅仅是因为实在不能容忍方茴对他淡漠的态度，没什么太多的含义。

　　我很理解他，那个时候我们还小，还可以仅仅因为心里一时的想法就去努力地做，还可以随意地喜欢、厌恶、不服气，还可以独断专行不去想日后会发生什么改变什么。

也许有人会说这是任性和自私，但是，我觉得现在已经长大的我们，已经学会圆滑与世故的我们，已经在社会各个角落默默工作的我们，并不会后悔曾经用那么鲜明的态度去诠释自己的青春。

比如陈寻，对于他那时的这个决定，我想他从未后悔。

"你讨厌他么？"听到这里我忍不住问，"或者喜欢他，所以刻意地躲着？"

方茴摇了摇头，她轻轻地用手指抚摸着欢欢杯子上的小熊，指甲蹭过瓷面的声音和她轻柔的嗓音在变换的时空中形成了怀旧的调子。

"不是喜欢也不是讨厌。你知道么，有那样的一种人，身上会散发光芒，在这样的光芒下面会感觉温暖而舒适，但距离太近的话，就会有些刺眼了。而且在光的旁边，我会更加觉得自己黑暗。所以比起如此耀眼的陈寻，我可能是喜欢乔燃的。"

我没有说话，继续聆听了下去。然而，我想在那个年纪可以颠覆所有的可能和不可能。没有成熟的思维去让生活符合逻辑，所以光亮的陈寻和黑暗的方茴一样可以通过化学反应产生沉淀或气体。

说到底，流年辗转，只因年少。

中秋节的板报整整出了三天。

第一天，何莎、陈寻、乔燃、小草都留下来帮忙。赵烨也趁机找了个理由没去训练，他对画画一窍不通，摸摸这个，玩玩那个，就是图个新鲜。好几次，不是弄折了铅笔尖，就是踩了画纸，一点忙没帮上，倒是添了不少乱。

方茴再一次拯救被赵烨不小心掰断的油画棒时，禁不住苦笑着问他："怎么不去训练？不是说好多女生都围着看呢么？"

　　赵烨摆摆手说："那帮小孩太小了，长得又那么爱国，没劲！我们队里都说，F 中女生一回头，F 中男生要跳楼；F 中女生二回头，中东不再产石油；F 中女生三回头，哈雷彗星撞地球；F 中女生……"

　　"嘿！你什么意思啊！"小草拿起毛笔使劲甩了一下说，"我们也都是 F 中女生，哪儿不好啦？"

　　"啊！我的耐克！"赵烨望着背心上的大小水点一脸哀怨。

　　乔燃趁机把他支走，说："快去厕所冲冲，万一小草那笔没涮干净，就留下印了，要不我对称着再甩一道？"

　　赵烨一溜烟跑了出去，方茴终于松了口气，陈寻好像看出了她的无奈，说："你专心画你的，待会儿我去门口拦着，绝对不让他再进来了。要是他再捣乱，我就朝楼下操场喊他的名字，他们教练就在下面呢，他最怕教练，肯定老实了。"

　　方茴低头一笑，收拾了一下重新开始。她非常地认真，把自己家里能用到的颜料、画笔全拿了来，先用铅笔在图纸上画了草稿，然后再标明图文格式。就连涮毛笔的水也一遍遍地去倒，说是怕颜色花掉。

　　可是因为赵烨的折腾，外加上小草何莎连说带笑，陈寻和乔燃又总是商量中秋联欢的事，人虽不少但能真正帮她的一个没有。所以第一天下来，仅仅出了个底稿。

　　第二天的情况也没好到哪去。熬到第三天，赵烨和小草已经彻底放弃不来了，乔燃感冒，被方茴执意劝回了家，何莎因为有事也只待到六点就走了。最后，只剩下了陈寻和方茴两个人。

　　秋末天黑得早，陈寻把教室里的灯全部打开。在明亮的日光灯下，趴在拼搭的课桌前的方茴，在画纸上映下了

小小的影子。校园一片静寂，教室里只有笔尖、橡皮和纸张摩擦的声音，陈寻坐在一旁的椅子上，静静地看着方茴涂抹。

也许是交流太少，他格外地注意方茴的小动作。比如她用手背把头发别到耳后，比如她轻轻用小指扫掉橡皮末，比如她半低着头垂下眼说话。陈寻很喜欢看她这么做，虽然像小草那样梳着马尾巴，鼓起脸蛋把橡皮末吹走，微笑着一边比画一边聊天也很可爱，但是他更中意方茴的这种别致的清淡味道。

"你看看这行字歪么？"方茴抬起头，恰巧迎上了陈寻的目光，她脸一红，忽闪着眼睛急忙躲开了。

陈寻走过来，端正地看了看说："不歪，一点都不歪！这字真好看，怎么和你平时写得不一样？"

"嗯，是仿宋字。其实我写得不好看，我爸爸写得很好，我跟他学的。"

"挺好的啊，你爸爸也画画？"

"不，他画图，"方茴拿尺子比了比说，"剩下再把铅笔线擦掉就可以了，这个我自己做就行了，你早点回家吧，都让你帮了三天忙了。"

"不用，我不着急，等你一起走吧，"陈寻忙说，"你能画板报其实是帮我的忙，要不我真没法跟侯老师交差！"

"那谢谢了。"方茴笑了笑说。

陈寻情绪很高，他拿出了自己天天带着的随身听，摘掉耳机，把音量调到最大，当作录音机来放歌。效果并不好的小机器在教室里一直断断续续放着："多想说声我真的爱你，多想说声对不起你，你哭着说情缘已尽，难再续，难再续……你这样一个女人，让我欢喜让我忧，让我甘心为了你，付出我所有……"

陈寻和方茴一边跟着哼哼两句，一边完成了板报。他们站在凳子上，一人拉住画纸的一角，互相对齐。把纸贴在墙上的那一刻，两人相视而笑。

走出教学楼时，他们欣喜地发现小卖部还没关门，于是一起买了汉堡和软包装的冰红茶，坐在操场边的双杠上吃了很简易的晚餐。月亮透过树叶斑驳地照在他们身上，也许因为夜晚，所以方茴所谓的陈寻身上那耀眼的光也恬淡了下来，使她可以安心地这么坐在他身旁。

"谢谢你。"方茴摇晃着腿说。

"不用客气！都说了其实是你帮我的，"陈寻笑着说，"你画得真棒！这次咱们班肯定第一！"

"也不一定，我能力有限，只能这样了。"

"方茴，"陈寻突然很正式地说，"我觉得很好，真的，很好。"

我想不管是怎样的赞美，人们都是喜欢听的。所以面对陈寻的目光，方茴终于迎接了上去。她轻轻地笑，刹那芳华。

这一段方茴讲得非常仔细，她穿了红色的外套，陈寻穿了白色的，英雄牌的水彩笔装在西瓜太郎的笔袋里，随身听是爱华的，放的是周华健的《让我欢喜让我忧》，鸡肉汉堡三块五一个，冰红茶是统一的，月亮差一点点就很圆了，学校里的树是槐树，双杠是铜杆可以调升降的那种……

多年之后，听她眯着眼睛淡淡地回忆这些，我突然心动想流眼泪。文艺地说，是我看到了幸福的影子，也闻到了悲伤的味道。粗俗地讲，是方茴那迷离的样子让我的肾上腺激素分泌过剩了。

我有点心疼她，想去握住她的手，不是因为我很禽兽地对一心灵脆弱的少女有了龌龊的念头，而是因为我发现她的手在轻轻颤抖……

天遂人愿，一班的板报在评比中勇夺第一。

结果公布，上到年级主任班主任，下到同学干部小组长，见到方茴都使劲咧着嘴，笑得见牙不见眼。

方茴在诚惶诚恐了几天之后，也慢慢地开始适应了大家的笑容，早上骑车来，遇见同学，不再是低头躲过，而是仰首唤声早。

匆　　匆　　那　　年

　　最开心她这样子的人就是陈寻，因为作为同学之一，方茴也自然微笑向他了。

　　那年 F 中正式开始改革师资力量，于是从各大名牌师范类院校引进了不少研究生以上学历的新老师。F 中那忽悠校长召开了全校师生见面会，他在会上激情发言，说 F 中汇集了五湖四海的精英力量，同学们在底下笑,说 F 中也汇集了五湖四海的精华方言。

　　在当时，普通话尚未成为教师必修的功课，有这方面的测验，但糊弄一下也就过了。因此每当在上课时间从安静的楼道里走过，都能听见各种充满地方特色的声音。

　　有一天上化学课，任课的刘老师又开始了他娱乐全班的表演。

　　"这个涅……大家把花肖口王翻到第二四七噎！……这个涅，二四七噎第二题……这个涅，路哗啦……"（大家把《化学考王》翻到第二十七页，二十七页第二题，氯化钠……）

　　赵烨在底下窃笑着弯下腰，转身问陈寻："嘿，记啊！多少次了？"

　　陈寻在本上又画下三个杠，粗略数了数已经画好的"正"字说："二十八次了！"

　　赵烨看了看表，笑得更厉害了。

　　"牛逼！新纪录！上课六分钟二十八次'这个涅'！"

　　"别笑了，刘老师看你呢！"乔燃小声提醒他。

　　"那边的同肖，这个涅，主役课堂纪录！"（那边的同学，注意课堂纪律）刘老师皱皱眉头说。

　　赵烨忙低下头，转过身假装看书。

　　"这个涅，路哗啦，这个涅……"

　　赵烨实在忍不住，又笑出了声，这下可把刘老师给惹火了，他三步并作两步地走到最后一排，很激动地说："这个同肖你站起来！你这四什么态度？这题你会了？那你讲！"

　　刘老师把练习册一把塞给赵烨，气哼哼地看着他。

　　大家都回过头看，赵烨憋红了脸，半天抬起头，满脸纯洁天真善良质朴，好像是做不出题的小学生。

　　然后这个巨型小学生开口了，他说："这个涅……老师，我不会。"

　　全班爆笑……

　　这件事的结果呢，就是刘老师把赵烨直接拉到了年级办公室，接受了各路老师的一通批评教育，普通规格的 800 字检查显然已经不足以平息老师们的怒火，他们强烈要求赵烨写出 1500 字的深刻检讨而且不许有涂改，最后，还得家长签字。

　　经此一役，赵烨青春的激情一下子被浇灭了，整个下午都无精打采的，连放学之后与五班的足球赛都拒绝参加。

　　乔燃拉住他说："走吧，都等着呢，你不去谁守门啊！"

　　赵烨闷头收拾书包说："不去！我还得写检查呢！让周晓文替我吧！"

　　"周晓文拉长了才到你腰！别开玩笑了！"陈寻也过来劝他，"检查还不好写！你把你以前写的那些版本汇集起来，1500 字还不跟玩似的！"

　　"不行，要求家长签字，我爹知道这事肯定得抽我，我要保存体力！"

　　陈寻灵机一动说："我找个人帮你签字，让你踏踏实实跟我们去怎么样？"

　　"别逗了，让你爸给我签啊！"

　　"不是，你等我会儿啊！"陈寻转头跑了出去。

　　那会儿老师和家长的联系没现在方便快捷，所以老师们最爱用的一招就是家长签字，什么考试卷成绩啊，收费条啊，检查啊，都以签字作为回应。意思就是学习情况、收费情况，还有您家孩子干的事，您心里得有个谱。但是学生们自然有很多事不想让家长知道，尤其是成绩不好的孩子，谁敢把满篇红的卷子拿给长辈过目啊！俗话说得好，道高一尺魔高一丈，有需求就有市场，于是每个班里都会有那么一两个模仿家长签字的学生。倒不是一定模仿笔迹，就是连笔字写得好，反正一般情况下也没哪个老师真的一字儿一字儿地对。

　　方茴他们班做这件事的高手就是门玲草。

　　陈寻在楼梯上找到小草时，她正跟方茴往下走。陈寻拦住她们说："先别回家，帮个忙！"

　　小草看着他说："什么忙啊？"

　　"今儿赵烨不是点背么，被逮着写检查，你帮他签个字行不？"

　　"不行，你看今天侯老师都气成那样了，万一被她发现作假，我还不得也写份检查！"

"哎哟，没事，你字写得那么好她肯定看不出来，就算东窗事发，我们也绝对不说是你签的！打死也不说！"

小草笑了起来，陈寻看着有门儿，忙接着说："拜托了！快点，待会儿还和五班踢球呢，这事搞不定赵烨不去。"

"踢球？那我也去！"小草高兴地说。

"没问题！让赵烨请你吃梦龙！"陈寻拉住她就走，走了两步好像想起了什么，又回头说，"方茴，一起去吧！"

方茴摇摇头说："你们去吧，我今天没骑车。"

"没事！我带你！"

陈寻看着她，笑得一脸春暖花开。

那会儿班级之间经常踢踢足球，打打篮球。F中没有标准的足球场，他们的据点是东华门的城墙后，人少车少又开阔。那里没有什么专业设施，书包一码就算两门，数几条明显的地缝算边线，搁两块石头算角旗，但照样踢得不亦乐乎。

陈寻那天状态奇好，一上场就灌了对方俩球。他学着希勒高举手臂转了两圈，正高兴呢，却看见方茴递给了乔燃一瓶水，两人有说有笑。

于是他心里又有点不舒服了，明明进球的是自己，跑得最辛苦的是自己，怎么不见她给自己送水？乔燃踢后卫，五班前锋那么屎，一直轻轻松松的，一下场倒先送给他了？

陈寻想着就跑到了场边，朝方茴那边喊："给我瓶水！"

结果方茴还是没动换，倒是小草，忙拧开了给他送来，还夸了他好几句。

陈寻郁闷地踢了下半场，换人休息的时候，他看见方茴又向乔燃走了过去。

"太晚了，我还是先回家吧。"方茴说。

"也行，那你回家慢点啊。"乔燃看了看天说。

"好，拜拜！"方茴挥挥手，背起书包擦过陈寻身边就走了。

然而，就在她刚要走上马路的时候，突然听见身后陈寻喊她的名字。

方茴回过头，看见陈寻站了起来，晚霞的光越过古老的城墙映在他身上，一片红彤彤的。

在这片红色里，陈寻笑着说："先别走啊，等会我骑车送你回家！"

6

方茴说她鬼使神差地就留下了。

那天的陈寻让她产生错觉，也许是东华门那里太厚重，天长地久几世姻缘它都经过，所以她恍惚了。她笑着说那时她竟然想起《大话西游》的台词，在霞光中，她真的以为向她伸手的这个男孩就像电影中说的一样会驾着七色云彩来接她。

而我想，他们只不过是在青春的一瞬，悄悄彼此动心。

那天的比赛一班大胜，陈寻一个人进了五个球，乔燃也进了一个，乌龙。

除了乔燃，其他的男生都特高兴，小草骄傲地从五班女生面前穿过，怀里抱着五瓶黑加仑，说要庆功。

而方茴早就丧失了刚才那点勇气，她只是盼着一会儿能悄无声息地坐车回家，因为天越来越黑，红色的晚霞也已不见踪影。

"等着急了吧？"陈寻走到方茴身边说，"走吧！"

"嗯……不用了……我跟赵烨走吧，顺路。"方茴低下头说。

"别别别……"赵烨趴在陈寻车后架上说，"我今天可没劲儿折腾一来回了！回家还得写 1500 字呢，我靠！"

"啊？"方茴疑惑地看着他。

"你丫老实招了吧！"陈寻揉了揉赵烨的脑袋笑着说，"他们家根本不是在德外，住朝外是真的！"

"啊！"方茴瞪向赵烨。

"嘿嘿……我那不是为了跟你联络感情么！"赵烨装作无辜地说。

"滚滚滚！"陈寻把他扒拉下去，自己骑上车扭头说，"上来吧，再磨蹭到家更晚了！"

他慢悠悠地向前骑，不时按两下车把上的胶皮喇叭，那呜哇呜哇的动静就像是催促，方茴忙跑了两步，蹿了上去。

她不善于蹿车，动作笨拙又不想去扶陈寻的腰，于是那辆捷安特变速车就摇摇晃晃地一路蛇行。

"小心啊！"前面的陈寻没有回头，他只是向后伸出手，轻轻扶住方茴的胳膊。

车子稳下来，慢慢成为一条直线。

方茴突然脸红，过了好一会儿她才想起，刚刚忘了跟乔燃他们说再见。

那时候北京的傍晚大概还是清新美丽的。

没有那么多人，没有那么多车，也没有那么多空着半拉的五 A 级写字楼。北京人还没拆迁到远郊区，西直门还没有那能绕晕人的立交桥和夸张的三个馒头形建筑，平安大街还是由各条胡同连接起来的，他们还那么稚嫩年轻。

陈寻带着方茴穿梭在南池子的红墙绿瓦之间，路灯淡淡地打在他们身上，像是给他们镶了一层金边。

方茴抱着书包，摇晃着腿，跟陈寻胡乱聊天。

"你别生赵烨的气啊，他啊，就是想跟你说话！"

"我知道，没生气。"

"真的？女生不是都特烦男生骗人么！"陈寻笑着说，"那天跟我妈看一电视剧，别的没记住，就记住女主角，就是演《戏说乾隆》里喜儿那个女的，她歇斯底里地喊：'你为什么骗我！你怎么能骗我！你好狠心，居然骗我！'"

陈寻掐着嗓子学港台女星的语调，方茴被逗得笑了起来。

"我不怕被人骗。撒谎可以，但一定不要让我再知道真相。"

"为什么？"

"如果不知道是谎言，不是就会活得轻松点么？真相对我而言没什么特别的意义，与其被欺骗之后，因为清醒地知道真相而痛苦，倒不如糊涂地一直被欺骗下去。"

"啊？那如果道歉呢？说以后再也不会骗你了。"

"不要道歉，我最讨厌的词就是'对不起'。一旦说了'对不起'，就代表一定有所亏欠。"

"这样啊……"

"嗯！很奇怪吧，呵呵。"方茴自嘲地笑笑，她紧紧抓着书包的拉锁，在手指上印下了小小的坑。

虽然方茴这么说，但陈寻觉得她肯定是害怕被欺骗，害怕被辜负的。他想起她低着头在班里沉默的样子，感到心里酸酸的。这个女孩子不仅善良，而且温柔。她从来不去麻烦任何人，但别人拜托她的事情一定会好好地帮忙。也许有的时候有点笨拙，却不会刻意地掩饰。每当她抬起头的时候，眼睛总是瑟缩着躲闪，可是仔细看她的瞳仁，那里面一片纯净。

"好吧！那以后我就不跟你说对不起了，我要说没关系！就是踩了你的脚也说没关系，算你欠我的！"

"什么呀！"方茴又笑了，这次是开心的笑。

既然她不喜欢对不起，那么他就不说；既然她不敢上前靠近，那么就由他来；如果她还是后退，那么就拉住她。

当时陈寻大概就是这么想的，至于为什么，很简单——

他喜欢上她了。

第二天上学，赵烨的检查安全过关。赵烨又恢复了活力，只是在化学课上不再折腾，不管刘老师说多少次"这个涅"，他都听得一脸虔诚。

放学的时候方茴不再等赵烨一起回家，她推着车从操场旁边走，正好看见赵烨和陈寻、乔燃他们一起打球。赵烨也看见了她，他凑到陈寻身边小声说："我待会儿传球，你别接啊！"陈寻纳闷地点了点头，还没往回跑就看见赵烨把球朝着方茴扔了过去。

球不偏不倚地砸在了方茴的车后轱辘上，自行车应声而倒。

"啊呀呀，脱手！"赵烨嬉皮笑脸地说。

方茴狠狠瞥了他一眼说："讨厌！"

"你干吗啊？"陈寻拍了他一下说。

"嘿！你下那么狠手干吗！"赵烨揉着肩膀说，"她说不生气，结果今天我跟她说拜拜她都没理我。"

"你丫活该！"陈寻刚想去帮方茴把车扶起来，就看见乔燃跑了过去。

乔燃正了正她的车把，两人亲热地说了点什么，挥手再见。

"哎，你说乔燃是不是对方茴有意思啊！"赵烨捅捅看得发呆的陈寻说。

"不知道！"

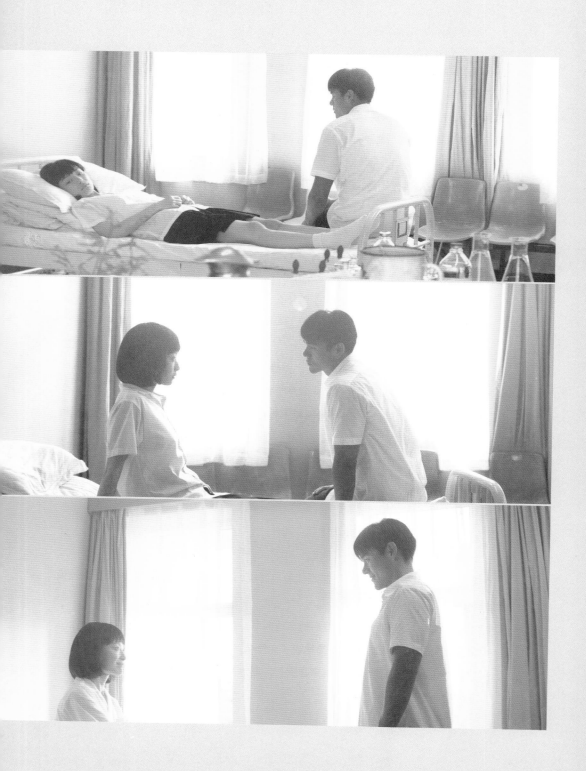

陈寻一把抢过他手里的球，站在三分线上扔了出去。

篮球应声入网，一击即中。

7

乔燃的确对方茴有意思。

但是对方茴有意思只是他高中生活很多事情中的一件。他还要每天安排各个小组值日，还要去教务室领白粉笔，还要在校风校纪大检查之前提醒同学记得穿校服剪刘海带桌套，还要背每周二默写的新概念课文，还要天天记笔记写作业，还要中午打球占场子，还要干好多好多没什么内容但必须得干的事。

喜欢方茴就混杂在这些事之间，时不时地让他心神荡漾一下。但可能是腼腆，也可能是没有危机意识，他并没有怎么表现。那会儿也不太流行表现，基本上就是午饭后课桌间，男生女生嘎达嘎达牙，小声议论一下"××是不是喜欢××？"或"听说××和××好了！"。但再怎么说也不会像现在的中学生，动不动就老公老婆，在班里就敢舌吻，在公共汽车上就抱成一团，放学回家手拉手一点都不避讳人。

乔燃迟迟没有作出实质性进展，当然，如果他真的有实质性进展了，估计今天我就得改戏唱另一出了。总之，他在不知不觉间，就已经错过了让他牵肠挂肚很久的人。

一切的开始是因为方茴出事了。

那天是周一的升旗典礼。和其他学校一样，升旗典礼是每周必有的仪式。各班排成矩阵形，初中没入团的同学要戴红领巾，高中入了团的要戴团徽。七点半准时开始，不许迟到，否则多大的帽子都能扣上，不热爱祖国、不关心集体、不尊重国旗等等。如果迟到了还赶上正放国歌，那绝对得站在原地一动不动，然后敬等班主任训话。

程序很简单，旗台两边分别站着高中和初中两组人，一边举队旗，一边举团旗，身后女生捧花相衬。升国旗奏国歌，少先队员敬礼，全校师生齐唱国歌。如果有活动和精神再传达一下，偶尔校长还讲讲话，表彰或批评点什么。

F中比较特别的地方是，他们的升旗手是固定的，每个年级两个人，轮流制，而且都是男生。这些男生的学习成绩不一定很养眼，但个头长相一定很养眼。F中校长说，要的就是这种门面，这种效应，这种气势！因此F中的升旗仪式，绝对"有模有样"。

高一年级的升旗手是陈寻和乔燃，那天举团旗和捧花的任务也轮到一班来负责，赵烨举旗，方茴和小草捧花。

方茴早上稍微晚了点，急急忙忙地出来，没来得及吃早点，赶到学校马上就拿花上台了。她只站了一会儿，就感觉太阳晃得难受，两腿一阵阵地发软，然而这种场合她也不好意思说自己不舒服，就咬咬牙忍住了。没想到因为队列排得不整齐，德育主任在仪式开始前又训了话，眼见前面一阵黑一阵白，方茴再也撑不住，摇晃起来。可是她在陈寻和乔燃身后，被挡了个严实，没人发现她的异状。

"唉！国旗！国旗！"

德育主任刚要宣布升旗仪式开始，就听见底下同学一片惊呼。回头一看，国旗竟然升了起来，再一看，原来是方茴倒下之前抓住了绳子，生生把旗子拽了上去。她那时候已经意识模糊，唯一的一点印象，是一双温暖的手扶住了她。

"快！把这同学送……"

德育主任话还没说完，陈寻就跑了过去，他扶住方茴冲一边的小草喊："站那儿干吗呢！快把她扶起来！我背她去医务室！"

小草忙扶起方茴放在陈寻背上。陈寻往上颠了颠，拉紧了她的胳膊，向医务室疾走而去。小草在后面托着，几乎跟不上他的步子。

陈寻实在动作太快，当乔燃反应过来的时候，他已经背起了方茴。乔燃紧忙追上他们，和小草一起扶稳了方茴的身子。

"升旗手！升旗手回来一个！"

德育主任朝他们喊，而陈寻和乔燃却都没有回头。

医务室在教务楼，离操场有挺长的距离，陈寻背着个人走了一段，明显气喘吁吁的。

小草在一旁说："陈寻，你放下她，让乔燃替你会儿！"

"对，我来吧！"乔燃焦急地说。

"没事，不用。"陈寻摇了摇头，手抓得更紧了。

那时他心里有个很清晰的想法，就是绝对不把方茴交给其他人。

其实想想，那场景一点都不浪漫，方茴虽然不胖，但个子挺高，背着肯定很吃力。原本抱着可能更省事儿点，但是在全校师生众目睽睽之下，谁敢当着校长的面这么干啊！然而，在这件不浪漫的事中，有些浪漫的小情感却更加笃定。

几个人十分狼狈地来到医务室，都很紧张。校医看了看，说没什么大事，血糖低，休息一会儿就能缓过来。

方茴一醒过来就看见了陈寻。他和乔燃、小草一起直勾勾地盯着自己，表情夸张。

"老师！醒了！醒了！"陈寻扭头喊。

校医走了过来，摸了摸方茴的头说："还觉得难受么？"

"还行。"

"早上是不是没吃早点？"

"嗯……"

"下回一定得吃早点啊！没事，就是血糖低，"校医一边记录一边说，"你们谁给她去买点吃的，面包和饮料就行，要甜的啊！"

"我去吧！"乔燃说，"你想吃什么？"

"什么都行，谢谢。"

"别那么客气。"乔燃笑笑，跑了出去。

"哎哟，你可真是的！怎么也不说你难受啊！"小草皱着眉头说。

"我觉得忍忍就好了……"

"幸亏陈寻反应快，他要不是扶住了你，你就得磕台子上！"

"啊，谢谢……"

陈寻摆了摆手，冲小草说："去领药吧！"

"好，你先躺着啊！"

小草跟着校医走了出去，陈寻替方茴拉了拉被子说：

"再歇会儿，第一节课别上了。"

"好。"

这么近距离的单独相处，让方茴感到紧张，她索性闭上眼睛，不再看陈寻。

"刚才吓死我了。"

陈寻仿佛自言自语地低声说，方茴不由得偷偷红了脸。

"知道我为什么这么担心你吗？"

"你……是好人。"方茴轻轻地说。

"哈？我是好人？你看别人晕了我这不这样！蒋主任在后面喊我，我都没理他！"

方茴的睫毛一点点地颤动起来，她隐约明白了点什么，但这样的感觉让她一半陶醉一半畏惧。

"你真不知道，还是装不知道？"陈寻有点失望地说，"直说了吧，我……"

他话没说完，乔燃就回来了。

他买了醒目苹果的汽水和牛肉汉堡，还有一袋彩虹糖。

"等急了吧？我让小卖部把汉堡热了，"乔燃说，"刚才聊什么呢？气氛这么沉重！"

方茴低下头没有吭声。

"没事儿，我吓唬她来着！"陈寻撕开彩虹糖的口袋，往嘴里扔了一颗绿色的糖果。

那粒糖酸酸的，就如同他现在的心情和那句缠绕在心底没能说出来的喜欢。

8

那一整天的课，方茴都上得晕晕乎乎的。

陈寻的欲说还休在她脑袋里不停转悠，一会儿想，难道他的意思真的是……喜欢？一会儿想，不会不会，他怎么会喜欢自己，明明和乔燃说了是吓唬她来着，还是不要自作多情。

其实方茴肯定是有所期待的，她平时总在课间有意无意地瞄向后排，中午总会趴在窗户边上望着篮球场，和乔燃一起写作业也总是偷偷注意周围。在她这些散乱的视线中，聚集起来的那一点就成为了陈寻的影子。她很明白，那个经常在她的身后大声呼喊她，经常在别人习惯性忽视她的时候惦记她，经常在她不知所措的时候偷偷照顾她的男孩，已经悄悄在她心里埋下爱恋的种子，长出了稚嫩娇美的芽。

16 岁的喜欢就是这么平淡而简单，电影胶片中或欢喜圆满或凄美动人的爱情故事在他们眼里都当不了真，他们总认为自己会经历与众不同的恋爱，以为这样无所事事的日子会一直继续下去。然而，一直到长大以后他们才发现，原来还是在岁月里落入俗套，那时每天都陪伴在身边的人也终究各奔东西。

中午吃饭，方茴一直没有抬头。陈寻故意说很无聊的笑话，甚至去抢她饭盒里的肉丸子，但始终都未能让她正眼相对。吃完饭，赵烨拉陈寻去打球，小草拉方茴去拿信。两人一个一边，走在同一个楼道内，却分别去往了两个方向。

那时电脑是尚未普及的物件，所以没有 QQ 聊天，也没有电子邮件。更别提手机和短消息了，仅有的几个手机型号大概都还不具备中文短信的功能。和外校同学之间，全是写信联络感情。每个学校的校门口都有小摊儿卖信纸，日本卡通的，韩式碎花纹的，偶像明星的，5 块一沓可以撕取的，4 块附带几枚小信封的，物美价廉，任君选择。

小草是他们班收信最多的人，她的党羽遍布全北京，每周都有来自各个城区的飞鸽传书。

"你来翻这摞。"在传达室的窗台上，小草递给方茴一堆信。

"哦。"方茴接过去挑本班同学的信，不一会儿就找到了小草的两封。

"哎！我看看！没想到她这么快就回了，"小草拿过来笑着说，"对了，方茴，怎么从来也不见你写信啊！你们初中同学都不联系啊？"

"我和他们不熟。"

"不熟？"小草惊讶地说，"开玩笑吧你！"

方茴把信码好，站在一边等她，远处好像有男生进了漂亮的三分，一片欢呼的声音，她的眼神不自觉地又飘了过去。

"我说……方茴……"小草举起一封信，朝着太阳透过光看里面折成心形的信纸。

"怎么？"方茴转过头，信封挡住了小草的眼睛，她只看见背面可爱的字迹写着"谢谢邮递员叔叔"。

"你……是不是喜欢陈寻啊？"小草轻轻地问。

"啊？"

"是吗？"

"没……没有！"方茴的心扑通扑通跳了起来，被人窥破心事的感觉，让她忍不住地害怕，"你别乱说！"

"哈哈！我就知道！"小草猛地把信放下来，雀跃地说，"你其实喜欢的是乔燃，对不对？"

"什么啊！你这人真没意思！"方茴瞪了她一眼，扭头向楼里走去。

"别生气，别生气！"小草拽住她，神神秘秘地说，"我保证不告诉别人！"

"求你了，别瞎说八道了！"方茴一脸无奈。

被小草惊吓了一下，方茴发现，面对称作喜欢的美好情感，她仍然会忍不住地害怕。这样的感觉，让她不禁沮丧心灰。

本以为也就不了了之，但放学之前，陈寻却径直来到了方茴的面前。

方茴不知所措地胡乱收拾书包，就在想抓起笔袋的时候，却被陈寻一把按住了。他没有说话，只是把一张纸条放在了里面，方茴惊讶地看着他，他笑了笑说："回家再看。"

方茴没等到回家就看了，她实在经受不住这种心惊肉跳，在半路上就拆开了纸条。然而，看完之后，她却更加地心惊肉跳了。

那上面写着：

　　　方茴，早上的话没说完，之所以担心你，不是因为我是好人，也不是因为我们是好朋友。而是因为，我喜欢你。不是开玩笑，我是认真的。如果你觉得我可以，就在我的历史作业本上把我的名字写上去。等着你！

方茴是历史课代表，第一次发历史作业本，有一个上面没写名字，那个本就是陈寻的。陈寻多少有点故意接近的意思，第二次交作业，他仍然没写名字，方茴知道是他的，就直接给他送了过去。好在历史课作业不多，方茴也就偷偷容忍了他含着些暧昧的恶作剧。

明天有历史课，上周的作业又要发下来了，而这次，她是不是要写好名字交还给他呢？

在秋日的阳光里，方茴望着铺满银杏树叶金黄明亮的道路，手里攥着一个男孩子的心意，却感到一片迷茫。

现在的我，在听方茴讲完关于她以前的事情之后，很能理解她当时复杂的心情。我明白她是多么犹豫挣扎，而无法简单写下她明明很喜欢的那个男孩的名字。

但是，那时的陈寻是肯定不能明白这些的。所以，第二天当他满怀希望地拿到历史作业本，却发现姓名后面的那条横线上依然空空如也时，他无比地心痛不甘。他十分想去问问她，究竟是为什么，为什么在彼此眼中都看见了倾慕闪现，却执意逃避。

可是方茴明显在躲着他，她那天几乎一直和小草或是乔燃待在一块儿，不看他，也不和他说话。但是陈寻觉得，她一定不是讨厌自己的。因为她一直没有笑，那双纯净的眼睛里，满满地承着一种难以言状的悲伤。

陈寻最终没能和方茴说上只言片语，那句为什么自然也没能问出口。放学的时候，他看着方茴和乔燃一起走出教室，他们默契地步幅一致，就连迈出教室的那刻都是一同伸出左脚。

方茴用余光看见了陈寻，她知道他一直在注视着自己。可是她没有回头，哪怕仅仅冲他微笑一下都没有。

不是不想，是不敢。

就在方茴打算继续落寞、默默走远的时候，她不会想到，第二天黑板上会写着这样的字来迎接她。

那是看不出笔迹、歪歪扭扭却分量沉重的六个字：

方茴喜欢陈寻。

9

　　那天是方茴和小草负责码车，方茴早早就到了，但小草却一直没有出现。乔燃来的时候，看见方茴正费力地把赵烨的二八弯把捷安特码齐。他忙停好了车，走过来帮她。

　　"我来吧，赵烨也不把车放好了再走！就数他的车占地！"乔燃接过手来说。

　　"他迟到了，着急训练，车往这儿一扔就跑了。"方茴苦笑着说。

　　"怎么就你一个人？小草呢？"

　　"她还没来，可能是忘了。"

　　"她啊，成天忙忙活活的，也不知道都想什么呢！"乔燃叹了口气，使劲把一辆自行车推了进去。

　　"你回去吧，我自己就行。"

　　"没事，我帮你吧！对了，今天吃早点了么？"乔燃关切地说，"要是没吃，现在赶紧去啊！"

　　"吃了。"方茴感激地笑了笑，"谢谢你！"

　　乔燃摆摆手，也腼腆地笑了。

　　小草和陈寻几乎是踩着七点半早自习的铃到的。乔燃和方茴都准备回教室了，他们才推着车从校门口飞奔而来。陈寻的头发支棱着，顶着大大的黑眼圈，一看就是起晚了。小草到了才想起今天还要码车，一路上不停地向方茴道歉。

　　四个人叽叽喳喳地跑上了楼，然而在进班的一瞬，却猛地安静了下来。

　　他们一起看到了黑板上的那六个字，不大，却足够刺目：

　　　　方茴喜欢陈寻。

　　小草第一个动了，她一句话没说，愤愤地走回到自己的位子上。椅子被她重重地拽了出来，蹭过地面发出难听的声音。

　　乔燃第二个动了，他走到讲台前拿起板擦，一下下地把那丑陋的字迹擦掉。因为太过用力，黑板都在砰砰震动。然后他转过身，面色冷峻地说："值日生下次要记得，上课之前把黑板擦干净！"

　　陈寻第三个动了，他拉了拉身旁的方茴，低声说："先回座位吧。"

　　而方茴却始终一动不动。她的眼神空空的，死死盯住黑板，脸色苍白得可怕。其实她根本没在看那已经消失的文字，也没在听陈寻对她说的话。她已经被久违的羞愤和害怕侵蚀掉了，那种撕心裂肺的感觉铺天盖地，揉碎了她小小的情感，使她的尊严瞬间崩塌。

　　方茴眯着眼睛说，那天的天气特别好，可是她还是觉得很冷很冷。她真的绝望了，以为她的青春会就此化作骨灰。

　　我的心又一次揪了起来。她那时从未奢求过什么，胆小如她，甚至还不敢接受陈寻的追求。她只是小心翼翼地保护着自己的那一点点的隐秘爱恋，在别人未发觉的角落，偷偷拿出来自我陶醉一番，然后再趁别人不注意，珍重地收好。

　　就像一只松鼠，傻兮兮地守着冬天最后一枚橡果。

　　然而这颗橡果最终被发现，它被展示在所有人面前，被讥笑嘲讽，最后被毫不留情地一脚碾碎。

　　我想，那只松鼠，一定肝肠寸断。

　　方茴回到了座位，一上午，她都趴在桌子上没动换。老师上课问她怎么了，还是乔燃帮她回答说不舒服。陈寻在后面也没上好课，他一直盯着她瘦削的背，随着她轻轻的颤抖，而愈加烦乱。

　　直到中午吃饭，方茴才抬起头来。她的眼睛已经哭肿了，校服袖子上还能隐约看见水印。陈寻看着她拿了盒饭默默坐回自己位子上，再也忍耐不住走了过去。

　　他替方茴盖上已经打开的饭盒盖，说："走，一起吃饭去！"

　　方茴咬住嘴唇，缓缓摇了摇头。

　　"我已经帮你把椅子拿好了，快点。"

"我不去。"因为哭过，方茴还带着点鼻音，她伸手去拿筷子，陈寻一把抢了过来。

"你又没错，干吗这样！难不成以后都不说话了？"

"我真的不去了。"方茴几乎又要哭了出来。

"好，那我们都上你这里吃！"陈寻回身搬了桌子，冲乔燃和赵烨喊，"嘿，过来吧！"

赵烨因为训练，所以没能亲眼看见早上的那幕，他听乔燃大概说了说，正不知道怎么安慰方茴。看见陈寻招呼他，忙拿着盒饭跑了过来。

"今天有土豆啊土豆，"赵烨弯腰使劲看方茴的脸，"方茴的土豆！"

方茴无奈地瞥了他一眼。

"再看！再看！"赵烨假装瞪着眼睛说，"再看我就把你吃掉！"

乔燃也走了过来，他就好像什么事也没发生一样，帮方茴撤下了桌套，扭头说："小草，快来啊！"

"我跟何莎说点事，你们先吃吧。"小草拿着饭走向了另一边。

"甭管她，她就是怕我抢她土豆！"赵烨毫不客气地打开了方茴的盒饭说，"抠门儿！"

"死去！你以为都跟你似的！"小草狠狠白了他一眼。

在赵烨他们的吵闹下，好像一切都恢复了正常。而方茴知道，她已经不能再像以前一样了。少年时代的心思总是纤细而敏感，她很明白班里同学们的目光意味着什么。对每天面对课本试卷的孩子们来说，这就算是值得兴奋一阵的大事件了。尽管作为事件中心的她，足够可悲。

晚上回到家里，她也一直心不在焉的。

抄着文言文中的通假字的时候，电话响了起来，不一会儿她爸爸走过来喊她。

"找我？"方茴疑惑地问。

"嗯，一个男同学。"她爸爸说。

"喂？"方茴接过电话。

"喂。"

"谁啊？"

"我，陈寻。"

听到他报出名字，方茴的心里轻轻荡了一下。

"什么事？"

"数学作业写完了么？"

"写完了。"

"帮我看看第 49 页，第 9 题，你最后得多少？"

"等下啊。"方茴跑回房间拿数学作业本，她突然发现，接到陈寻的电话，竟然很欣喜。

"喂，x 等于 5，y 等于 3。"

"啊，和我一样。"

"哦。"

"嗯，谢谢。"

"没事。"

"那，挂了。"

"好，拜拜。"

电话筒里传来了忙音，方茴感到微微有些失落。

她走回房间继续写作业，可过了五分钟，电话铃再次响了起来。

方茴仔细地听着爸爸说话，当听到他说"等一下"时，她急忙打开了房门。

"找我吗？"

"啊，对……"她爸爸奇怪地看着她说，"好像还是刚才那个男同学。"

"哦。"方茴假装回去拿了数学作业本，慢腾腾地走了过去。

"喂。"

"我。"

"嗯，还有哪道题要对？"

"没了。"

"啊？"

"那个……有点事想跟你说，说话方便么？"

"一般般。"

"那我说，你听着就行。"

"嗯。"

"今天的事儿别太在意。"

"我知道。"

"知道什么啊！哭了一上午吧！"

"也没有。"

"我要是不找你，你就不理我了吧。"

"哦。"

"为什么啊？"

"……不好……"

"有什么不好的！要不明天我也在黑板上写，陈寻喜欢方茴！陪着你一块儿！"

"你别写！"方茴一下子着了急。

"为什么不能写！我就是喜欢你！"

这是陈寻第一次直接向她说出喜欢，话一出口，两个人顿时全没了声音。

　　现在我们大概最常说爱，"我爱你！""你爱我吗？""你会永远爱我吗？"爱得别致精巧，似乎也就失去了原有的珍贵。说得再多，都始终觉得有点空落落的，无法让人相信。所以上面的句子往往演变成了："我真的爱你！""你真的爱我吗？""你真的会永远爱我吗？"

　　"爱"与"真的"，成为了哭笑不得的组合。

　　而在十几岁的时候，比爱浅上几层的喜欢，却足以把心装满。

　　在那一刻，陈寻的喜欢，就这样温暖了方茴。

　　"你……喜欢我吗？"陈寻还是问了出来。

　　"……"

　　"喜欢就说是，不喜欢就说不是。"

　　"方茴，别聊天啊，快点写作业去。"方茴的爸爸喊她。

"哎，知道了，马上！"方茴慌乱着答应，"那明天上学说吧。"

"等会！是还是不是！"陈寻着急地说，"你告诉我！"

"是！拜拜！"方茴没再等他说话就挂断了电话。

（10）

那天不是什么特别的日子，对千百年来的四九城而言不过又是一个很平静的夜晚，但是那两个孩子却深深地记住了这一天。

在北京的两处，他们分别偷偷地笑。不能再打电话多说点，所以只能回忆刚才的对话，一个字一个字地乐；没有手机去发个短信确认一下，所以在高兴的时候还有些忐忑；不存在QQ这种可以随意打个桃心的东西，所以就把这种心意好好地埋在心底。

但是可能也正因为如此，思念和喜欢沉积了更多，酝酿出格外甜美的香气，自然也就记得更久。

第二天偏巧不巧的，两个人在上学路上就遇到了。他们都有点脸红，陈寻"咯吱咯吱"地不停转车把上的变速器，时不时瞥一眼身边的方茴。而方茴则一直半低着头，扣边发式把她的小脸挡了个严严实实。

"那个……"陈寻忍不住开口道，"昨天，你说的是'是'对吧？"

"怎么了？"方茴紧张地看着他说。

"没什么，确定一下，"陈寻笑了起来，"方茴，我特特特特特……高兴！"

"我以为你翻悔了呢。"方茴轻轻咬住了嘴唇。

"不可能！"陈寻回过头，坚定地说。

他使劲往前蹬了蹬，撒开车把，兴奋地叫了两声。方茴笑了笑，跟着他一起骑了过去。

到了学校，他们没有并排推着车进来。陈寻走在前面，方茴跟着，默契地表现出一脸正直毫无私情。喜欢，是两个人独自享受的事，那个时候大概不会想去公告天下。当然，他们也不敢，早恋总是不好的事情吧？

陈寻放好车子，自动挪开了旁边的一点地方。方茴偷笑着把车挨着他推了进去，她弯腰锁车，抬起头时惊讶地发现陈寻用U形锁把两辆车的前轱辘锁在了一起。

"干……干吗呀？"方茴紧张地看了看码车的同学。

"没什么。但是如果你今天不跟我说话，那晚上就不能回家了。"陈寻得意地笑了笑。

"什么人啊！"方茴瞪了他一眼，心里却喜滋滋的，"让他们看见怎么办？"

"没事儿，你别锁车了，要是他们看见了，就说你没带钥匙！"

进班的时候方茴还有点头皮发紧，昨天早上的惊吓余波犹在，那种被很多人注视的感觉，想起来就让她不禁打哆嗦。但是看看走在前面的陈寻，方茴多少就放了心，至少现在有个人已经和她站在了一起。不再是孤独的，有个很好的男孩就在身边，而且抬起眼睛就能看到，光这些就可以让她安稳很多。

中午，陈寻替方茴和小草拿了饭，但是小草还是说和何莎有事而没有过来。方茴不好意思再独自和陈寻他们一起吃饭，一个女生和三个男生，这样的组合太奇怪了。但是陈寻不干，他就是想能和方茴待在一起。所以在方茴拒绝和他们吃饭的时候，他就像上次一样，招呼乔燃和赵烨搬到方茴座位这里吃。

对于陈寻这样的做法，方茴总是很无奈地接受。他今天已经干了好几次这种事了，比如早上锁车，再比如刚才借数学作业纸。他说忘带了，就乐颠颠地向方茴借了几张。而过了一会儿，方茴就看见他从书包里拿出了整整一沓递给乔燃。

尽管陈寻故意接近的方式有点任性、孩子气，但是方茴仍然开心。她知道，陈寻之所以这样，是因为喜欢她。

F中的体育课是男女生分开上，做做操，跑了两圈步就解散自由活动了。小草没有找方茴一起玩，她和其他几个女生在树底下一起讨论昨天的那集《还珠格格》，五阿哥好像亲了小燕子，因此她们兴奋地说个不停。何莎和小草还一起哼唱了那首广为流传的主题曲。

方茴独自坐在一边，没有女生过来找她说话，她就沉默地听着"让我们红尘做伴活得潇潇洒洒，策马奔腾共享人世繁华，对酒当歌唱出心中喜悦，轰轰烈烈把握青春年华"，看着她们说说笑笑。她知道，在小草那里，她从头到尾一直是个无足轻重的同学。所以因为昨天的事情躲开她，也是很自然的。只不过，多少还是有点寂寞。

　　男生那边也解散了，陈寻去器材室借了篮球，跑回来正看见方茴孤零零地坐在角落。对比一旁的欢声笑语，她本来就单薄的身体，更加显得瘦小。陈寻想了想，回身冲乔燃和赵烨喊："嘿！今天别打球了！跟女生她们玩叫号吧！"

　　乔燃也看见方茴一直单独待着，忙拉了拉不太情愿的赵烨说："行！走吧！叫号去！"

　　陈寻又回头招呼女生，方茴本来坐着没动，也被乔燃给拉了进去。

　　大家排了号，赵烨1号，陈寻2号，方茴3号，小草4号，乔燃5号，总共十几个人，说好了，谁输三次就被大家轮流拿球打屁股。

　　陈寻和乔燃为了让方茴玩得高兴点，就不停地叫3号。方茴跑了几趟，也渐渐笑了起来。她心眼实诚，每次叫号都向上扔得很高，所以接她的球很容易，大家也就都喊起了3号。

　　赵烨则不然，玩得比谁都油。他故意逗小草，不是趁她离得远，把球轻轻颠起来扔下喊4号，就是眼瞅着马上能接住，却在小草走过来打算听他再叫号时，假装脱手，然后去砸她。结果没几个来回下来，小草就凑够了三次。

　　"赵烨！你成心吧！"小草生气地喊。

　　"嘿嘿，谁让你中午不和我们吃饭的，"赵烨嬉皮笑脸地说，"快点！撅好了！"

　　"就不吃！看着你就烦！"小草赌气地背过身去。

　　大家笑着一个个地打，轮到了方茴，她轻轻地把球弹在地上扔了过去。哪知不凑巧，正好碰到了小草向后护着的手腕。

　　小草叫了一声，厌烦地回头嚷："轻点！别打手啊！"

　　"对……对不起。"方茴忙低声道歉。

　　"得了，她又没使劲。"陈寻在边上看得清楚，忍不住回护方茴说。

　　本来就一直憋着气，听陈寻这么一说，小草眼睛一下子就红了，她捡起球狠狠扔向陈寻说："我不玩了！"转身就跑回了楼里。何莎瞪了陈寻一眼，追了过去。

　　方茴也想跑去看看，却被乔燃拉住了。

　　"别去了，她是冲你……"

　　"爱玩不玩！不玩拉倒！"陈寻捡起了球说。

　　那天之后，小草就再没和他们一起吃饭了。头几天她还是说和何莎有事说，但后来就干脆直接拿饭走到何莎那里。方茴不是主动的人，自然也不会去找她。两个人便渐渐疏远了。

　　年轻时的爱情和友情总是千丝万缕，得到与失去经常在忽然之间。好在岁数还小，并没觉得有什么大不了。

　　黑板上的字迹事件，慢慢就像没发生一样过去了。毕竟还有很多事要做，要默写单词，要考试，要做各种练习册，要听刘老师不停地"这个涅"。如果不是特别在意这件事的话，可能也就忘了，除非谁突然提起，也许会重新议论一番。但这些议论，方茴总归是听不到的。她也没注意听，那时的她，在专心致志地喜欢着陈寻。

　　有的时候方茴也会觉得孤单，虽然陈寻、乔燃和赵烨都对她很好，但有些事情是只有女孩之间才能做的。比如结伴上厕所、借点私密用品、课间说说话、中午聊聊电视剧、去小卖部买点零食等等。

　　没有人和方茴一起做这样的事，她说那会儿她已经习惯了，她以为她会就这么在学校里飘三年。

　　但是，林嘉茉出现了。

卷三
过往

Fleet
of
Time
······

方茴说：

"我觉得之所以说相见不如怀念，

是因为相见只能让人在现实面前

无奈地哀悼伤痛，

而怀念却可以把已经注定的谎言变成童话。"

Fleet
of
Time
• • • • •

匆　　匆　　那　年

1

　　方茴是他们班第一个见到林嘉茉的人。

　　她们的初见是在早自习之后。方茴收了历史作业，第一本是陈寻的，她已经用漂亮的皱纹纸包了皮，本皮上是陈寻自己写的名字，而本皮下面盖住的内页，则是方茴写的名字。她抱着一摞本走进高一年级办公室，屋里面一个眼生的女孩背对方茴站着，正斜挎着银色的锐步包和侯老师说话，早晨的阳光打在她身上映出了淡淡的七彩芒。

　　侯佳喊她过来说："方茴，这是新转来的同学，林嘉茉。"

　　方茴礼貌地点了点头，班里前一阵就传说要转来一个同学，大家一直热闹地讨论是男生还是女生。

　　"方茴是班里的宣传委员。"侯佳介绍说。

　　林嘉茉笑着说了你好，方茴抬眼看她，意外地发现她样子很美。

　　"方茴，你回班让陈寻去教务处那边搬一套桌椅。第五组不是少一个人么？就放在那组后面，把第三桌腾出来，每个人往后错一个，一会儿我们就过去。"

　　"好。"

　　方茴应声走了出去，到门口转身的时候，林嘉茉又冲她甜甜地笑了笑。

在我眼里，二十几岁的女生如果没有太大意外应该都是美的，俗话说"没有丑女人只有懒女人"。长得一般没事，会描眉画眼也叫美女；不会画没事，身材好也叫美女；身材不好没事，会捯饬自己懂得搭配也叫美女。

但是十几岁那时候就不是这样了，管你S形身材还是梨形身材都裹在了肥大的校服里。所有人留的都是土里土气的发型，不能拉直也不可能挑染，化妆更不可能了。护肤品用的都是郁美净孩儿面，抹完脸抹手，什么倩碧雅诗兰黛眼霜精华素，根本没人听说过。

所以，中学时代的漂亮女孩，那就是眉是眉、眼是眼的真漂亮。

方茴说，林嘉茉就属于这一类。

回到班里，陈寻正和赵烨一起拿着方茴的书，奋笔疾书地抄政治课后习题。

方茴走过去，拍了拍他的肩膀说："哎，侯老师让你去领套桌椅，一会儿那个转校生来。"

"转校生！？"赵烨兴奋地说，"公的母的？"

方茴白了他一眼，说："女生。"

"哦也！乔燃中午请客啊！我赌赢了！"赵烨握拳说，"漂亮不？"

"嗯，挺漂亮的。"方茴说着，偷偷看了看陈寻。

"走走走！甭写了！小崔今天不会点名让你回答问题的！上节课他不是就点你了

么！一起搬桌子去！"

听说是美女，赵烨一下子来了精神。

陈寻紧写了几笔，把书塞给方茴说："抄不完了，还剩两篇儿，帮我写了吧。"

"啊？"

"拜托了！拜托！"陈寻一边跑一边笑着冲她说。

方茴拿着书愣愣地望他，陈寻这么急急忙忙地走让她心里微微有点不自在。

林嘉茉进到班里，让赵烨着实倒吸了口气。

"咱们班终于有能拿得出手的了！明儿我就上队里显摆显摆去！"他看着林嘉茉的背影小声对陈寻说。

"一只羊，换三个斧头，这三个斧头……"政治崔老师在前面声音洪亮地讲着课，不停地向他们这边看。

陈寻目视前方，假装记笔记说："方茴说漂亮我都没当回事，她说谁都漂亮，没想到真还行！"

"我看着一般吧，你们至于那么兴奋吗！"乔燃说。

"后面的同学别说话！"崔老师提醒他们，接着指向黑板说，"这三个斧头……"

"乔燃就觉得方茴好看！"赵烨把书拿到腿上，低下头说。

"滚！"乔燃狠狠瞥了他一眼。

"你丫心虚吧！"陈寻转着笔说，"不过方茴就是挺好看的。"

"比林嘉茉还是差点。"赵烨摇摇头说。

"不一样。"陈寻偷偷看了看前排的方茴。

"哎哎哎！"崔老师拿起板擦拍了几下说，"后面那三个人，怎么回事啊！再说叫你们出去了啊！"

三个人立马坐好，不再吭声。

崔老师停了停说："我们接着看啊，这三个板擦……"

全班同学哄笑了起来。

因为林嘉茉没和大家一起订这个月的饭，所以中午只能坐在一边等生活委员乔燃去找老师协调。

赵烨不失时机地过去搭话："你是叫林嘉茉吧？你原来哪个学校的？"

"嗯，W中的。"林嘉茉和气地说。

"哦，离咱们学校挺远的啊！你们家住那边么？"

"不是，我家离咱们学校近。"

"我说你丫来点新鲜的行不行啊！去去去！拿饭去！"陈寻拿了菜走过来笑着说。

"和新同学小聊一下嘛！"赵烨不甘心地站了起来。

"要不先和我们一块吃点吧！吃乔燃那份。等他回来，估计你们俩都得吃凉的了。"陈寻说。

"对对对！我给你拨点也行！"赵烨忙点头说。

"行吗？别一会儿你们不够了。"林嘉茉说。

"没问题！方茴也和我们一起吃，她吃得少，每天都剩！你和她合着吃也行！我给你搬桌子去啊！"

赵烨说着就起身去搬桌子了。

等方茴洗完手回来，他们三个

人已经都坐好了，林嘉茉在陈寻和赵烨中间，正在摆饭。

　　"快来！今天咱们一起吃！"赵烨招呼她说。

　　方茴默默地走过去坐在了陈寻对面，她平时一直挨着他，但今天那地儿被林嘉茉占了。

　　"少一盒饭啊。"方茴说。

　　"乔燃找老师要去了，我让林嘉茉先吃他这份。"陈寻递给她一双筷子说。

　　"还是吃我这个吧，"方茴把自己的饭推出去，淡淡地说，"万一没要回来呢。"

　　"那你怎么办啊！"陈寻又推给了她说，"吃你的吧，不行我让乔燃去买汉堡。"

　　"不用，"方茴执拗地把饭递给林嘉茉说，"没事，你就吃我的吧，我不饿。"

　　气氛莫名其妙地有些尴尬，林嘉茉看了看他们说："这样吧，我和方茴吃一个，行么？你不嫌我吧？"

　　方茴忙摇摇头说："不嫌！"

　　"那就好！"林嘉茉笑着打开了餐盒。

　　没一会儿，乔燃就领回了饭，赵烨兴致很高，而方茴却再没说一句话。

　　晚上回家，方茴接到了陈寻的电话，两人对完数学和物理作业，都沉默了下来。

　　听那边没有动静，方茴说："那我就挂了。"

　　"没什么想跟我说的了？"陈寻说。

　　"说什么啊？"

　　"方茴……"陈寻顿了顿，"你还没……没说过你喜欢我呢。"

　　"哦。"

　　"哦是什么啊！"陈寻有点着急，今天中午以后方茴就一直没理他。仔细想起来，两个人之间永远都是他先说话，甚至他都没接过方茴主动打来的电话。而中午的时候，她却那么较劲地帮乔燃护食，这让他心里很不舒服。

　　"陈寻，"方茴的声音很小，微微有些颤抖，"你要是觉得我不好了，或者不喜欢我了，直接跟我说，没关系的。"

　　"啊？你胡说什么呢！"陈寻惊讶地说，"谁说我不喜欢你了！"

　　"我也不是特别好的女孩……"

"停！"陈寻打断她说，"我知道了，你是因为中午我叫林嘉苿一块吃饭生气了，对不对？"

"不是……"

"哈哈，就是！别不承认！你是不是吃醋了？"陈寻突然高兴起来，他总觉得方茴态度模糊，并不如自己那么在乎。因此，方茴为他吃醋让他格外欢喜。

"没有！"方茴忙否认说。

其实她的确是有点心酸的，倒不是陈寻做了怎么样的事，只是林嘉苿过于美好，而她对情感这种东西，又实在没有什么自信。于是，这些细微的忧愁便在她心里打成了结。

"知道我为什么叫她一起吃饭么？"陈寻放低声音说，"那是因为我想她平时能陪陪你，上体育课你总是一个人待着，我也不能每节课都和女生玩叫号啊！"

"还有……"陈寻加重了语调，"我没有不喜欢你，你也不许不喜欢我！"

方茴心里的结，就这么化为无形了，她第一次觉得喜欢一个人原来可以如此温暖踏实。陈寻就像清新的太阳光，使她心里已经荒芜的那部分盛开鲜花。

2

第二天上学，方茴难得地主动叫了林嘉苿一起吃饭。林嘉苿很开心，自然而然就和她待在了一起，毕竟刚转学来，能融入其中交到朋友总归是好的。而且林嘉苿也觉得方茴不错，来到这里第一个见到的人就是她，初次见面很合眼缘。她不像小草那么咋咋呼呼，同样活泼但却细腻内敛，两人相处得很合拍。就此，方茴终结了一个人在校园里逛荡的尴尬。

和林嘉苿接触多了，方茴逐渐发现了自己的朴素。不管怎么说，她都和时髦相去

甚远，而林嘉茉在当时则算得上是很时尚的女孩子。
她用的笔都是颜色鲜艳图案可爱的，涂改液上贴着卡
通贴画，书包上挂着玩偶，钱包里放着明星金卡，所
有日本漫画她几乎都看过，每个月必买《当代歌坛》，
谁出了新专辑，谁传了新绯闻，没有她不知道的。所以在
一班的女生中，她可以说是引领流行的带头人。在F中曾
经风靡一时的编织手链，就是由林嘉茉始创的。

那天中午吃完饭，林嘉茉一边和方茴听歌，一边
从书包里拿出几根透明塑料绳编了起来。方茴好奇地
看了看，问她说：

"嘉茉，这是什么啊？干什么用的？"

"玻璃丝。"林嘉茉举到方茴眼前说，"我拿它编手
链，好看不？"

"嗯，挺好看的。"

"是吧！我这还有，给你几根你也编吧！"林嘉茉
又拿出了一些，递给方茴说。

"啊？不用了，我又不会。"

"唉！特简单！我教你！戴手上多好看啊！"林
嘉茉又比画了比画自己手腕上编好的。

"这怎么编啊？"

"你想要几股的？三股的最简单，但是五股的好
看！我这里不够了，咱放学可以再去买点！"

"哪儿有卖的啊？"

"就校门口！三毛钱一根，一块钱四根！"

方茴看着的确很不错，就跟她学了起来。那手链
果然不难编，一中午她就差不多编好了一条。

陈寻和赵烨、乔燃打球回来，正好看见她们在那

里系扣，赵烨凑过来说："你们干吗呢？也不下楼看我们打球！今天我手感巨棒，进了四个三分！"

"我说下楼看，但方茴不去啊！她就趴窗户那儿！"林嘉茉笑着说。

方茴摇了摇头说："下面人太多，没地儿。"

她其实也想坐在场边看陈寻打球，但是篮球场总是围了很多女生，不少是看陈寻的，听赵烨说还有女孩特地给他送水，因此她不愿意和她们坐在一起。

"那你看得见我吗？"陈寻靠在方茴桌边说。

"有时也看不太清楚你们。"方茴看了他一眼，特意加了个"们"字，她比陈寻要小心翼翼得多。

"哦。"陈寻有些沮丧地说。

"这是什么啊？"乔燃发现了她们手中的玻璃丝手链，拿过来问。

"手链，我们自己编的！好看么？"林嘉茉得意地说。

"拿来我看看！"赵烨接了过去，"不错，我留下了，谢谢啊！"

"去你一边儿的！人方茴编了一中午呢！"林嘉茉抢过来说。

"那把你编的那个给我！"赵烨笑嘻嘻地说。

"凭什么啊！没门……嘿！你还我！"

林嘉茉还没说完，自己放桌子上的手链就被赵烨抢了去，她忙站起来追着赵烨跑出了教室。

"你也给我编一个吧！"陈寻趁乔燃扭头看的时候，偷偷附在方茴耳边说。

"啊？"方茴愣愣地看着他。

"我想要！"陈寻说，"就这么说定了！你自己编的啊！"

方茴笑着点了点头。

放学之后，方茴和林嘉茉一起在校门口买了玻璃丝。林嘉茉帮方茴挑了很多种颜色，两个人研究着搭配了很久，又说又笑不亦乐乎。

回到家里，一写完作业方茴就编了起来，她用了五股绳，选择了最复杂的一种花式。晚上陈寻假借对作业之名，例行地给她打了电话，特意千叮咛万嘱咐地让方茴一定给他编手链。方茴虽然表面笑他心心念的样子，私下里却是喜滋滋的。

　　隔天上学，方茴在楼道里偷偷把手链塞给了陈寻，陈寻非常高兴，当即就戴在了手上。

　　方茴拉住他的袖子说："撸下来！别让他们看到！"

　　"哦。"陈寻心不甘情不愿地把手链往里塞了塞说，"其实也没什么，要不咱们跟乔燃他们交代了吧！"

　　"不行！"方茴慌张地说，"要是传到侯老师那里怎么办！你也知道，赵烨说话最没谱了！"

　　"好吧……"陈寻低下头又看看手腕说，"那中午下楼看我打球吧！"

　　"不去。下面人太多了，再说，那么多女生给你加油买水的，我去干吗啊！"

　　"瞧你！小心眼！"陈寻乐了，他就是喜欢看方茴别扭着的样子，他总觉得这样才显得她在乎他，"我又没喝她们买的水，谁理她们啊！你要是去了，我下场就坐你身边！喝你的水！"

　　"美得你！"方茴知道他在得意，瞪了他一眼。

　　"说真的！今天中午你不下来的话，也要在楼上看啊！"陈寻认真地说，"只许看我啊！不许看乔燃！"

　　这次换方茴笑了起来，她的眼睛弯成了月牙，望着陈寻说："五层这么高，你们个儿差不多，我哪能分得那么清楚啊！"

　　"哼！反正不行！今天就让你看清楚了！"陈寻撇撇嘴说。

　　中午陈寻没有吃饭，非常执着地去楼下操场占离教学楼最近的场子。方茴无奈于他的孩子气，只好把盒饭包好了放在他的位子里。吃完饭林嘉茉要她陪自己买水，方茴却假装逗笑，死活不去。其实她是不想爽约，既然答应了陈寻，自然要在窗户那里看他。

　　"真讨厌！"林嘉茉趴在窗户另一边笑着说，"早知道昨天不教你编手链了！"

　　"嘿嘿，放学请你吃可丽波！"方茴不好意思地笑了笑。

　　"你回家编了么？拿给我看看！"林嘉茉说。

　　"没有，"方茴有些心虚，"编着编着就烦了。"

　　"你可真是的！"林嘉茉垮下肩膀，"太会打击人了……"

　　"我是想等编好了，再给你看嘛！"方茴忙胡乱地解释说。

"哎！你看！你看！"林嘉茉没听她的话，突然尖叫了起来。

方茴扭头看向操场，陈寻那矫健的身影就一下子映入了她的眼里。

她不自觉地笑了起来，志得意满。

"从教学楼五层到操场的距离，怎么也得有几百米吧！可是我一眼就看到他了，你知道为什么吗？"

方茴讲到这里时，仍然带着柔和的笑容。她一向冷漠，这样的表情在我眼里显得十分诡异。

我摇摇头，有些心酸地看着毫无察觉的她。

方茴的眼睛里闪烁着耀眼的光，她像怀揣秘密的小孩子一样，满脸朝气地说：

"因为在操场上，只有他一个人是把校服反着穿的！"

3

中午打完球上来，陈寻坐在方茴旁边拿本扇着风。

林嘉茉趴在桌子上问他："你怎么把校服反着穿啊？"

"我喜欢！"陈寻笑了笑望向方茴，方茴抿着嘴唇低下了头。

"切！丫就爱出风头！"赵烨凑过来一把抢过他手里的本说，"真不爱跟他打球，场边总有一帮小姑娘吱哇乱叫！"

"滚！不就是你今天让我盖了吗？瞧你酸的！"陈寻顺手从方茴的位子里拿出了她带的水，拧开喝了两口。

"人家方茴让你喝了么！"乔燃抓过水瓶递还给了方茴。方茴不好意思地说了谢谢，陈寻偷偷瞪了她一眼。

"就是！"赵烨敲了陈寻脑袋一下说，"我今天还断了你两次呢！是吧嘉茉？你

看见了吧？"

"没有啊。"林嘉茉假装回忆，摇了摇头说。

"成！你这人真没劲！"赵烨拿起一支笔捅她说。

"别闹！"林嘉茉拍开他的手，笑着说，"我看见啦！那也是留分头那个男生先拦的他，你才断下的。那人是谁啊？我看他打得真不错！"

"那是！他是我们校队队长！高二的，叫苏凯。"赵烨得意地说。

"怪不得呢！"林嘉茉点点头说，"我看好几天了，就他打得最稳，球断得快，传得也好。"

"你还挺懂行啊！"赵烨感兴趣地说，"要不今天晚上来看我们训练吧！我给你看看什么是真正的扣篮！"

"行啊，"林嘉茉转转眼珠说，"不过，你真能扣篮？"

"当然了！"赵烨兴奋起来，他跑了两步到讲台前，轻轻一跳就够到了黑板上面贴着的国旗上沿。

"你看！他还真行！"林嘉茉拉着方茴说，"放学你陪我一起去吧！"

"不去了，我晚上得回家画稿，明天又要出板报了。"

方茴把桌子上被陈寻他们弄乱的书本收拾了，推了推陈寻小声说："快吃饭去吧，我放你位子里了。"

"这次看见我了么？"陈寻起身，也小声地说。

"嗯！"方茴笑着轻轻点了点头。

放学后，方茴先回家了，林嘉茉留下陪着赵烨训练，那天他状态奇好，练了五次扣篮，居然进了三个。整个校队配合也十分默契，攻防转换都很到位，教练心情大好，早早地就放了他们。本来一切都好好的，可是在训练结束之后却出事了。

队长苏凯看大家情绪都不错就提议出去吃一顿，赵烨拉着林嘉茉非要一起去，林嘉茉看着时间还不算晚便答应了他。大家商量好，苏凯、赵烨和林嘉茉先到常去的雨花餐厅点菜，剩下的队员收拾好器材再一块过去。

三个人来到雨花餐厅，里面人不少，他们让服务员拼好了桌椅，先点了两瓶黑加仑喝。

赵烨替林嘉茉倒好水，笑着说："怎么样？我们队挺强的吧！"

"嗯！"林嘉茉接过杯子，转手递给苏凯说，"刚才说下学期有个什么耐克杯？你们肯定能夺冠吧？"

"也难说，有几个学校还是挺有实力的，"苏凯喝了口水说，"但要是像今天这么发挥就很有希望了！你叫林嘉茉对吧？下学期我们比赛你可一定来看啊！我发现有你在，赵烨进球率就巨高！"

"扯！我什么时候进球率不高了？"赵烨忙不迭地回嘴，脸却微微红了。

"那你脸红什么啊？"苏凯笑着说。

"精神焕发！你快喝水吧！"赵烨瞥了他一眼，拿起瓶子就往苏凯的杯子里倒。

这时恰巧旁边一个人走过，不小心碰到他的胳膊，瓶子一歪，水就全洒到了林嘉茉身上。

"你丫吗呢？"赵烨站起来，"砰"地把瓶子使劲往桌子上一放，瞪着那个人说。

可他没想到，"砰砰"几声，旁边几桌都把瓶子砸在桌子上站了起来。

那人笑了笑，推开赵烨说："你丫吗呢！臭牛逼什么呀！"

看着那些人衣服相近，大半都是隔壁职高的。他们人多又痞气，林嘉茉不禁害怕起来。

"算了……"林嘉茉拉住赵烨颤颤地说。

"别！你们算了，我们他妈还没算呢！"那边又走过来一个人揪住赵烨衣领说。

"你丫放手！"苏凯一把打开那个人的手说。

"怎么着啊，你丫找抽吧！"他们渐渐围了过来。

"算了算了！"林嘉茉又拉住苏凯说。

"有事跟我说，你们让他们俩走！"苏凯推开林嘉茉，给赵烨使了个眼色。

"你走我留下！"赵烨挡在了林嘉茉身前说。

"装什么逼啊！"那些人抄起了瓶子。

"别他妈废话！"苏凯扭头冲赵烨喊，"走啊！"

赵烨愣了愣，拉着林嘉茉跑了出去。

"你帮帮他去啊！"林嘉茉着急地说。

"我一人能帮个屁啊！你没看他那意思，是让我赶紧回去叫人！"赵烨一边跑一边说。

　　他们两个在半路就遇见了其他队员，大家匆忙赶到雨花餐厅，而那些人却已经走了。苏凯坐在一旁的椅子上，半边脸肿了起来。

　　"队长，他们都走了？"赵烨四处看了看说，"你没事吧？"

　　"嗯！让丫打了两下，他们就走了，没大事。"

　　"操！我追丫去！"赵烨撸了撸袖子说。

　　"少他妈废话了！让你走就是不想让你们都掺合进来！知道不知道在外面闹事就得从队里开除啊！"苏凯怒吼说，"记着啊！谁都别在外面瞎惹事！还有今天这事谁也不许往外说，明天教练问就都说我是让人踢球闷脸上了！"

　　"那就算了？"赵烨攥着拳头问。

　　"对！下次你注意着点，别动不动就跟人呛碴儿，还有这两天早点回家，走大路，他们是东职的，听那意思没准还要找你麻烦！"

　　"哦，"赵烨丧气地垂下头说，"对不起，队长。"

　　"少来这套！今天我要点两份宫保鸡丁，赵烨埋单！"苏凯笑了笑说，大家也都跟着笑了起来。

　　第二天上学，方茴进到班里时，赵烨正和陈寻讲昨天的事，林嘉茉拉住方茴坐到后排一块听。赵烨不厌其烦地又讲了一遍，方茴这才知道了大概。

　　"我的天，幸亏没出事！"方茴吓得脸都白了起来，紧紧抓住林嘉茉的手说。

　　"可不是么！我当时都快吓死了！"林嘉茉捂着胸口说。

　　"我昨天要是在就好了，帮你们一块去堵他们！我就是看不顺眼东职的，他们老在咱们学校这边截初中生的钱。"

　　"你可千万别去惹他们！"方茴一反常态，焦急地对陈寻说。

　　陈寻看着方茴担心的样子，心里偷偷乐开了花，他摆摆手说："放心，我没事惹他们干吗！"

　　"下次让我碰见他们，绝对狠抽丫一顿！"赵烨"咯吱咯吱"地捏了捏手指说。

　　"少来！"林嘉茉瞪了他一眼，"你忘了苏凯怎么说的了？要不是你那么冲，昨天也没事。"

　　"他们不是碰着你了嘛！再说我哪想到那阵仗啊，我往桌上一拍，后面呼啦站起一群人！"赵烨从桌子上蹦下来激动地说，"不过后来回去我们也没示弱，我们队的中锋刘博，抄起一块板儿砖，嘴里一串急促的'操你妈操你妈操你妈操你妈'就冲进去了！"

"好意思说！方茴你没看，昨天跑回去叫人的时候，他那个慢啊！还没我跑得快呢！"

"我能跟你比么！"赵烨在自己腰边比画着说，"这么高的围栏，我还翻呢，嘉茉一抬腿就过去了，我在后面追说你怎么这么灵泛啊，她说她在原来的中学是练百米跨栏的！"

大家哈哈笑了起来。

七点半的早自习铃响了，所有人都坐回到了位子上。方茴让同学把历史作业从后向前传过来，林嘉茉帮她一起抱着本送到教师办公室。

在楼道里，林嘉茉神秘兮兮地对方茴说："你真不够朋友！居然瞒着我这么重要的事！"

方茴疑惑地说："什么瞒着你啦？"

"提示你，关键词手链！"林嘉茉坏笑着快走了两步，"今天早上我在某人手腕上看见了哦，你可别说是巧合，我记得那天绛红色的玻璃丝可是只剩最后一根了。"

方茴手里的本噼里啪啦掉了一地，她站在原地怯生生地看着林嘉茉。

"哎哟！也不是什么大不了的事！你紧张什么！我又不会跟你抢！"林嘉茉走回去帮她捡起了本子说，"你还不相信我？我还能给你说出去？"

"也不是……"方茴松了口气说，"我和他其实也没……"

"好啦，我明白的，"林嘉茉搂过她的肩膀说，"咱们交换，我也跟你说个秘密，我可不像你能憋那么久！"

"什么秘密？"方茴拍了拍本皮上的土问。

"我啊，也喜欢上一个人了。"

"谁？是咱们班的么？"方茴不自觉地又紧张起来。

"不是啦！"林嘉茉附在她耳边轻声说，"是苏凯，校队队长！"

4

　　陪着林嘉茉一起，方茴才算真正见识了什么是喜欢，什么叫追求。比起她来，方茴和陈寻的那点小猫腻，简直不值一提。

　　那天上语文课，林嘉茉给她传了张纸条，上面言辞恳切地求方茴中午一定陪她下楼看男生打球，说这关系到她今后的高中生活和人生幸福，以及她未来的亲儿子即方茴的干儿子有没有机会姓一个比较好听的姓氏——苏。方茴无可奈何地回了"好吧"，谨慎地看了看教室后门窗户，确定侯老师没在那里偷窥才把纸条给她传了回去。

　　中午一吃完饭，林嘉茉就拉着方茴飞奔下楼。

　　"慢点慢点！"方茴揉着胳膊说，"那么着急干什么啊？他又不一定在！"

　　"切！我是谁啊！能打无准备之仗么？"林嘉茉瞪圆了眼睛说，"我一早跟赵烨旁敲侧击地打听了，苏凯每天大概12点多的时候下楼，他自己不占场子，也不和生人打球，只和高二的或者赵烨他们几个玩。"

　　"你真厉害！"方茴敬佩地说，"那你今天打算跟他说了？"

　　"嘿嘿，今天执行A计划！"林嘉茉狡黠地笑了笑。

　　两个人没直接去操场，先去了小卖部买水，林嘉茉在买百事还是醒目西瓜之间抉择，懊恼怎么没问清苏凯的口味。在她犹豫的时候方茴买了一瓶冰红茶，陈寻喜欢喝这个，既然下来了，就顺便替他准备一瓶。

　　她们返到操场，才发现竟然已经没有好位置了。苏凯果然在和赵烨、陈寻、乔燃一起打球，因此那个场地边的人格外多，篮球架下早就坐满了，有初中女生也有高中女生，她们嘻哈地聊着，眼睛却时不时瞄进场里。

　　"我说你怎么不下楼来！"林嘉茉无奈地站在一个面对阳光特别晃眼的位置，把方茴拽到身边眯起眼睛说，"这人也太多了吧！"

　　方茴望着场中的陈寻苦笑了一下。陈寻并没有看见她，他很认真地在打球，时不时和队友喊两句，汗水浸湿了他的额发，在阳光下闪闪发光。

不一会儿，苏凯和几个高二的下了场，换另一拨人上，林嘉茉不失时机地喊了声他的名字，使劲挥了挥手。

苏凯走过来，笑着指了指场内说："看赵烨打球哪？"

"没有！有事找你。"林嘉茉皱着眉说。

"找我？什么事？"苏凯呼了口气，靠在了旁边的树上。

"先把水喝了吧！"林嘉茉把百事递给他。

"别别别！你留着给赵烨吧！"苏凯推了回去。

"这是人家托我给你的！"林嘉茉拉住他，把水塞到了他手里。

"啊？"苏凯和方茴一起惊讶地看着她。

林嘉茉笑了笑说："我有一个同学，喜欢上你了，这是她买的！"

"不会吧！谁啊？"苏凯意外地有些腼腆，不自觉地看了眼旁边一直没有说话的方茴。

"不……不是我！"方茴忙摇头说。

"不是方茴啦！至于是谁，暂时保密，到时候让她自己和你说吧！对了，快把你的生日、星座、血型、家里电话告诉我，我好交差。"林嘉茉俏皮地眨了眨眼。

"这么多问题？太详细了吧……"

"说吧，我是我们班唯一认识你的女生，她可全指望我了。"

苏凯笑了笑说："生日，6月24日，血型A，星座巨蟹，家里电话……哎，我把呼机号告诉你吧！"

"好啊！"林嘉茉十分兴奋，忙记下了他说的号码。

场上又要换人，这次是陈寻他们几个下，苏凯把水瓶交给林嘉茉，跟她们摆摆手就上去了。

林嘉茉如沐春风，脸上挂着甜美的笑，偷偷向方茴比了个V字。

"干吗说是别人喜欢他？"方茴忍不住问。

"这样才好接触嘛，你看我不费吹灰之力就知道他呼机号了！"

"真有你的！"方茴感叹地说，"可是以后怎么办啊？"

"以后……等我们真的好了，谁还管当初是怎么来着！"林嘉茉说。

"心眼多的！不怕不长个儿啊！"方茴掐了她一把。

"别闹！这叫迂回，慢慢我们不就熟了？"林嘉茉躲开她得意地说。

方茴笑笑不再理她，抬起头找陈寻，她手里还握着那瓶冰红茶，水已经不凉了，她想赶紧给他。

然而陈寻却没有看到方茴，篮球架下有个女孩招呼他，他下场之后，就径直走了过去。方茴看着他坐在了那个女孩旁边，接过女孩递过来的芬达，拧开咕嘟咕嘟地喝了起来，女孩抱着他脱下的校服笑了，他说了点什么，两人一起前仰后合。

这个季节穿短袖不冷么？

校服在别人手里，这样在楼上看的话怎么能分辨出来哪个是他呢？

明明说过最喜欢冰红茶的，可是为什么喝芬达也很开心的样子？

都是喜欢，可是有的人很迂回地说喜欢，而有的人却在喜欢之后很迂回，究竟哪种是对的呢？

方茴的心里不知道在问着谁，没人来回答她，唯剩下酸酸的坠痛，让她紧紧地抓住了手中的水瓶，指甲抠在上面，一半红，一半白。

"喂，我说那女生是谁啊？凭什么你这个正当厢主站在边边角角，而她那么堂而皇之地坐陈寻旁边啊？"林嘉茉也看见了陈寻，她眼瞅着方茴脸色越来越差，愤愤地说。

"我不认识。"方茴低下头，拉了拉林嘉茉说，"咱们回去吧。"

"你……"

"走吧！"方茴坚定地说。

林嘉茉叹了口气，她们刚要转过身，身后的两个初中女生却突然尖着嗓子喊了声"陈寻"。那两个人显然不认识方茴和林嘉茉，喊完之后，匆匆躲在了她们身后，一个小声说："他看这边了么？"另一个从人缝中露出点头，欣喜地说："看了！看了！"

陈寻的确听见了，也往这边看了，不过他第一眼看到的不是恶作剧的女生，而是方茴。

乔燃和赵烨也都发现了她们，三个人一起往这边走来。

"看见了么，刚才我那个三分，太牛逼了！"赵烨兴奋地拿过林嘉茉手中的水说。

"给我！"林嘉茉急得一把抢了回来，"是你的么，你就喝！"

　　陈寻朝赵烨竖了竖中指，有意无意地蹭到方茴边上伸出手说："给我吧！"

　　方茴冷漠地看了他一眼，陈寻没有察觉，指了指她手中的冰红茶小声说："这个，谢谢！"

　　"热吗？"方茴突然扭过头，把水递给站在另一边的乔燃，"给你，喝吧。"

　　"啊……谢谢！"乔燃愣了一下，随后接过来笑得一脸灿烂。

　　陈寻的手指还没收回来，像个他们的对话里尴尬的标点符号，傻兮兮地浮在半空中。

　　他看着乔燃仰起头喝了几口，瓶子中晃悠的暗红色液体应该很甘甜，可是陈寻却觉得自己嗓子眼里苦苦的，苦得再也不想在这里待下去。

　　陈寻猛地一推身后的树，支起身子走了，擦过方茴身旁时，两人谁也没看谁一眼。

　　"嘿！吗去呀？"赵烨在身后嚷。

　　"回教室！"陈寻没回头。

　　"待会儿咱就该上啦！"

　　"我他妈不打了！"陈寻走到篮球架子下面，从那个女孩手里拿回校服，气冲冲地走了回去。

　　"丫有病吧？怎么跟吃枪药了似的？"赵烨诧异地跟乔燃说。

　　"不知道，甭理他！"乔燃小心翼翼地拧好瓶子说。

　　"我问你们，篮球架下面坐着那女孩是谁啊？跟陈寻熟么？"林嘉茉趁机问。

　　"哪个呀？"乔燃说。

　　"就给他拿校服那个，哎……站起来那个，就她就她。"林嘉茉努着嘴说。

　　"哦！王曼曼啊！五班的，陈寻初中同学。"赵烨看了看，转过头神秘地说，"据不可靠消息，还是他曾经的绯闻女友！"

　　林嘉茉担心地望向方茴，而方茴则默默垂下了头。

5

　　陈寻和方茴冷战了三天。

　　三天的时间说长不长，说短不短。但对感情而言，足够开始也足够结束。

　　这期间，林嘉茉又在中午时找了苏凯，慢慢地知道了他住在哪里，喜欢什么颜色，爱喝哪种饮料，甚至鼓足勇气问了他喜欢什么样子的女生，如果找女朋友有什么要求。

　　而苏凯的答案让她兴奋了很久，他说："喜欢可爱的女孩子，事儿不要太多。女朋友的话，呵呵，你这样的就行啊！"

　　一回到教室，林嘉茉就拿出买的 201 卡，用楼道的电话呼了苏凯。

　　"请呼 52446……高依依……高兴的高，依恋的依……留言是喜欢你……对，就是喜欢你，帮我呼三遍！谢谢！"

　　"高依依是你编的名字？"方茴问。

　　"对，"林嘉茉笑着说，"你听见了吧？他刚才说我这样的就行！"

　　"嗯！可是咱们班没这么个人啊！"

　　"笨！高依依就是高一（1）的意思啊！"

　　"哦！"方茴恍然大悟，"你真厉害！"

　　"学吧你就！"林嘉茉搂过她的肩膀说，"你还没跟陈寻说话呢？"

　　"没呢。"

　　"这样好吗？他也没给你打电话？"

　　"没，"方茴的眼睛黯淡了下来，"算了，也许他觉得我太麻烦了吧！"

　　"什么话！这种事有怕麻烦的吗？我觉得你们还是该好好说说。"

　　"再说吧，"方茴深吸了口气，从肩膀上拉下林嘉茉的手说，"咱们回去吧。"

　　她们刚走进班里，就听见门口有个女生喊："同学！帮我叫一下你们班陈寻。"

　　方茴不禁回过头，站在那里的正是那天坐在篮球架下面的女生王曼曼。她和另一个女孩笑盈盈地提着个大黑垃圾袋，靠在门边上说："谢谢啊！"

林嘉茉朝后排不耐烦地喊："陈寻！有人找！"

陈寻忙跑出来，赵烨在后边起哄似的怪叫了两声。

方茴没有看他，默默回到了位子上。

"什么事？"陈寻问，"你们拿的是什么啊？"

"空水瓶！"王曼曼笑着说，"我们班现在组织在学校里回收垃圾，然后卖废品去！挣来的钱都算班费，你帮我把你们班没用的空饮料瓶、易拉罐什么的都给我吧！"

"真行！崔老师让你们干的？"

"不是，我们自发的，你快点！"王曼曼轻轻推了陈寻肩膀一下。

陈寻笑着躲开说："那你等会啊！"

他走回教室，在课桌间一个一个地询问，到方茴和林嘉茉这里，也仅仅平淡地说了句："有不要的饮料瓶么？易拉罐也行。"

"没有！"林嘉茉说。

陈寻没有接着问方茴，便走向了下一桌。

"那女生真强！都追到班里来了！"林嘉茉厌恶地说，"陈寻也是，干吗管她的事啊！这不嫌麻烦？"

"他们不是初中同学么。"方茴淡淡地说。

"那也不用这么亲近啊！他到底什么意思啊？"

"随便他什么意思吧！"方茴拿出下节课用的书本，啪的一声摆在了课桌右上角。

那天后来的课，方茴都没能认真听下去。她觉得可能和陈寻就这么完了，说不上来到底是谁对谁错，可能也没什么对错之分，只是她太奢望了。那个男孩如此优秀，凭什么一定在她身边待着呢？她又有什么值得陈寻认真地对待，专心地喜欢？

方茴一直讥讽着自己，把心里的萌发的芽，狠狠地踩下去。她恨不得亲手把所有的希望灼烧殆尽，即使心痛也不想留下。所有的绝望都是由希望产生的，甜蜜的幻想往往终成寂寥的毒、蛊惑的伤。因此她不敢去找陈寻印证，她害怕这样冰冷的话会从他嘴里说出来，那样就真的太疼太疼了。

可是放学之后，当班里没几个人的时候，陈寻却走到了她身边。

"你留下一会儿行么？我有话跟你说。"陈寻说。

　　方茴没有应声，她默默收拾书包，心里一阵阵的绞痛。她觉得陈寻还是要对她说出那些残忍的话了，但她一点都不想听，即使分开她也不会哭闹，更不会纠缠，以后也绝对不会妨碍到陈寻。干干脆脆地放手就好了，何必还非要亲口伤害一次呢？

　　"听见没有啊！行不行？"陈寻有些生气，拉住她的胳膊说。

　　方茴轻轻地挣扎，可是陈寻抓得很紧，她没能挣开。

　　"还有什么可说的啊！"方茴抬起头，绝望地看着他说。

　　陈寻放开了手，胸脯一起一伏，压低声音颤颤地说："好，好，好！你就没什么话跟我说！我明白了！可是方茴，你不能这样！当时你要是跟我说你喜欢乔燃，我也不会现在跟个傻逼似的！那天看见你在操场那，你知道我多高兴么？本来中午学生会要开会，我立马跟人家王曼曼说我不去了，就想和你多待会儿！可你呢？我真就以为那水你是给我买的，还觍着脸要呢。你是不是觉得逗我特有劲啊？就算那是你给乔燃的，也不用非当着我面啊！你……你到底什么意思！"

　　方茴呆呆地看着陈寻因气愤而绯红的脸，她突然觉得好像有什么事和她想的不太一样。

　　"我……我不是……"

　　方茴的话还没说完，就被从门外冲进来的林嘉茉打断了。

　　她大口喘着气，惊恐地朝赵烨喊："那天的，东职的，来了！在……在校门口呢！"

　　"几个人啊？"赵烨忙问。

　　"三……三个！"

　　"操！三个怕什么啊！打丫挺去！"赵烨把刚背上的书包扔在课桌上面，嚷嚷着说。

　　"走！我跟你去！"陈寻回头大声说，"乔燃你去么？"

　　"当然去了！"乔燃也放下了书包。

　　"别去！"方茴慌忙拉住陈寻说，可陈寻却甩开她，和赵烨他们招呼了几个男生，一起跑下了楼。

　　"哎呀！怎么办啊！我本来是想让他躲躲！"林嘉茉焦急地说。

　　"去找苏凯吧！"方茴说。

　　"对！我去找他！"林嘉茉眼睛一亮，转身跑走。

　　苏凯听了她们的话，二话没说就叫上篮球队的几个人去了。他还特地叮咛林嘉茉，让她们不要出校门。

　　方茴在教室里如坐针毡，她走来走去，不住望向窗外，却看不见他们一点影子。

　　"这么半天了，不会出事吧？"方茴担心地问。

　　"应该……不会吧。"林嘉茉也很着急。

　　"要不咱们还是跟老师说吧！万一……"

　　"不行！"林嘉茉坚决地说，"这事千万不能让老师们知道！苏凯说会从队里开除的！没准还会给处分呢！"

　　"那怎么办啊！"方茴几乎哭了出来。

　　"回来了！回来了！"林嘉茉跳起来，指着窗外喊，"你看！"

　　方茴一激灵，拉着林嘉茉就往楼下跑，她们在校门口迎面碰见了苏凯，林嘉茉忙拉住他上下左右地看。

　　"怎么样？没事吧？"林嘉茉问。

　　苏凯笑着摆了摆手，比了两个 V 字说："搞定！"

　　"谢天谢地！"林嘉茉双手合十念念有词，"太好了！"

　　"陈……陈寻呢？看见他了么？"方茴一反常态，打断他们说。

　　"后边呢吧！"苏凯说。

　　方茴忙向后跑去，都没来得及和林嘉茉说一声。半路上她又遇到了乔燃和几个本班男生，也一样没有多说，问了陈寻在哪儿就跑走了，直到最后面，她才看见陈寻。

　　他身上有些土，正一边踢着石头，一边低头往前走。

　　"陈……寻。"方茴轻轻地呼唤他。

　　陈寻站住脚，惊讶地抬起眼睛，随后别扭地看向另一边说："干吗？"

　　"你没事吧？"

　　"没，"陈寻掸了掸身上的土说，"你怎么还没回家啊？"

　　"我……等你呢。"

　　"等我？不是说没什么可说的吗？"陈寻挑起嘴角，淡淡地说。

　　"那水，是我给你买的！"方茴盯着他说，"你说过的，最喜欢喝统一冰红茶。"

　　"那……那你干吗给乔燃啊！"陈寻有些不好意思，走近了几步。

"不是有别人给你了么？"方茴低下头看着自己脚尖低声说。

"哦！你说王曼曼啊！她让我帮她把瓶盖儿拧开！后来看着我出好多汗就给我喝了。"陈寻恍然大悟。

"还有……我不是喜欢乔燃，"方茴的眼睛里泛起了雾气，"我喜欢的……是你！"

陈寻咧开嘴笑了，他摸了摸鼻子说："我本来以为我没戏了呢，心里特难受，刚才把火都撒在东职那帮人身上了。"

方茴扁扁嘴，眼泪扑簌着掉了下来，在校服上留下了小小的水印，陈寻忙扶住她的肩膀，弯腰看着她说："怎么了？怎么哭了？"

"我以为……你喜欢王曼曼了……"

"怎么可能！喜欢她我用得着这么着急吗？"陈寻望着她的眼睛说，"我喜欢的是你呀！傻瓜！"

陈寻和方茴走回班里的时候，赵烨正唾沫横飞地讲着刚才的经历。林嘉茉在旁边听得十分兴奋，不停地问："然后呢？然后呢？"

乔燃拿着橡皮一下下地敲着，回头看到了他们，招手说："快来听评书！"

陈寻紧走了两步坐在乔燃身边说："丫真能喷！"

"他就是一喷子！"乔燃笑了笑，冲方茴说，"刚才怎么那么着急呀，我看你脸都白了！"

"我……"方茴一怔，结巴了起来。

"明天她码车，得第一个来，管我要咱们班门钥匙。"陈寻接过话说。

"哦！早说啊！其实我这也有一把。"乔燃拍拍兜说。

"嗯。"方茴低下头，偷偷瞥了陈寻一眼。

"嘿嘿嘿！你们仨好好听！讲到关键时刻了！"赵烨瞪着眼说。

"大哥！我们也在现场好不好！"陈寻卷起本书敲向他的脑袋。

"听他说，别打岔！"林嘉茉扒拉开陈寻说，"赵烨接着讲，见面后怎么了？"

赵烨白了陈寻一眼，清了清嗓子说："我就说：'你丫来得正好，上次让你们跑了，老子他妈那是天天想你，日日念你啊！'丫说：'少他妈废话，你说咱们是单挑，还是摆人吧。'"

"什么是摆人啊？"林嘉茉插嘴问。

"就是叫一帮人一起……"乔燃说。

"群架！"方茴简单明了地说，陈寻诧异地看了看她。

赵烨点点头，接着说："我说'你丫先往那边走走，咱上胡同里去。我们学校门口干净，别他妈让我们老师看见了，我还想考大学呢！'丫说行，傻逼似的就跟我们走了。"

"等一下！我要补充！"陈寻举手说，"那人当时还说了句'瞧你那德行，还他妈考大学呢！你衬那么高级的名头么！'"

大家哈哈笑了起来。

"操！"赵烨拿了笔帽狠狠地扔过去说，"不说话没人当你是哑巴！"

"讨厌，让赵烨说完啊！"林嘉茉憋着笑说。

"陈寻和乔燃在最前面走，我在那三个人后边，当时我已经看见苏凯他们从校门出来了，我就给他使了个眼色，让他们先别动手。苏凯一看就明白了，一点声都没出，在我后面跟着。但没想到，那三个傻逼还挺灵泛的，他们可能觉得气氛有点不对，回头看了一眼，结果带头那个就认出苏凯来了，也看见后面我们队那呼啦啦一片人了。哎哟，你没看他们尿得那样！操，撒丫子就跑啊，说真的嘉茉，别看你练过，他们一起步那下绝对比你快！妈的，乔燃使劲拉都愣是没拉住！"

"啊？那他们就跑啦？"林嘉茉诧异地说。

"不能够啊！"赵烨得意地摇摇手指说，"我们队长被他们招呼了，我们还能轻易放过他们？本来苏凯还拦着来着，也不知道谁喊了声'别让丫跑了'，当时我们就'轰'一下追上去了！那场景，真你妈壮观！"

"然后逮着他们了？"林嘉茉兴奋得眼睛都亮了起来。

"当然了！我们队平均身高 185 呢！丫们那小短腿，两步就追上了。我跑在最前面，大喊一声'走你！'，飞起就是一脚，立马就踹趴下一个。"

"嗯，飞腿那动作挺标准的，只可惜他没掌握好幅度，也跟着摞地上了。"陈寻嘻哈着说。

"你这人有劲没劲啊！"赵烨又朝他扔了根笔，"不过确实就因为这一下，我错过先机了。等我起身的时候，他们已经都围上去了，一顿狂瓶啊！我好不容易挤进去，想给丫两脚，低头一看，操，哪还有人啊！那人身上到处都是脚，都在踹，完全没有我下脚的地方啊！本来我以为没机会了，结果你猜怎么着？我一看，从无数只脚中间伸出只手来，我那个乐啊，心想皇天不负有心人啊，天灵灵地灵灵嘛哩嘛哩轰啊！我毫不犹豫就踩上去了！牛逼！那声叫唤，真他妈好听！"

林嘉茉捂着肚子笑得前仰后合，方茴也忍不住笑了起来，乔燃一边拍桌子一边笑，陈寻按着赵烨脑袋转了两圈。

"笑什么呢？那么开心？"苏凯站在班门口敲敲门说。

"进来吧！听赵烨讲刚才的事呢！"林嘉茉挥挥手说。

"丫又扯淡了吧？"苏凯笑着走进来说，"他肯定没讲踹人却把自己摔地上那段，真屎！"

"队长！"赵烨抗议地叫了一声。

"得得得，不说了！我明白，还有女生嘛！"苏凯不怀好意地瞅瞅林嘉茉说。

"没事，赵烨无论干什么都在我们意料内！"林嘉茉拉着方茴说。

"说正经的啊！我跟那小子说了，他以后肯定不敢再来了，你们也别再去找人家麻烦，回家的时候躲着东职的点。今天和上回一样，都不准往外说。赵烨，你听见没有！要还想下学期打耐克杯，就别他妈再瞎吹了！"苏凯越说越严肃，大家不禁都紧张起来。

"你们不会有事吧？"林嘉茉怯生生地问。

"不漏出去就没事，这次可是篮球队一起上的，真要让老师知道了，那事就大了，"赵烨说，"队长，别跟她们说这个了，女孩胆小！"

"放心！我们肯定一个字都不说！"林嘉茉忙保证说。

"我知道，别害怕，我就是提醒一下。"苏凯笑了笑说，"都不着急回家吧？我请你

们吃冰棍！"

"不急不急！我要吃和路雪西瓜！"赵烨欢呼着说。

"滚！就请吃天冰，没你丫份！"苏凯掏出钱包说，"我们队里四个，加上你们，林嘉茉你数数一共几个人，帮忙去小卖部买一趟行么？"

"没问题！"林嘉茉开心地接过钱，数了数说，"不算赵烨，九个！"

"队长……我也吃天冰……"赵烨可怜兮兮地说。

"那儿好像十根批发，不行你就买十个吧，便宜丫一根！"苏凯又递给她一块钱说。

"好的，那方茼和我一起去吧！"

林嘉茉和方茼一起走出了教室，她一边哼着歌，一边掏出了自己的钱包，把手里的钱小心地一张张放了进去。

"你干吗呀？"方茼疑惑地问。

"当然是把他给的钱收藏起来了，这是苏凯亲手交给我的啊！"林嘉茉用一种陶醉的表情注视着那几张皱皱巴巴的钱说。

"花痴！"方茼点了她脑门一下。

"别动别动！"林嘉茉突然像发现新大陆一样，惊喜地叫了起来，"天啊！我们肯定是有缘人！"

"怎么了？"方茼凑过去看。

"你看这一块钱上的编码！开头的字母是 SK 啊！"林嘉茉兴奋地指给她看。

"SK 怎么了？"

"笨！苏凯的拼音，头两个字母不就是 SK 么！"

"哦……"方茼无奈地说。

"我看看我这里的钱上还有没有 SK！"

林嘉茉打开钱包仔细看了一遍，失望地说："好像没有……"

"算啦，下次我要是有带 SK 一块钱，就给你好了！"

"好好好！记得一定给我哦！"林嘉茉猛点头。

"嗯！"

"我说，你今儿心情不错啊！"林嘉茉捅了捅她说，"是不是和陈寻和好了？"

"还……还好吧。"方茴红着脸说。

"今天真棒！"林嘉茉挽住她的胳膊说，"皆大欢喜啊！"

两人笑着走远，已经略显暮色的校园将她们的影子雕刻在粗糙的操场上。我想，不管之后经历了怎样的青春苦痛，人生是如何的沧海桑田，每个人的少年时代都是可以称作美好的。至少在那个时候，她们是简单快乐的。

也因此，叙述到这里的方茴，眼中绽放出了美丽的光。

那年的冬天来得特别快，两三次降温就让上学的孩子们都穿上了羽绒服，宽大的校服里塞进毛衣毛裤，也变得臃肿起来。那时候的款式单调，也没现在这么多名牌可追，大家基本都是下身缩口的大衣，黑色灰色居多，远远看去，就像一片圆滚滚的小球。眼见就要期末，各科老师都开始敲打学生，平日里不爱学习的人也都忙着抄笔记画重点、复习背书了。学校就像天气一样，渐渐进入了寒冷冰冻的时期。

然而即便在这样的死气沉沉的时候，也照样有些事让所有人期待，那就是新年。

林嘉茉周末约了方茴一起去买贺卡。方茴本来不想去，一是她从来没有收送贺卡的习惯，二是她掰着手指头也算不出几个可以送的人，如果真的要送，也就是平日里一起玩的五人组，她觉得用爸爸单位印发的那种大红带香味的福字卡，送送也就得了。

不过她这个想法被林嘉茉痛批了一顿：

"亏你想得出来！就想这么打发我们啊！你爸发的那种，是不是上面还印着什么什么公司的名字，里头傻了吧唧地写着恭喜发财？"

"我看看，"方茴偏过头夹住电话筒，打开写字台抽屉翻出两张说，"嗯，还真是有单位的烫字。"

"太土了！我可不要啊！到时候肯定也有别的同学送你，你就回给人这个？"

"没人会送我的，我好像就小学时收过贺卡。"方茴轻轻地说。

"不会吧？你们初中同学也太抠门了！我不管，反正我送你，你也得送我，而且我坚决不要你爸单位的贺卡！再说了，就算你拿那个对付我，也不能就这么对付人家陈寻啊！"

"那……好吧。"

林嘉茉的最后一句话，终于让方茴答应了下来。

她们第二天一起骑车去了天意市场，那儿人很多，有不少摊位都卖贺卡，方茴没来过这里，但林嘉茉却很熟门熟路。

方茴在人群中被挤得晃晃悠悠，她拉住林嘉茉抱怨说："怎么这么多人啊！"

"这里便宜呗！样式也多，大家都来这里批发，"林嘉茉一边翻一边说，"啊！看这个！真可爱！"

"批发？你要买多少啊？"

林嘉茉仰起头，嘴里轻声算着数字，扭头说："怎么还不得四五十张？"

"四五十？你卖贺卡的啊！"方茴惊讶地说，她自己只打算买五六张而已。

"你想啊，咱们班同学，其他班认识的同学，初中同学，还不错的小学发小……嘿嘿，还有苏凯！我觉得四五十都不一定够！"

"哦。"方茴默默低下了头。

天意的贺卡的确很多，有卡通的，有外国风景的，有立体的，有香味的，有音乐的，有带磨砂薄膜的。每一个上面都写着"HAPPY NEW YEAR"或"MERRY CHRISTMAS"，附带各种颜色的信封，十个起批，大多都是五六毛钱一张，特别好的，也就八毛一块。

　　林嘉茉买了不少，她特意为苏凯挑了一张白底带细碎红色小桃心的，每一颗都是立体的，贺卡附送的信封上也有一个，十分艳丽。方茴为陈寻准备的则要普通很多，那张贺卡像是淡淡的铅笔画，蓝色的天空下隐约闪现七色的彩虹，很温暖清新的感觉。

　　"怎么选这个啊？没什么特色。"林嘉茉奇怪地说。

　　"嗯，喜欢这个，好像看见晴天。"

　　"不是有彩虹么？那是刚下过雨啊！"

　　"下过雨的晴天不是更漂亮吗？"方茴笑着说。

　　"你琼瑶小说看多了吧？对了，打算在上面写点什么？"林嘉茉坏笑着说，"写很喜欢很喜欢你怎么样？"

　　"什么啊！就写新年快乐！"方茴脸红着推开她说。

　　然而方茴还是食言了，在那张贺卡上，祝福"新年快乐"之前，她还写了一句话："能在雨后的晴天遇见你，真的很幸福！"

　　那几天好像整个学校都在飘着贺卡，同班同学之间、外班同学之间，外校同学之间，都在不停地发放，甚至还有几个初中的女孩子来班里给陈寻送贺卡。在林嘉茉的教诲下，方茴早就做好了准备，也就没怎么在意。出乎她意料的是，班里竟然还有同学送给她贺卡，虽然上面不过写了点"祝新年快乐，万事如意"这样的吉利话，但还是让方茴很高兴。每一个送她贺卡的人，她都认认真真地回复了去。当然，陈寻他们也送了她贺卡。

　　林嘉茉的那张写着："给我最好的朋友茴儿：祝你新年快乐，和某个人一直甜甜蜜蜜下去！PS：在以后的日子里，请一直和我一起，我们要永远一边唱着《婚礼进行曲》一边上厕所哦！"

　　赵烨的那张写着："方茴：虽然你让我一个月都没能和你说上话，但是还是很高兴认识你。谢谢你给我的土豆，现在我看见土豆就能想起你！祝新的一年里万事顺利！"

　　乔燃的那张写着："To 方茴：我最开心的时光，就是和你一起写作业的时候。可是和你在一起，我就会变笨，脸红心跳，说话都很紧张。祝新年快乐，学业进步！"

　　陈寻的那张写着："我保证，不会对你说对不起。不管有多少个新年，新新年，新新新年……你都要一直陪在我身边！I Love You。"

方茴说这些卡片她早就扔掉了，但是很奇怪，这么些年过去了，他们写的每一个字她还都能清楚地记起来，她自嘲说可能是脑子过于好使了。

而我想，大概那些没能实现的诺言，让她产生了格外美好的梦想，她在那个时候一定是当真了的。然而，所有的一切最终随着流逝的青春一起，结成了深深的遗憾。可悲的是，曾经努力的守护反而变成难以忘记的疼痛。纸片可以撕碎，而年少该怎么撕碎呢？

8

一班开始为新年联欢会做准备了。

这件事由班委们负责，虽然期末考试迫在眉睫，但也丝毫打击不了他们的热情。在无数个放学后，他们聚在一起嘻嘻哈哈地开会讨论，最后商定的方案是游戏加节目。

班干部带头，陈寻和赵烨、乔燃一起演个小品，方茴和林嘉茉合唱《相约九八》，何莎拉小提琴，曲目是《欢乐颂》，其他同学也有节目，多是唱歌，基本上都是当时的流行歌曲，《太想爱你》《心太软》《戒情人》《爱的初体验》《雪候鸟》之类的。侯佳老师也献歌一曲《大约在冬季》，她报歌名的时候，陈寻才发现原来她的偶像是齐秦。除此之外，还有些杂七杂八的游戏，什么贴鼻子、击鼓传花、模仿猜词等等。

其中比较特别的是陈寻想出来的送礼物的游戏。联欢会开始的前几天，每个同学都买一个小礼物带来，什么都行，便宜贵都无所谓，在礼物上粘个纸条，写上自己的名字，由陈寻他们编好号码，放在一个大箱子里。然后他们再另外做一些数目一样与之相称的号码纸条，叠成阄放在一个小盒子里。在联欢会当天，最后一个游戏就是每个同学都抓个阄，里面写的是几号，就会发给你一个同样数字的礼物。这样，所有人都能得到其他同学送的礼物。

定下这个计划的当天，乔燃约方茴一起去买礼物，但是被她推掉了。说到原因，还是乔燃的那张贺卡让她退缩了。虽然方茴多少有点迟钝刻板，但是她并不傻，隐隐约约地，她也察觉到了些乔燃的心思。这让她有点感慨，如果几个月之前，他这么说出来，兴许方茴会动心，她对乔燃大概也曾经有过好感，但是现在一切都来不及了，陈寻暴风骤雨般地闯入了她的世界，在她心里已经不能再放下另外的人。既然不可能，方茴也不打算和乔燃过分地亲密，朋友很好，再前进却是尴尬的境地。

不过，方茴没和乔燃一起去还有一个原因，那就是她已经跟陈寻先约好了。

放学之后，陈寻和方茴一起去了一个鲜花礼品店。陈寻好像有点花粉过敏，不停地打喷嚏，方茴抱着一只河马牛的毛绒玩具，在花丛中笑得明艳动人。

"我就买这个了！"陈寻拿过她手中的河马牛说。

"嗯，还挺可爱的！"方茴递给他。

"可爱？多丑啊！也就是你抱过我才买的，我看你还挺喜欢这玩意的！"

"比你可爱多了！"方茴笑着白了他一眼，低下头四处看着说，"我买什么呢？八音盒好吗？"

"不！我不要八音盒！"陈寻摇摇头说。

"又不是给你，你不喜欢不代表抽中它的人不喜欢啊！"方茴扭动八音盒的小钥匙，松开手里面就响起了《秋日私语》。

"你送的礼物，当然是给我了！嘿嘿，这点我还是能办到的。"陈寻狡黠地说。

"什么意思？"

"傻丫头！礼物的号码是我来标吧？抽签的号码也是我来做吧？你的礼物标上号码之后，我把那个对应的阄攥在手里，谁也不给，到时候再假装抽一下，你买的礼物不就是我的了么？"

"狡猾啊……"方茴掐了他胳膊一下说。

"哎哟！我也挑这个河马牛送你了嘛！你不是说过，睡觉的时候喜欢抱着这种东西么？收到我送的总比其他甲乙丙丁送的好吧？"

"那你想要什么啊？"方茴把八音盒放在了架子上，她还皱着眉，却掩饰不住上翘的嘴角。

"拨片！"陈寻又打了两个喷嚏，忙拉着方茴走出小店说。

"薄片？什么东西？"方茴小心翼翼地抚平河马牛的包装纸问。

"不是薄片，是拨片！我寒假打算学吉他，下学期就可以弹歌给你听了，拨片就弹吉他用的。"

　　方茴会心地笑了笑说："到哪儿能买到啊？"

　　"新街口就有，咱俩现在就去吧！"陈寻打开车锁骑了上去。

　　那天他们在新街口买到了拨片，方茴本以为会是什么奇巧的东西，拿到手里才知道，不过就是一片薄薄的塑料。她觉得单送这么个小东西有点不够意思，于是又买了些漂亮的花纸和玻璃罐，折了一整罐的星星，总共 99 颗。她在那枚红色的拨片上贴了张银色的桃心贴纸，然后把它埋在了那罐星星里面。

　　新年联欢会热闹欢乐，大家都玩得很开心，林嘉茉的好嗓子堪比王菲，引得路过的同学都进来听，一下子震慑了高一年级。陈寻他们的小品乱七八糟，但是却因为赵烨的忘词而产生了意料不到的搞笑效果。化学刘老师前仰后合，结束之后拉住赵烨的手，"这个涅"了半天，愣是笑得没说出话来。最后抽礼物的环节也很圆满，方茴和陈寻心照不宣地拿了各自的礼物。陈寻没想到方茴还为他折了星星，格外高兴，一会儿就拿出看看。而方茴也没想到陈寻在那个河马牛的衣服上别了自己的署名石，黑色的石头上用银粉歪歪扭扭地写着"陈寻"两个字，傻得可爱。想到他曾说过，让自己睡觉时抱着，方茴不由脸红了起来。

　　但是他们的小把戏没能逃过细心的林嘉茉，她追着他们喊了一天"假公济私"，直到陈寻请她吃了烤白薯才作罢。

　　时间在一片笑声中嗖嗖而过，期末考试结束了，放了寒假，转眼间就到了 1999 年。

　　方茴和陈寻的成绩都不错，期末两个人分别考了全班第三和全班第五，因此他们的春节过得十分踏实。而赵烨就不行，他考了第二，倒数的，整个寒假都老实地在家蹲了。

　　中国过年是大事，哪家都要从年前热闹到十五，走亲访友讨个吉利话，贴上春联和倒福字，这心里才舒坦。方茴和陈寻也不例外，随着家里的大人四处活动，偶尔打个电话联系，还老找不到对方。直到初九那天，陈寻给方茴打了电话，说是明天要和发小们聚会，他们吵着嚷着都要见他女朋友，所以就约她一起去。方茴本来不好意思去凑热闹，她是脸皮薄的人，不爱往人多的地儿钻。可是陈寻不断央求，方茴一个假期都没见到他，也很想他，就答应了。

　　第二天飘了点雪花，陈寻在车站一边跺脚一边等方茴。方茴晚了一两分钟，下车之后忙向陈寻跑去。那天她穿得特别严实，帽子围脖手套都戴上了，比她平日的身形宽出一圈，陈寻迎上去笑着说："慢点！别摔着！我看看，我们方茴怎么跟从山里跑出来的小村妞似的。"

　　方茴拍了他一下，嘟着嘴说："讨厌！今天多冷啊！我可不像你，要风度不要温度！"

　　"嗯！穿多点好！丑点没关系，别冻着就行！"陈寻把她的帽子又往下拉了拉。

　　两个人坐上车，方茴问他说："你的发小几个人啊？哪个学校的？"

　　"四个，我们小时候是一个院儿的，但是现在都搬家啦。他们学习不好，都没上高中，有的在技校，有的在职高。"

　　那会儿对教育的观念和现在还不太一样，不是个个都望子成龙望女成凤的。毕竟上一辈的人念书的就少，经过那些磨难，在有些家长眼里能够上日子、吃喝不愁就行了。至于以后有没有出息，那得看孩子自己。因此也没谁逼着孩子上这班那班的，考不上高中也没多少家长会掏好几万的赞助费。所以，在一次次的考试中，不同人便有了不同的命运。陈寻的发小们，就没有跨进高中的门槛。

　　两人聊着就到了约定的地点，那里是其中一个人的新家，方茴在楼门口缓下了步子，她拉住陈寻，支吾着说："我有点紧张……"

　　"紧张什么啊？有我呢！"陈寻安慰她说。

　　"我和他们都不认识，要不，我还是回去吧！"方茴揪着手套说。

　　"见几次不就认识了？再说早晚你也得见他们啊！走吧！"陈寻拉住了她的胳膊，走了进去。

　　陈寻敲了敲门，一个女孩在里面笑着说："你女朋友带没带来？没来可不给你开门啊！"

　　"来啦！快点！"

　　陈寻扭过头对方茴说："你看看，你要不来他们都不让我进了。"

　　门一下子打开了，里面的女孩很时髦，穿了件流行的紧身尖领毛衣，她一把拉住方茴说："你就是陈寻女朋友吧！叫什么名字啊？真显小！初中生吗？"

　　方茴摇了摇头，陈寻嬉笑着推开她说："滚！你丫才初中生呢！"

　　"切！谁知道你会不会拐带未成年少女啊！"女孩瞪了他一眼，回头朝屋里喊，"别他妈看毛片啦！人都来了！你们快出来！"

　　屋里响起了拖鞋声，走出了两男一女，前面两个人拉着手很亲热的样子，另外一个走在后面揉着眼睛说："叫什么叫啊！刚看到关键时刻！那女的真他妈给劲……方茴！怎么是你？"

　　他惊讶地看着方茴，叫出了她的名字。

　　而站在一旁刚才还因为紧张而脸红的方茴，突然一下子苍白了，她转过身打开门就跑了出去，甚至没有跟陈寻说一句话……

9

　　方茴讲到这里的时候长呼了一口气，很长时间，她只是沉默地把玩杯子，好像并没有发生这次对话一样。我没有催促她，我知道接下去的事情肯定让她产生过强烈的痛苦感觉，所以无论方茴说还是不说，都不是我能决定的。

　　就这么过了十几分钟，她的喉咙中发出了一点点呜咽的声音，然后她抬起头望着我，眼睛里有些湿润，轻轻地说："张楠，你高中是在西城，对吧？"

　　"嗯，对，H中。"我回答。

　　"那……你听说过 B 中校门口扎死人的那件事儿么？"她的手又开始颤抖了。

　　"啊，我知道……"

　　当时那件事在北京中学中很轰动，曾经疯狂流传了一段，有正史和野史两个版本。官方的，无非就是在思想品德课上，各校老师和各城警方把它作为反面教材，深刻地批判了校园暴力和少年犯罪，并且恶狠狠地警示我们，绝对不能拉帮结派，也不能打架群殴，更不能上学持械，万万不能拿刀砍人。民间的，则是那个男孩是 B 中的老大，为了女朋友去和其他学校的一帮人火并，在乱战中被海淀的"九龙一凤"暗算，当然，也有说是被西城、崇文的 ×× 暗算的，B 中战败，他死的时候还一直念那个女生的名字，手里紧紧握着她送的项链……

反正不管是正史还是野史，在那年的北京确实发生了这么一件事，汇总成简简单单的一句话就是：B中学生和一些外校学生以及少量社会青年在B中门口发生了群殴，多人受伤，一人身亡。

"我的初中就是B中，死的那个男孩子叫李贺，是我当时的……朋友。"

我的手也突然颤抖了，杯子中的桃子酒洒出去了一点，在桌子上形成了怪异的粉红色水痕……

方茴小升初的时候，既不是班干部，也没有什么门路，所以没有选择，她和大多数小学同学一起，被打乱重排，随便"大拨轰"到了三流中学——B中。

在北京，有很多全国知名的市重点，有很多历史悠久的区重点，也有很多这样的普通学校。这其中有的或许还不错，成绩不突出，学生至少好管理；但有的却着实令人头疼，不但成绩差，学生还十分顽劣，抽烟喝酒打架惹事，一代代地沿袭成极不好的校风，B中就是其中赫赫有名的一个。

现在的家长恐怕不会让孩子就这么输在起跑线上，只要有点能力，都要至少混个区重点上。甚至为了教学质量，不惜贷款买房举家搬到好学校密集的地区，唯恐被"大拨轰"到B中这种学校。

而在那会儿，人们还没充分意识到阶层的分化是从孩子开始的，一次次的升学考试就是一次次的标排三六九等。所以方茴也觉得没什么，B中就B中呗，中考再考个重点学校不就好了？于是，事情就在她的情愿与不情愿之间，悄悄画了个圆。

初一刚开始的时候，方茴确实学得很踏实，不管旁边的同学怎么变着花样地折腾，她都一心一意地坐在第一排老老实实听课写作业。方茴文静，胆子又小，对她而言，学坏比学好难得多。因此她的成绩在B中一直保持着全年级第一，而且远远高于第二名。

这样的好学生，一般是不会被坏学生骚扰的。因为老师都向着他们，不会占到便宜，而且不是一个路子的，招摆她也没意思。但是还有另外一种情况使这两种学生会混到一起，那就是仰慕。

想想还是那时候的男孩子实诚，对美好的事物都有种自然的向往，要么喜欢长得漂亮的女生，要么喜欢学习好的女生。像方茴这样出淤泥而不染而且细眉细眼的清秀女孩子，自然挺招人喜欢，李贺就是这么喜欢上她的。

　　李贺和方茴不一样，他是胡混的主儿，上了初中更加撒欢了。他个子比一般男孩高，身体也壮，什么事都敢出头，就像按不住的葫芦。他结交了不少不三不四的"哥们"，因此在 B 中也有了点名头。

　　方茴那会儿有个小毛病，因为稍微内向，在人前总是紧张，所以说话有一点点结巴，她在班里的外号就是小结巴。可巧，当年红遍大江南北的《古惑仔》中，陈浩南的女朋友也是这个名字。李贺迷恋《古惑仔》迷到了一定地步，恨不得自己建个洪兴帮，把北京城当成铜锣湾，先人在江湖，再猛龙过江，最后只手遮天。

　　方茴的外号让他觉得这个女孩绝对和自己有缘，至于是善缘孽缘，他恐怕从来没有想过。那会儿流行用生日数字叠加算命，测试恋爱成功率。李贺差遣他一个哥们给他和方茴算了算，据说成功率居然高达 99%，这更加确定了他追方茴的信念。

　　然而，他肯定不会想到，这只差 1% 就圆满的数字，会把他引向死亡。

　　李贺追方茴的方式在我看来还是挺嫩的。无非是中午买根紫雪糕，让他的哥们给方茴送去，不收不许回来。要不就买一把叫"秀逗"的糖，路过方茴课桌的时候在上面扔两个。还有就是故意在她周围追跑打闹，装牛逼充老大，气势汹汹地说不许别人打方茴主意。动不动还写两封酸不溜丢、有错别字的情书。

　　这种做法实在不上道，弄得方茴天天胆战心惊的，和她交好的女生以为方茴真的和李贺交朋友了，吓得都不敢再跟她一起玩。

　　不过方茴说，有时候李贺也挺好的，秋天放学的时候特意在学校边等她，捡个树叶非要和她玩拔根，把她逗乐了才走，特孩子气。也不太纠缠她，总在她后边偷偷骑车跟她回家，李贺说他们日子长着呢，等他奠定地位再儿女情长。她也说不好那时候喜不喜欢李贺，因为她还没来得及细想呢，李贺就死了。

　　事件的起因是方茴在校门口被人截了。那时的北京小痞子坏学生特爱干这事，在学校门口蹲着，专挑老实的学生欺负，劫个钱顺瓶水什么的。B 中这样鱼龙混杂的地方自然更加猖獗，截方茴的是其他学校的人和几个社会闲散的人员，倒没太过分，就是把方茴兜里的 12 块钱都拿走了。

　　这事不知怎么传到了李贺耳朵里，他一下子就怒了。这还了得，敢欺负他李贺的女人！第二天下午他就招呼了几个人，说这些日子蹲在校门口，非把截方茴的那帮孙子揍了不可。方茴也知道了这事，她肯定是认为没必要这么干的，但是她也没去和李贺说，她觉得那样不好，反而显得他们真有点什么似的。

过了两天，李贺他们还真就蹲到了那帮人。他们早有准备，二话不说，拎着 U 形锁和链锁就冲了过去。对方先开始有点发蒙，随即反应过来，马上投入了战斗。他们人虽然少点，但是大多是打惯了群架的，李贺他们再怎么说也是学生，几下子下来，就有点落了下风。那些人本来也不想闹大，也就收手要走了，可是正好这时方茴推车走了出来，李贺不想在她面前折面子，又冲上去照着一人抡了一道车锁。那人显然被打疼了，回手给了李贺一拳，他的指节上套着钥匙环，据说这么打人疼。但是他忘了那上面还挂着一把弹簧刀，就在那么一瞬之间，阴错阳差地，弹簧刀蹦了出来，哧的一下扎进了李贺肚子里。

当时所有人都愣了，喧闹的校门口突然变得静悄悄的，李贺倒在了地上，不住地抽搐，血从校服上流了出来，一会儿就红了一片。

那个动了刀的人颤抖着喊："我没有……不是我……"他的同伴们呼啦一下子全跑了，他忙跟着追了过去。

李贺的哥们跑过去扶住他，大声地喊他的名字，而有的学生则跑回学校叫老师。李贺躺在那里，没有丝毫往日的威风，他捂着肚子，满脸都是惊恐的神态，嘴里不停地哭叫着说："我不想死，我不想死，我不想死……"

方茴完全被吓呆了，纷乱中她看见李贺好像向她伸出了手，那只手血红血红的，使她禁不住害怕地后退了两步。

学校的老师们出来了，他们一边慌乱地联系急救和警察，一边驱赶围在校门口的学生，大声嚷着："不要在学校逗留！都赶快回家！"

学生们渐渐散开，不知是谁推了方茴一把说："快走啊！"

方茴的大脑一片空白，她呆呆地应了声"哦"，就随着人流骑车走了。

那天回去之后，方茴就发起了烧，她休息了三天，等她再回到学校，李贺已经从人间消失。那把弹簧刀插在了他的肝上，还没送到医院，就宣告了呼吸停止，抢救无效。

一周之后，同学们在放学后自发组织了追悼。因为李贺是很仗义的人，所以来的人不少。他们都戴上了用课本撕成的小白花，望着黑榜上贴的一张集体照哭泣。方茴站在一边，没有人跟她说一句话，他们几乎都知道了李贺是怎么出事的，然而又几乎都不知道方茴和李贺并不是他们想象中的那种关系。他们认为，方茴应该对李贺的死承担责任。

第二天上学，所有人都摘下了小白花，方茴也摘掉了。可是课间的时候，李贺的哥们却走到她面前，拿着一朵小白花，以不容置疑的口吻说："你，把它戴上。"没人搭腔，也没人管她，方茴默默地接过来，别在了自己校服上。

从此之后一直到初中毕业，方茴在上学的时候都一直戴着小白花。

从此之后一直到初中毕业，B中的学生没人再和她客气地说过话。

方茴讲完这些，就像泄了气的人偶，骤然伏在桌子上哭了起来。她颤动的影子倒映在那片粉红色的水痕中，显得格外痛楚。

我觉得人生一大悲哀是，在尚不能清楚认识世界的时候，就因为无知的举动而彻底改变命运。李贺的事就是再好不过的例子。假装江湖道义有意思么？当他们上课睡觉，下课打架，动不动就跟人犯罩，行不行就去拔份儿的时候，想过这样会给自己的人生带来什么吗？会给别人的人生带来什么吗？

没有，他没有。所以在这条路上，他一去不能回头。

我感叹这样的捉弄，于是不停地轻轻拍着方茴的肩膀说："没事了，都过去了。"

过了一会儿，方茴停止了抽泣，她抹了抹眼角的泪水，神色黯然地说："你知道么，李贺的哥们，就是陈寻发小中认出我的那一个，他叫唐海冰。"

10

我想，时光倒回到多年前，唐海冰也一定在家里给陈寻他们讲了这件事，不过他一定是义愤填膺、骂骂咧咧的，指不定再编排点什么恶心事进去。

事实也正是如此，在陈寻打算追方茴的时候，唐海冰一把拉住他大声嚷着："别理丫的！你怎么找了这么个女的啊？你知道她是谁吗？"

那个为他们开门、穿紧身毛衣的女孩叫吴婷婷，她发现了唐海冰的异常，忙问："她是谁啊？你以前认识她？"

唐海冰怒气冲冲地说："还记得我初中给你们讲过我那个被人捅死的哥们的事儿么？"

"记得啊，不就是为了个骚逼女的把命给送了的那哥们么。"旁边的另一个男孩搭茬说，他叫孙涛，和他一块的女孩叫杨晴，是他女朋友。

"没错，那骚逼女的就是方茴！"唐海冰看着陈寻说。

"你丫说谁呢你！"陈寻一下子急了。

"就说她呢！丫就是一骚逼！把你卖了，你还替人点钱呢！"唐海冰毫不示弱地回嘴。

"滚蛋！不可能！"陈寻烦躁地说。

"你瞧瞧你那样！操！我蒙你干吗啊！她怎么就把你给迷住了？她哪儿配你呀？"唐海冰狠狠地啐了一口说。

"我看海冰不可能骗你，你那个女朋友靠不靠谱啊？"孙涛沉思着说。

"方茴不是那样的人！"陈寻不能相信，他心目中的方茴与唐海冰口中所说的十恶不赦的女人相差太远了。

"你就没问问她原来的事？有没有男朋友什么的？至少聊聊她们初中出的那档子事啊！校门口扎死了人，当时多轰动啊！我要是知道她是 B 中的，我肯定会问。"吴婷婷说。

"我……"陈寻一下子没了话，他根本不知道方茴是哪个初中的，每次说到这个话题总会被她随便地混过去，当时他也没在意，但现在想想，确实挺可疑的。

"我看啊，人家根本没告诉你她是哪个初中的吧？"杨晴一语点中了他的痛处。

"她……她说过！"陈寻忙否认说。

"别他妈装啦！你用得着骗我们么？反正她又不是我们女朋友！"唐海冰不耐烦地挥挥手说，"你要觉得她行，特棒，就是对眼！不管她是什么样的人，干过多孙子的事，你都照样爱她一万年，那你就追去！我也他妈懒得管了，你丫以后就是横尸街头，我从你旁边走眼都不会抬！"

　　陈寻最终没有追出去，他跌坐在沙发上，呆呆地望着前面，半天没有吭声。

　　那天谁也没有精神再玩了，陈寻坐了一会儿就说要回家，他走之前唐海冰还不放心地看了看他。陈寻不耐烦地嚷："看他妈什么看啊！我回家！不去找她！"

　　"别不知好歹啊！"唐海冰嚷回去说。

　　"得了得了！你们都少说两句，陈寻，你自己回家真得好好想想！"眼看这两个人又要吵起来，孙涛忙圆场。

　　"走了！"陈寻闷着头穿上大衣，开门走了出去。

　　"操！"唐海冰点了一支烟骂道，"你们看看！我从小到大统共跟陈寻急过不超过五回，今儿就占了两次！你说方茴能是好鸟吗？当年我就觉得她有点问题，现在陈寻和李贺一模一样，都跟魔怔了似的！我就没看出来，方茴有什么好！"

　　"这叫萝卜白菜各有所爱！我觉得陈寻今天肯定还是会去找那个女的。"杨晴坐在他旁边说。

　　"他要真这么拧我也没辙，反正方茴甭想在我这讨了好，我见丫一次就骂丫一次！你别看她站那像个人似的，她跟白锋一样，这也算背着人命呢！"

　　"你丫有病吧！别他妈乱喷啊！告诉你！轮不上你来说白锋！你真当自己是爱的使者、正义的化身了！瞧你那操行！"吴婷婷急了，站起来指着唐海冰的脸说。

　　"停停停！今天这都怎么了，哪儿犯冲啊！"没等唐海冰张嘴，孙涛就把吴婷婷拉开了。

　　"都他妈赖方茴！"唐海冰扔掉烟头，愤愤地下了结论。

　　不出杨晴所料，陈寻那天还是去找方茴了。

　　他回到家后，无论干什么都心烦意乱的，总是想着方茴。他弹唱了刚学会的曲子《一块红布》，脑子却随着歌词转悠来转悠去：

　　　　那天是你用一块红布

　　　　蒙住我双眼也蒙住了天

　　　　你问我看见了什么

　　　　我说我看见了幸福

这个感觉真让我舒服

它让我忘掉我没地儿住

你问我还要去何方

我说要上你的路

看不见你也看不见路

我的手也被你攥住

你问我在想什么

我说我要你做主

我感觉你不是铁

却像铁一样强和烈

我感觉你身上有血

因为你的手是热乎乎

我感觉这不是荒野

却看不见这地已经干裂

我感觉我要喝点水

可你的嘴将我的嘴堵住

我不能走我也不能哭

因为我身体已经干枯

我要永远这样陪伴着你

因为我最知道你的痛苦

嘟……

　　陈寻觉得方茴就像是蒙住了他的眼睛，他的确感到了幸福，但是同样也觉得迷茫。他不知道这样幸福的背后是什么，这让他特别不踏实。可是他又不能抱怨什么，因为他是心甘情愿陷入其中的，而且最开始方茴吸引他的，也正是这种神秘的气质。

　　望着手里红色的拨片，陈寻再也坐不住了，他必须要见到方茴。想了很多之后，他终于确定，他要把蒙在眼睛上的布揭掉。因为，不管之后看见什么，痛苦也好，悲伤也好，他都不打算离开。

　　陈寻到方茴家的时候，天已经黑了，那是普通的塔楼，外墙上的颜色脱落了一半，墙缝上还有黑乎乎的排水痕迹。陈寻用楼下的公用电话给她家打了电话，方茴接的，陈寻让她下楼，她犹豫了一下，答应了好。通话时间不到一分钟，两毛钱。

　　方茴下来，环顾四周说：“你一个人？唐海冰呢？”

　　“怎么？你以为我们兴师问罪来了？”陈寻说。

　　“那倒不是……”方茴低下头。

　　“难道你真的有罪？”陈寻盯着她说。

　　方茴猛地抬起眼睛，表情从惊讶到失望，直到最后没有表情。她冷冰冰地说：“哦，你说有，就有吧。”

　　陈寻有点不自在了，方茴很久没这么跟他说话了，好像两个人又回到了原来天各一边、互不往来的时候，这让他受不了。

　　“那到底是怎么回事？你为什么不告诉我？”陈寻愤怒地嚷着。

　　“告诉你……不就变成现在这样了么……”方茴冷漠的表情中闪过一丝悲伤。

　　“你就那么不相信我么？还是真像唐海冰说的那样？我怎么想你的你不明白？我瞒过你什么？可你呢，说实在的，现在我知道的，顶多就是这世界上有你这么个人而已！”陈寻激动地说。

　　“原来我在你眼中就是这样子的，好，我明白了，”方茴点点头说，“那么这样一个人你是怎么喜欢上的呢？你的喜欢算什么？世界上有的人多了，你又怎么就偏偏要找我？陈寻，你有相信过我么？”

　　方茴的眼眶里已经含满眼泪，陈寻呆呆站在那里，他从来没看过方茴这样子，也从来没听她说过这么激烈的话，不由有些不知所措。

　　“我本来想好好地跟你说，把以前的事都告诉你。可是现在没必要了，我这个人，对你来说也不过如此……”

　　方茴说不下去了，眼泪像珠子一样噼里啪啦地掉了下来，她转过身往楼里走去，那个时候她已经灰心。

　　可是陈寻拉住了她，从身后紧紧地抓住了她的手。

是手，不是衣袖，不是胳膊，而是手。

这是他们第一次牵手，可能说牵手有些牵强，但是这样不同以往的接触还是产生了尴尬的气氛，无意中化解了刚才的冰冷紧张。

"你……干什么！"方茴红着脸，挣扎着说。

"方茴，你听着。我今天来就是告诉你，不管你以前怎么着了，你就是杀人放火了，我也照样喜欢你！"陈寻望着她，认真地说。

方茴轻轻地抖动着，她哇的一声哭了出来，却不再挣扎。

"但是你别骗我，你也别瞒着我，我是……真的喜欢你！"陈寻的眼圈也有点红了。

方茴点点头，哽咽地说："我跟你讲……我都告诉你……你知道么，我其实特害怕你因为这个就不理我了，我刚才……特难受……"

那天，方茴把那件事完完整整地讲给了陈寻，而陈寻则一直攥着她的手。两个人十指相扣，谁也没有松开。

卷四
且行

Fleet
of
Time
* * * * *

方茴说：

"那天我做了个梦，

梦见我们都还在上高中。

大概是黄昏吧，天空是暗黄色的，

大家在操场上跑步，

一个挨着一个，

我当时啊，好想就这么一直一直跑下去……"

在和方茴待久了之后，就能很轻易地发现她隐藏在冷漠和寂寥下的笨拙和单纯。

那天她给我讲述陈寻与她的第一次牵手，好像怕我不明白似的，她拉过了我的手，把她的手放在我的掌中，十指交叉地握在一起说："喏，就是这样。"

做这些的时候，方茴一脸纯净，没有丝毫的暧昧与羞涩，就像是给大人表演节目时非常认真的小朋友。而攥住她的手，我却不自觉地稍稍用力了。从掌心传过来的温度让我意乱情迷，这样温润的女孩子，我真的想就此抓住不放。

而就在这个时候，我的房门被突然推开了，Aiba 拉着一个女孩大剌剌地闯了进来，一边走一边喊着："张楠，看见方茴没有啊！我没带钥匙！"

很快她就看见了我们，以及我们尚未分开的双手，她愣了两秒之后马上转过身说："狗没拿伞！"她身后的女孩则满脸歉意地使劲给我们鞠躬。

方茴挣脱开我的手，通红着脸缩在凳子上。骤然冰凉的掌心让我心里缺了一块儿，我转过身冲 Aiba 喊："操！你丫别说鸟语！"

"瞧你那尿样！方茴，你怎么居然找他了？"Aiba 白了我一眼说。

"不是……我……我们没什么，我就是跟张楠聊聊天。"方茴忙撇清说。

我又有点难受了，顿时觉得特他妈自作多情，非常替自己不值，于是站起身切了一块蛋糕递给 Aiba 说："今天爷爷我过生日，赏你的，哎，你也没介绍，这个姑娘是谁啊！"

Aiba 欢呼着接过蛋糕，递给身后的女孩，用日语说了几句什么，扭头笑着冲我说："生日快乐啊！她是和子，我那啥！"

"哦！"我恍然大悟地看着和子，和子很友好地冲我点点头。

Aiba 又和她说了点什么，她笑了笑，冲我微微鞠躬说："有娄西裤！"（日语，请多关照）

我忙摆手说："别别别！我可受不了这个！"

Aiba 哈哈大笑说："人家是礼节性的问候，张楠你丫真不是一般的没文化！"

"操！他们的文化还是从我们这里传过去的呢！"我瞪着眼说，随后笑眯眯地一边鞠躬一边冲和子说："你们丫日本大大地不是东西！嫁给日本男人不如嫁给中国女人地！多几个 Aiba 你们就灭种地！呦西呦西！"

和子听不懂中文，仍然微笑着点头，然后询问似的看着 Aiba。Aiba 狠狠打了我一下说："行！你这孙子！我们惹不起躲得起行吧！方茴把钥匙给我，我们不在这儿打扰你们了，要不丫还指不定说出点什么来呢！"

方茴忙起身说："不是这样的，你别瞎说！我也跟你们一起回去！"

我愣了愣，有点始料未及。

她走过我身边，看了我一眼，小声说："今晚……谢谢了！"

三个人前后走出了我的房间，随着屋门"咔嗒"一声关严，我才回过味来。低头看看桌子上的蛋糕、酒瓶、樱桃梗、水渍，我突然有种恍如隔世的感觉。不知道为什么，我突然想起了灰姑娘的故事，在午夜钟声之后，当马车、礼服、王子都消失了的时候，她大概就像我现在这么失落。

那之后我们的生活好像又回到了最初，念书、打工、做饭、睡觉，一切都没有变化。只不过方茴多少和我亲近了点，偶尔在楼梯遇见的时候，会聊聊天气和功课，如果她手里拎着东西，也不再介意我帮她提上楼。要是被 Aiba 看见，她就会朝我意味深长地挤眉弄眼，我也会冲她挤回去，只不过心下却很黯然。我想在方茴眼里，她已经把我当成了可以安全接触的"无性人"。

　　她和陈寻的故事也再未向我提起半句，我也没问。我知道那夜的方茴是某种特定时间地点情由的产物，就像《七龙珠》里面的超级赛亚人，不到特殊的时候，小悟空只是小悟空，不会产生能量变化。而方茴什么时候再变身，是我完全掌控不了，也无法预计的。

　　然而，我没想到，没过多久，方茴就又变身了。

　　起因是方茴和 Aiba 的房间被盗了。

　　留学生的被盗和普通居民的被盗不是一个意义的，当地居民失窃的话，不过是损失一些财物，不会影响到生活。而对本身就没什么财产可言的留学生来说，无论什么都是丢不起的。我刚来的时候曾经丢过包，里面的车票、卡、现金、学校书本资料、电话卡全部没了，那就几乎让我断粮了一个礼拜，绝望得恨不得回国算了。而方茴她们更是丢得干干净净，这简直可以算是灭顶之灾。

　　别看 Aiba 平时大大咧咧，什么都看得开，这次她可真是傻了眼。平时的接触可以看出来，Aiba 家境肯定不算富裕。她和方茴一起住，除了因为和子家里在澳洲有亲戚，不能和她一起之外，多少还是因为方茴能多负担一些房租。失窃之后，她们两人值钱的东西一样没剩，本来说是报警，可是方茴却死活拦了下来。因为她丢了几本中国杂志，这种东西对小偷来说就像垃圾，一点用也没有，可是偷她们的人却给顺走了，方茴说肯定是中国人干的。

　　对于同胞，我们无法彻底痛恨。

　　其实这就是中国留学生特有的悲哀。出过国的人大概都有这种感觉，在国外，同一国家的人本来是很抱团的，不管是打工还是上学，一般都会互相帮忙，彼此照应。可是中国人却不是，冷漠相处也就罢了，欺骗同胞的事屡见不鲜。也许特殊的国情特殊的成长才促成了这种特殊的现象，作为其中的个体，很难改变什么。而来过这里的我们，只是希望在回去之后，在一代代的蜕变之后，让我们的孩子再来到这里的时候，能够坦然面对互相平等的另一种族，骄傲地说出自己是中国人。

　　无可奈何之下，Aiba 暂时住在了和子那里，她管家里又要了些钱，我也接济了她一点。方茴自己住在那间房子里，她平时在留学生里面算阔绰的，而当她用剩下的钱购置了必需品之后，生活质量一下子降到了让人无法想象的程度：每天只吃一顿饭，水电煤气都尽量不用，晚上打两份工，在夜里两点还步行回家。

　　这样的情况让我实在看不下去，一天我在楼下碰见了她，她刚从菜市买菜回来，为了能便宜点，她宁愿去两公里远的地方买分量可观的大颗卷心菜。我忙接过她的书包，她累得已经不再客套，任由我拿过所有的袋子。我看见她肩膀上勒出的深深两道红痕，心疼地说："干吗过这么苦？打电话跟家里说实话吧，让他们寄点钱来。再这么下去，我看你撑不住。要是你病了，花销不是更大？"

　　她摇摇头说："不能让他们知道，否则我就没办法在这里待下去了，他们一定会让我回国的。"

　　我叹了口气，那一瞬间我很火大，我不知道到底发生了什么让她这么义无反顾地离开，即便受了这么多的苦，也不愿意再踏上故土。我深深痛恨让她流落到这里的人，因为不管是谁看到她这样子都无法狠心。

　　她走到门口，刚要接过袋子跟我道谢的时候，却被我拉住了，我很坚定地对她说："今晚到我这里吃饭！不！你解决问题之前都跟我一起吃！洗澡什么的也都来我这儿！凌晨饭馆那工也别打了，不是快考试了么？你晚上回来给我踏踏实实地看书！我还有点钱，咱俩一起凑地花没问题！"

　　方茴诧异地看着我，她眼睛中闪过了与以往不同的目光，这目光让我浑身酥麻了一下。我很开心，因为她从来没有这么看过我，而这次，我敢百分之一百肯定，她的眼睛里，全部是我。

　　"不……不用了，"方茴低下头说，"我还能行！"

　　"别废话了，我知道你们家电话，你要不同意，我就给你家打过去，告诉他们你现在什么样！"我威胁说。

　　方茴咬着嘴唇，最终点了点头。

　　后来，我们就像半同居似的过了一段日子。现在想想，那会儿还真挺苦的。我当时根本没什么钱，方茴不打工就代表着我要把我们俩的工都打出来，有的时候回家之后就像死了似的，洗着澡都能睡着。可是我却很快乐，直到现在都没有再那么开心过。男人跟喜欢的女孩在一块，不管多难都能挺过去，这是我对那段时间下的结论。

　　也就是在那会儿，我陆续听了方茴和陈寻的很多故事。

2

1999 年不管从哪个意义上来说，都是历史上重大的一年。

不过对活在当时的他们来说，那也不过是又一个学年，与以往没什么不同。

方茴和陈寻已经习惯在公众场合暗送秋波，表面上看比谁都正直，私底下却如蜜里调油。林嘉茉毫不客气地说他们是在大庭广众之下的公然猥亵，为这个理由，她骗吃骗喝了无数次。本来按陈寻的说法，告诉大家也未尝不可，但是方茴不敢。那时候的教育总是让她觉得这种事从本质上来说是不好的，她不想就这么和同学们区别开来。说到底，她还是对被人另眼相看的感觉心有余悸。

北京的春天可以很美也可以很糟糕，几天的沙尘暴就让所有东西都蒙了一层黄土，空气中飘着大颗大颗的可吸入颗粒物，阳光折射在上面再返回到人身上，形成了古怪的蓝色光晕。

"这什么破天啊！"陈寻揉散方茴头发上的尘土说，"我记得以前的春天，就是有小礼拜、周六还上半天课的时候，那天气好着呢！小时候我妈老吓唬我说再不听话，《西游记》里那黄风怪就来，我就琢磨这黄风怪来了得什么样。现在我可算知道了，也就这样！"

"别闹！让人看见！"方茴扒拉开他的手四处看看说。

"等会等会！还有个柳絮呢！"陈寻拽住她，把柳絮从她头发中择了出来。

方茴假装不在意，红着脸错开两步说："春游定了没？刚才侯老师跟你说了么？"

"定了，去黑龙潭。"陈寻翻着手里的一摞表格说。

"看什么呢？"方茴疑惑地凑过去看，"体检表有什么好看的？"

"嘿嘿，我找你的呢！"陈寻笑着说。

"讨厌！不许看！"方茴一把抢了过来，瞪了他一眼。

"怕什么啊！我就看你个儿多高，不看胸围！"陈寻嬉皮笑脸地凑过来说。

"陈寻你真流氓！"方茴拿起表格狠狠敲他说。

"哎哟！不看了，我不看了！"陈寻闪开说，"放学一块买春游带的吃的去吧？"

"不去！"方茴黑下脸说。

"去吧去吧！"陈寻拉住她的袖子，"我把我的体检表给你看还不行！"

"谁爱看啊！"方茴瞥了一眼陈寻挥动的表格说。

"那咱就不看！放学一起去啊！就这么说定了啊！"

"那还要提着回家，鼬沉的……"方茴犹豫地说。

"要不买完了先都拿到我家？"

"哼！那到春游那天还能剩下么？"方茴取笑他说。

"我才不吃你喜欢的那种零食呢！再说多吃点怎么了？我又不胖！"

"都140斤啦！还不胖！"

"哎？你怎么知道？啊！你肯定看我的体检表了！你不是说不看吗？"陈寻指着方茴大叫。

"我……我猜的！"方茴慌乱地搪塞。

"切！看就看呗！有什么不好意思的，我184厘米，140斤，你呢你呢？"陈寻开心地问。

"谁……谁看了！我才不告诉你呢！"方茴忙打岔说，"买完东西还是放我奶奶家吧，就在附近，方便。嘉茉他们也一起去的话，肯定少不了。"

"那好吧！我跟赵烨他们说去，"陈寻凑到方茴耳边说，"你不胖也不瘦，我就喜欢这样的！"

方茴望着陈寻跑走的身影，脸又红了。

放学之后几个人一起去了华普超市，他们推着车在里面又疯又闹，惹得旁人不住侧目。

"我要卡迪纳和上好佳！"赵烨撒开欢地说。

"你是男生吧？"林嘉茉上下打量他说，"居然吃这种东西！"

"废话！我能吃那个么！给你买的！"赵烨不高兴地说。

"谁说我要吃那个了！我要乖乖！"林嘉茉有些不好意思，假装强硬说。

"你说女生怎么爱吃这种东西！"赵烨扔了两包到筐里说，"也吃不饱。"

"好像……里面送玩具。"乔燃询问地望向方茴。

"是送小贴画。"方茴笑着说。

"你也喜欢吃吗？那也给你买两袋吧！"乔燃也往自己的筐里装了些。

旁边的陈寻突然停了动作，他诧异地看着乔燃，乔燃大方地冲他笑了笑。

"不……不用了，"方茴从他的筐里又把两包零食拿出来放回了架子上，"买了很多了，肯定吃不了的。"

"那好吧。"乔燃依旧微笑，而方茴却低下了头。

从华普出来的时候，每个人好像都多了点心事，春日的晚霞，映在少年们的心上，也渐渐能看出沟壑。

赵烨装好袋子说："我去那边看看，新的《当代歌坛》好像出了。"

"啊！我也想买，那天看了封面，好像郑伊健和邵美琪真的分手了。"林嘉茉应和说。

"那一起去吧，"陈寻说，"他们好了多少年了？为什么分手啊？"

"因为梁咏琪，据说啊，我也说不准呢，"林嘉茉叹了口气说，"当初郑伊健的表白多感人啊，说会照顾她一辈子呢！"

"谁能照顾谁一辈子呢，除非早早地死了。"方茴淡淡地说。

"怎么这么悲观啊！"乔燃拍拍她的肩膀说，"走吧！"

方茴无所谓地摇摇头，她推好车刚要向前走，却猛地停住了。

"怎么了？"陈寻在她后面问。

"没事……你们去吧，我不过去了。"方茴重新支好车说。

"啊？为什么啊？就在马路那边，也不远。"林嘉茉不解地说。

"嗯，真的不去了，还要把这些送到奶奶家呢。"方茴很坚持地回绝。

"那也行，赵烨你们去吧，我们把东西送回方茴奶奶家。"乔燃接过话来。

陈寻疑惑地看了看，那个报亭边上只停了辆车，也没什么不妥。

"你怎么了？"陈寻小声问。

"没事儿。"方茴勉强地笑了下说。

春游那天，大家先到了方茴奶奶家集合。林嘉茉穿了件桃红色的上衣和一条黑色的喇叭腿牛仔裤，十分时髦。而方茴则是普普通通的大白 T 恤和牛仔裤，远远看去就像是初中生。眼看时间不早，反正一会儿也是一起玩，他们就没再细分，男生把吃的都塞到了自己包里，一起骑车去了学校。

同学们在路上就玩了起来，有的凑在一起玩"捉黑叉""敲三家""升级"，有的拿扑克牌算命，有的听随身听唱歌，车顶棚恨不得都被掀翻。

到了黑龙潭，侯老师嘱咐了几句就解散活动了。他们几个人精力充沛，林嘉茉又心心念地想追上前面高二的，走了一会儿就到了队伍最前面。这一路上的景色，他们根本没有细看，那大潭小潭的在他们看来不过是一汪水，真正开心的原因还是待在身边的人。大概年轻时候的快乐就是这么简单，几个动作几个玩笑就足够开怀。

赵烨揪了片树叶夹在拇指中间对着嘴唇吹了起来，虽然动静不小但是却很难听。林嘉茉捂着耳朵喊："赵烨！你别学鸟叫了，小心待会儿把鹰招来！"

"赵烨？赵烨跟哪儿呢？"陈寻假装四处看着说。

"孙子！你什么意思！"赵烨扶住一块大石头说。

"哦！在那儿啊！你快过来，我都看不见你了！说多少次了，别跟黑石头站一起，你们俩靠色儿，不好找！"陈寻挥着手说。

"你大爷的！"赵烨蹲下去，向陈寻撩水。

陈寻顺手拉住旁边的方茴，方茴一脚不稳，踩在了旁边的溪水中。

"都别闹了！快上来！"乔燃着急地伸出手喊。

方茴犹豫了一下，还是拉住乔燃的手，踩着石头爬了上来。

"没事吧！"陈寻忙扶住她问。

"哎呀！裤子都湿了！"林嘉茉指着说。

"真对不起！要不你穿我的？"陈寻双手合十说。

方茴白了他一眼，泄气地看着自己的裤子。

"现在几点了？"林嘉茉突然问。

"两点半了。"乔燃看看手表说。

"不是三点就集合吗？咱们得赶紧走了。"林嘉茉说。

"啊？她怎么也得晒晒啊！裤子还好说，鞋湿了会磨脚的！"乔燃摇摇头。

"这样吧！陈寻留下陪方茴，我们先回去，跟侯老师说一声！"林嘉茉背好书包说。

"啊？"大家诧异地看着她。

"谁让他把方茴拉下水呢！"林嘉茉坏笑着说。

"好吧！我陪她晒晒裤子，你们先走，一会儿我们去追你们！"陈寻心领神会。

"不……不用吧。"方茴不好意思地说。

"就这么着吧！再不走我们也得迟到了！"赵烨站起来，掸了掸身上的土说。

"一会儿见啊！"林嘉茉向他们两个眨了眨眼。

等他们三个走远，陈寻靠着方茴坐了下来，他揪住方茴的裤脚，使劲拧水。方茴僵直着腿，不由有些紧张。

"放松点，我又不会把你吃了！"陈寻拍拍她的膝盖说。

方茴生气地蹬了他一脚说："你就不正经吧！"

"乔燃正经，你让他陪你呗！"陈寻躲开她，斜着眼说。

"你怎么老乔燃乔燃的，我又没说他好。"方茴笑着说。

"你看看这一路上，他又是给你背包，又是给你编花环……真够殷勤的！刚才还拉你来着吧。"

"人家那是拉我上来，你倒是不拉我，一下子就给我推下去了。"

陈寻沉默了会儿说："我想还是告诉乔燃咱俩的事吧。"

"啊？"

"我总觉得……他好像也挺喜欢你的。"

"哪……哪儿啊……"

"我知道你也有感觉，你一紧张就结巴。"陈寻捡起一块石头扔向水里说。

"那你就说呗……"方茴低下头说。

"算了，你不是不乐意让别人知道么。"陈寻站了起来，深吸口气说，"走吧！别晚太多了，要不让同学们看着，以为咱俩干什么了呢！"

方茴也站了起来，她抿抿嘴唇说："喂……"。

"干吗？"陈寻回过头。

"拉……拉手么……"方茴慢慢伸出胳膊说，"这儿没人……"

陈寻愣了愣，随即笑开了花，他一把拉住方茴说："跟着我啊！"

方茴点了点头，紧紧地回握住了陈寻的手。

　　两个人比规定时间晚了 20 分钟，他们做贼心虚地在快到客车之前拉开了很夸张的距离。林嘉茉在车下一直等着，看到他们忙跑过来说："陈寻你先上去！我和方茴在后面。"

　　陈寻茫然答应了，方茴疑惑地问她："怎么啦？"

　　"哎呀，你们俩还真传出绯闻了，刚才侯老师还说你们是不是男女朋友呢！"

　　"真……真的？"方茴一下子吓白了脸。

　　"看着倒像是开玩笑，不过我还有一个爆炸性发现。"林嘉茉小声说。

　　"什么啊？"方茴胆战心惊问。

　　"门玲草，好像喜欢陈寻呢！"林嘉茉神秘地说，"我上厕所时听见她跟何莎说什么一定要找机会和 CX 说明白，你想想，咱们班除了陈寻，还能谁是 CX？而且，你上次说黑板上的字，就是写你喜欢陈寻那个，听那意思多半就是她干的。"

　　"啊……"方茴若有所思地说。

　　"反正你小心点吧，你们俩的事最好别传出去，我总觉得有人盯着你们呢！"林嘉茉担心地说。

　　话说自古以来，儿女私情在家国千秋面前全都轻如鹅毛，方茴和陈寻还没来得及担心点什么，数枚炸弹就炸开了所有人的注意力。

　　5 月 8 日晚上，方茴接到了陈寻电话，他心急火燎地说："明天上午 9 点到学校集合，开全校大会。"

　　"哎？是北约轰炸驻南斯拉夫大使馆的事么？"

　　"对！操他妈的北约，太孙子了！不说了，我还要通知其他人呢！"

"嗯，你别那么上火啊！"

"知道了，就这样吧，他奶奶的！"陈寻愤愤地挂了电话。

方茴叹了口气，打开电视全是关于此次轰炸的报告，5月8日凌晨，以美国为首的北约悍然使用导弹袭击了中华人民共和国驻南联盟大使馆，造成馆舍严重毁坏，3人死亡，20余人受伤。新华社记者邵云环，《光明日报》记者许杏虎、朱颖不幸遇难，全中国都因此陷入了愤怒与悲伤中。

第二天全校师生都准时到校了，没有一个人迟到。平时总被教训"站好队，不许说话"的学生们在那天都十分安静，整个操场都笼罩在庄严肃穆之中。开会之前奏响了国歌，洪亮的"起来，不愿做奴隶的人们"的旋律响起，每个学生都大声地唱着，声音冲破云霄。

总有人说我们是自私的一代，国家意识淡漠，中国人曾经的坚硬骨头到了我们这里成了软趴趴的花骨朵。但是我觉得这种说法特扯淡。因为我们小时候信息不发达所以在保守教育下最先知道的就是爱祖国爱党爱人民；因为是独生子女所以归属感更强烈；因为没吃过多少苦所以觉得中国也不错，不会崇洋媚外天天把美国挂在嘴边；因为教育还算良好所以在公共汽车上知道给大爷大妈让座，垃圾全都会扔到桶中并且不随地吐痰；因为有自我意识所以不趾高气扬地评判同胞没素质，只管自己做好；因为在国外受过歧视又离不开爸妈格外想家，所以一点不瞎掰，真的是想回国报效，盼着祖国统一繁荣昌盛……

我想当时方茴陈寻他们肯定也是抱着这种想法的，散会之后，他们一起回了教室，一路上赵烨的嘴就没闲着，美英为首的北约首脑的亲戚家人和生殖器官被他问候了个遍：

"他大爷的，什么叫地图标错了，炸错了？操！怎么不标错到他妈家去呀！看丫炸不炸！"

"咱们也不能炸回去！真憋气！"林嘉茉把橡皮抠成了渣儿。

"对了！我听我姐说他们大学要去美国大使馆游行！他们做了好多标语口号呢！咱们去看看怎么样？"乔燃说。

"去呀！"赵烨一拍桌子说。

"咱们一起去！方茴，你也画俩标语，咱带上！"陈寻一下子来了精神。

"嗯……那写什么啊？"方茴从讲台下拿出画板报用剩的纸说。

"写克林顿我操你妈！"赵烨义愤填膺地喊，大家笑了起来。

　　使馆区的路都戒严了，但人却丝毫不见少，基本上北京所有大学都来了，他们举着各自的校旗院旗标语口号，一片群情激昂。北京市公安局统一安排了游行路线，人群沿着道路缓慢向前移动着，陈寻他们就混在了其中。

　　看着周围和自己一样的年轻面孔，感受到不同以往的激情，他们一下子就兴奋了起来，赵烨个子最高，他高举起方茴画的标语，走在了前面，那上面用血红的大字写着："谴责北约暴行，还我同胞骨血！"

　　身边的一个大学生走过来说："同学，你们是哪个学校？"

　　"F中的！"赵烨响亮地回答。

　　"哦？中学生？怪不得看着这么小呢！"那个大学生诧异地说，"好！你们真有勇气！"

　　"我们学校没有组织游行，我们是自己过来的！"赵烨骄傲地说。

　　"嗯，中学生应该不会安排这种活动，你们要注意安全，小心不要被人群挤到！"大学生拍拍他的肩膀说。

　　陈寻听了忙把方茴往自己身边拉了拉说："跟住我啊。"

　　"咱们这是往哪儿走啊？"乔燃望着看不到头的人群问。

　　"沿着公安局指定路线，最后目的地是美国大使馆，每个学校在那里停留三分钟，可以喊口号示威，"大学生说，"你们拿东西了没？"

　　"什么东西？"林嘉茉纳闷地问。

　　"水瓶、墨水瓶什么的啊！"大学生笑着说。

　　"啊？干吗用啊？"赵烨不解地说。

　　"哈哈，给他们点'颜色'看看！他们扔咱们炸弹，咱们回击点墨水瓶也不过分吧！"

　　"我明白了！"赵烨恍然大悟，"我去捡几块板儿砖！"

　　"那倒不用，容易伤人，这样吧，我把我这瓶给你们，"大学生掏出一瓶碳素墨水递给赵烨说，"到时候看准了往墙上扔，砸花他们！"

　　"啊！谢谢哥哥！"赵烨兴奋地接过来说，"你放心！我打篮球的，扔这个准着呢！"

　　"好！你们就跟在我们后边吧！一定要注意安全啊！"大学生挥挥手又走回了前面。

"行！待会儿一起喊！"赵烨攥住墨水瓶说。

队伍走了很久才到了美国大使馆，一到这里人群顿时达到了沸点。站在最前面的一个学生，带头喊起了口号，他喊一句，后边的人群就跟一句。

"抗议北约暴行！"

"还我使馆，还我亲人！"

"NATO is NAZI！"（北约是纳粹）

"American is killer！"（美国是凶手）

"中国人民不可欺，中华民族不可辱！"

"声援南联盟人民，严惩战争罪犯！"

每个人都竭尽全力声嘶力竭，那栋漂亮的小楼在震耳欲聋的呼喊声中仿佛摇摇欲坠。透过玻璃已被砸碎的窗子，可以依稀看见里面荷枪实弹的美国大兵，他们戴着钢盔，但却丝毫没有威风的样子，那频频晃动的身影，反而显示着内心的恐慌。平日里鲜艳刺目的星条旗，也毫无精神地耷拉在旗杆上，偶尔吹过的微风也没能掀起它的一角。

陈寻看到旗子突然灵机一动，他举起胳膊大声喊："降旗！让他们降半旗！"

周围的人注意到他的呼喊，也一齐嚷了起来，渐渐人越来越多，到最后所有人都有节奏地齐声大喊："降旗！降旗！降旗！……"

赵烨适时地窜出人群，他高高地蹦了起来，把手中的墨水瓶狠狠扔向了里面。随着清脆的破裂声，一块漆黑的颜色印在了墙上，方茴深深地吐了口气，屈辱的心情在那一瞬间终于释放。

从美国大使馆走回来之后他们都累得不行，因为一路上只能走步，外加上长时间的呼喊，所以特别消耗体力。不过尽管疲惫，他们却仍然很兴奋。赵烨提议大家一起吃晚饭，于是他们就在路边找了个烧烤店，走了进去。那时候北京城刚刚流行起烧烤，但是和现在的"三千里""权金城"不一样，美其名曰"音乐烧烤"，其实不过是放着嘈杂流行歌曲的小馆子，像他们这样的学生，也还消费得起。

上菜之后，林嘉茉亲自夹了一块肉到赵烨盘子中说："赵烨，你今天真棒！够男人！"

"那是！国家兴亡，匹夫有责么！"赵烨畅快地咬下去说。

另一边乔燃也给方茴夹了一片，他笑笑说："今天走累了吧？快补充点营养！我还怕你撑不住呢！"

"谢谢。"方茴有些不好意思地说，她偷偷瞅了陈寻一眼。

"吃这个吧。"陈寻也夹起一片肉放到方茴碗里说，"我挑了半天，就这个没辣椒。你不是吃不了辣的吗？"

"啊……谢谢……"方茴更加不自然了。

"哦？不能吃辣的啊！"乔燃尴尬地说，"我不知道啊。"

"没……没关系的！"方茴连忙说。

"我说！今天咱们喝点啤的吧！"赵烨打断他们。

"哈？你行吗？"林嘉茉诧异地问。

"当然行了！服务员，给我们拿两瓶啤酒！"赵烨张罗说。

服务员拿上了两瓶啤酒，一个绿瓶一个黄瓶，赵烨开心地说："嘿！真不赖！还有瓶酒头！"

"什么是酒头？"林嘉茉问。

"喏，就是这个黄色的，一箱里只有一瓶，其他都是绿色的啊。"赵烨举起酒瓶说。

"你懂得还真多啊！"林嘉茉钦佩地说。

"我看他就这方面懂得多！"方茴笑着说。

"嘿嘿嘿！你瞧不起谁啊！今天是谁突围出去，把墨水瓶向洋鬼子们的头上砍去的？"赵烨站起来用筷子敲她说。

"行了！你最牛逼！喝酒吧！"陈寻忙拦住赵烨说。

赵烨喝了一大口说："不是我说，你们看着吧！总有一天我发迹了，到时候咱们就不来这种破饭馆了！我带你们去吃王府饭店！"

"好！那我们等着你哦！"林嘉茉忍住笑说。

他们从饭馆晕晕乎乎走出来的时候，天已经黑了。几个人多多少少有点醉意，陈寻和方茴走在最后面，他趁着酒劲一把拉住了方茴的手。

"你……放开！"方茴吓了一跳，"让他们看见！"

"没事，看不见，天黑着呢！"陈寻望着她傻笑。

方茴还是有点紧张，她挣了挣说："等会……回家的时候再……"

"嘿！你们俩快点！跟上啊！"赵烨回过头摇摇晃晃地喊，"是我的兵，跟我走！不是我的兵，拿屁崩……"

"知……知道了。"方茴慌张地把手藏到身后说，陈寻仍旧攥得很紧，她生气地掐了他手背一下。

春末的北京泛着其独特的慵懒味道，他们嬉笑着穿过路灯昏暗的胡同，白天的激愤就像青春中的一场旋风，吹过之后反而显得他们更加清新。无论是跑调的儿歌，还是偷偷牵着的手，都那么单纯美好。

4

游行的事刚过去不久，新的政治任务就布置了下来。1999 年 10 月 1 日是新中国成立 50 周年大庆，F 中被指派参加队列和集体舞表演。学校对这件事十分重视，一接到任务马上开始组织同学排练，高二年级翻花举牌，高一年级学习集体舞，整个校园顿时忙碌了起来。

侯佳自然打算让一班突出表现，她委派班里身条模样最顺眼的陈寻和林嘉茉担任学习舞蹈的小教练，一心想博个头彩。不过这可苦了一班学生，不但体育课牺牲成了舞蹈课，就连放学之后还经常要多练 40 分钟。当别的班级放学回家的时候，他们却要傻了吧唧地在操场站成一圈，学跳《开门红》和《好日子》什么的。

本来陈寻还是挺愿意参加这种活动的，他属于人越多就越显眼的那种人，俗话说是金子就会发光，他是尤其爱在石头中使劲放光的很屌的金子。但是集体排练的时候他却不怎么高兴，因为虽然这集体舞是男生女生围成里外两层的两个圆环，面对面转着圈地跳，指不定跳到哪里停下，然后面对面地拉胳膊挽手，可是集合归队时则是统一的队形，所以也有相对意义的固定舞伴。而方茴的那个舞伴就是乔燃。这让陈寻很不爽，他和林嘉茉是小教练，大多数情况下不能站到队里，因而他也搭不上方茴的边，就算偶尔遇见了，也就是几秒钟的工夫，一眨眼她就转回到了乔燃身边。

方茴也有不称心的地方，陈寻和林嘉茉在一起她是没有意见的，可是同样作为小教练，五班的王曼曼也一直跟他们在一块。这女孩很开朗，总是和陈寻说说笑笑，闹得欢了恨不得能趴在他身上，这就让方茴心里不是滋味了。

这样一来一往地，他们两个人就有些别扭了起来，平日里不能明目张胆在一块儿的缺憾，就一股脑地在晚上打电话的时候补齐。可惜事不凑巧，陈寻家的子母机坏了，他房间里用于和方茴联络的子机掉到了水池子里，倒不至于不能用，只是通话时杂音远远大于话音。

方茴说他们俩那时候特缺心眼儿，就那样还每天晚上都打电话联系。为了不被家长发现，他们约定每天晚上十点再偷偷通信。因为陈寻家的电话在他父母的房间有分机，所以不能方茴给他打过去，只能陈寻打过来。而方茴家的电话在客厅，她每次都要像做贼一样，把电话线拉长到自己房间，在电话上面盖上枕头被子，响一声就马上接起来，生怕被她爸听见。

即便如此，他们还是胆战心惊地在"沙沙"的噪音中坚持不懈地说话。虽然他们的对话通常演变成"喂……什么……再说一次……听不见……我什么……哦……喂……听得见么……还是听不见……"这样搞笑的猜词游戏，但是那会儿他们却乐在其中。难得能听到的几句"我想你了""喜欢你"，已经足够他们晚上做个美梦。

高一生活随着集体舞、会考、期末考试忙忙碌碌地临近尾声。赵烨每次到期末都小宇宙爆发，死活拉住陈寻他们一起复习。大家实在缠不过他，就约好周末一起到东城区图书馆看书。那里面都是附近学校的学生，时不时就遇到个熟人，方茴的地理图册、生物笔记、计算机书顿时成为抢手货，在超大的自习室里广泛流传。

他们中午到附近的一个叫宝隆的小商品市场吃了凉面和酸辣粉，那里楼上还卖文具小玩意什么的，林嘉茉就拉着方茴一起上去逛。

林嘉茉拿起一个毛绒小猪说："茴儿，你看这个可爱不？"

"还好吧。"方茴说。

“你给陈寻送过礼物么？”林嘉茉放下小猪问。

“没有，”方茴低下头说，“他生日是 8 月 29 日，还没到呢！”

“哦！你说……送男生什么好呢？”林嘉茉四周看着问。

“啊？你要送给谁？”

“还能有谁啊！苏凯呗！他快过生日了！”林嘉茉笑着说。

“几号？”

“24，正好咱们考完试！”

“还以‘高依依’的名义送？”

“不！这次我想以林嘉茉的名义送！”

林嘉茉笑着转了个圈，然而就在这 360 度里，她的世界突然跟着颠倒了。

在林林总总的玩具中间，她看见了苏凯，他身边还站着一个女孩，虽然不很清楚，但就那么一瞬间，她还是看到了两只牵在一起又匆匆分开的手。

“你们也来这里玩啊？是不是在东图看书？”苏凯走过来打招呼。

“是啊……”林嘉茉牵强地扯了扯嘴角说，“你也和同学来复习啊？”

　　"啊！对！"苏凯不好意思地说，"赵烨也来了吧？跟那小子说，会考一定得及格啊！要不然万一以后有大学招特长生，就不好办了。"

　　"嗯。"林嘉苿垂下头说。

　　"怎么了？这么没精神啊？走！我请你们吃冰棍去！"苏凯凑过来说。

　　"不用了！"林嘉苿错后一步说，"我们要回去了。"

　　"哦，那下次吧！平时活蹦乱跳的，现在跟蔫茄子似的我还真不适应，要是有心事赶明儿跟哥哥我聊聊，免费帮你答疑解惑！"苏凯揉了揉她的脑袋，宠溺地说。

　　"谁有心事啊！"林嘉苿扁着嘴说。

　　"哈哈！还保密！行！那我们就先回去了！别忘了提醒赵烨啊！"苏凯冲她们挥了挥手，很自然地扶着旁边女孩的背走了。

　　林嘉苿望着他们的背影几乎掉下泪来，那个女孩背后的大手，想必是十分温暖的，可是那样呵护的温度丝毫没有过继到她这里，反而让她格外心酸。

　　苏凯走了几步好像突然想起了点什么，他跟身旁的女孩耳语了两句又跑了回来。

　　林嘉苿忙吞回泪水，抹抹眼角说："怎么了？"

　　"刚才忘了说，"苏凯温和地笑了笑说，"麻烦你跟你们班的那个高侬侬说一声，别呼我了，也别再给我买水什么的了。帮我谢谢她，但是……我不能和她一块儿。"

　　"为什么啊？"林嘉苿的声音有些发颤。

　　"也不为什么，可能是有代沟吧。再说，你们都跟我妹妹似的，我总觉得这样不好。"苏凯挠挠头说。

　　林嘉苿举起胳膊，指着站在那边等他的女孩说："是因为她吧？是你女朋友么？"

　　苏凯愣了愣，随即笑着说："对，她叫郑雪，是我女朋友。"

　　"我明白了，我会转告她的！再见！"林嘉苿没等苏凯再说话，就拉着方茴走了。

　　林嘉苿死死抓住方茴，甚至在她手腕上留下了红色的指痕，可是方茴没有吭声，她们一直跑到旁边一条小胡同里才停了下来，方茴抱住林嘉苿，轻抚着她的头说："哭吧，没人了，哭出来就好了。"

　　早已泪流满面的林嘉苿，终于发出了呜咽的声音。

5

那天之后林嘉茉一下子消沉了，无论学习还是跳舞都心不在焉的，原本红润的鹅蛋脸也干瘪了下去。而且她不再和别人逗笑聊天，脾气也大了，动不动就跟人呛茬儿。赵烨被她噎了几次之后，再也不敢去逗她了。方茴劝了劝，也不见好。

一般有点眼力见儿的人都看得出来林嘉茉不是善主儿，知道绕道走不招摆她，偏偏这种时候，王曼曼无意中撞在枪口上，成了炮灰。

那天休假，他们全年级来学校练舞，跳过几圈休息的时候，王曼曼走到陈寻和林嘉茉身边，颇有深意地问："平时总找你们的女孩是谁啊？"

"啊？你是说方茴？"陈寻说。

"对！就是留扣边儿的那个，叫方茴是吧？她可真逗！"王曼曼望着远处的方茴说。

"怎么了？"陈寻纳闷地问。

"喏，你看看她穿的是什么裤子啊！"王曼曼凑到他旁边笑着说。

陈寻和林嘉茉顺着她指的方向看过去，方茴正在和乔燃说话，她没穿校服，上身是件很普通的翻领 T 恤，下身则是一条早已退出流行的深蓝色短裙裤。

"还真是够土的！"王曼曼嬉笑地说。

陈寻知道方茴不是时髦的女孩，平时别的女生拴个绳挂个链的，她就从来没有。那会儿 F 中要求全体穿校服，浑身上下大家都是一个样，稍微能显露点品位的地方就在脚上，所以大家都对鞋下功夫。一般家里条件不错的男孩都穿耐克阿迪锐步，稍微逊色点就穿李宁。女孩中时尚点的就穿松糕鞋、大头鞋，或者女版的高级运动鞋，平常些的女孩也买双颜色鲜艳的百事什么的。而方茴则一直穿着很普通的布鞋，上体育课时穿的，也仅仅是国产双星牌球鞋。

不过，方茴虽然朴素，但是气质很清淡，学习又格外出色，所以没人因此而嘲笑她。陈寻更是从不挑拣她，换句话说，在他眼里根本就没看到过这些，他觉得方茴无论怎样都是好的。

可是如今被王曼曼这么一说，他心里就不自在了，嘴上讪讪地说："还好吧，我看着还行啊！"

"还行？得了吧你！我都多少年没看过裙裤了，好像还是小学的时候穿的呢！对吧，嘉茉？"王曼曼扭头向林嘉茉说。

林嘉茉本来气就不顺，听她这么一说更是勾起了火。陈寻的回答也让她不满意，她心想，别人都这么说方茴了，他怎么也该出头反驳两句，可是瞧他却蔫头蔫脑的压根没这个意思。于是她白了陈寻一眼，冷冷地对王曼曼说："裙裤怎么了？你那天不还穿短裤来着么？"

"能一样吗？今年流行牛仔短裤，我那条是前几天才在西单劝业场买的！"王曼曼不高兴地说。

"反正这裤子穿就得分人，方茴腿好看，穿什么都显好，是吧陈寻？"林嘉茉挑衅地看着陈寻说。

"对！我看就挺好看的！"陈寻没听出她的弦外之音，美滋滋地说。

这下换成王曼曼恼怒了，她脸蛋长得漂亮，个子也高，唯一美中不足的就是小腿略粗一些。她觉得林嘉茉这是明褒方茴暗贬她，尤其当着陈寻的面儿，未免太让她下不来台。

她从鼻子里"哼"了一声，嘀咕说："得得得，你们都是一班的，不跟你们俩说了，不就一土老帽儿么，至于这么护着吗？"

"王曼曼，你别这么说她啊！"这回陈寻终于忍不住了，恶狠狠地撂了一句。

"你有完没完啊！"林嘉茉几乎同时说。

"怎么了！她是谁啊，还不准人说了！"王曼曼也急了，瞪着眼睛喊了回去。

"当然不能说了，她是我好朋友，是他女朋友！"林嘉茉心里终于舒坦了点，幸灾乐祸地说。

"啊？"林嘉茉的话让王曼曼瞬时忘记了愤怒，她惊讶地看着陈寻，一脸不相信。

陈寻瞥了林嘉茉一眼，林嘉茉知道自己说漏了嘴，也不狡辩了，干脆破釜沉舟说："干吗？不信啊！我又没撒谎，她就是陈寻女朋友。"

"真的吗？"王曼曼哀怨地看着陈寻说。

"是真的。"陈寻大方地点了点头，"你别跟别人说啊。"

练舞解散之后，林嘉茉拉住方茴上下打量着说："明儿别穿这身了。"

"啊，怎么了？"方茴不解地问。

"没怎么，就是今天王曼曼说你来着，现在不流行穿裙裤。"林嘉茉轻描淡写地说。

"哦。"方茴牵强地笑了笑，手不自觉地拉紧了衣服下摆。

"没事，我已经把她顶回去了，以为自己多有范儿呢，瞧那两条粗腿吧！"林嘉茉拍拍她的肩膀说。

"嗯，你也没必要跟她争这个，我知道自己，是有点土。"方茴自嘲地说。

"那不是还当着陈寻的面吗！你不往心里去，他还往心里去呢。"

"他也在？"方茴停住，担心地望着林嘉茉说。

"在，不过你放心，他还是挺向着你的！"林嘉茉挥挥手说。

"那他说什么了？"

"他……"林嘉茉一下子卡了壳，她突然想起王曼曼已经知道了他们的事，忙歉意地说，"他说你是他女朋友，让她别这么说你。是我说漏了，他才承认的，对不起。"

方茴愣住了，她心里七上八下的，一方面她窃喜陈寻勇敢地承认、坚定地维护，另一方面她又担心他们的事会被传出去。王曼曼不是本班同学，这效应更可怕，一旦传开，那就是全年级皆知的秘密了。

"你别生气啊，我这些天心乱，说话没谱，真是……"林嘉茉摇晃着她的胳膊说。

"算了，纸包不住火，我看这事早晚瞒不住了。唉……但愿她嘴严点，别让老师们知道。"方茴无奈地说。

"那她肯定不敢，"林嘉茉说，"不过这也不一定是坏事，你们的关系一公开，估计也就没人打陈寻主意了。你可是没看着王曼曼和陈寻那亲密的样儿，就跟她是陈寻女朋友似的！这回她肯定死心了！"

"呵呵，也没准她一看原来是我这样没威胁的人，反倒更踏实了呢，"方茴看着林嘉茉说，"话说回来，见到郑雪，你对苏凯就死心了么？"

林嘉茉沉默了，那天之后她稍稍打听了一下郑雪这个人。那个女孩子是高二很有名的级花，文文静静的，学习好人缘也好。据说喜欢郑雪的人可多了，不过她最终还是选择了苏凯。他们的事在高二年级被传为佳话，仿佛是天造地设的一对儿。

　　这两个人不在一个班，他们几乎是一见钟情，相识的过程很浪漫。苏凯忘记带课本，就去郑雪她们班借，他本来想找篮球队的队友，可是迎面就见到了郑雪。仅仅这么一面，他就被这个大眼睛长得像周慧敏的女孩儿吸引了。于是他就故意搭讪地向郑雪借了书，借书是学生时代永不落伍的小把戏，有借必有还，这样一来一往之间，自然而然就喜欢上了。林嘉茉知道自己和郑雪是不同类型的女孩子，仔细比较的话，不管从哪个方面似乎都是郑雪更胜一筹。可是她还是喜欢苏凯，喜欢得心都疼了。

　　年轻的时候大概没什么比这个更让人忧伤，林嘉茉就缠绕在这种情绪内，沉浮不定。

　　"好像还是没死心呀。"林嘉茉苦笑地望着方茴说，"巨巨巨……巨不甘心，我还没来得及告诉他高依依就是我，我就是高依依呢……"

　　"别想了，现在这样不也挺好的么。"方茴也感染了她的悲伤，叹了口气说。

　　"嗯！当不成女朋友，当朋友也行，"林嘉茉吸吸鼻子说，"我还要看他打球，给他送水，回家呼他，放学等他，攒 SK 的一块钱！帮他做好多好多的事，一直到他毕业，再站在他面前漂漂亮亮地告诉他，我其实特喜欢他……"

　　林嘉茉蹲在地上小声哭了出来，方茴依靠在她旁边，搂住了她的肩膀。

　　"方茴，我是不是特没起子啊？"林嘉茉抬起头，泪眼蒙眬地问。

　　"没有，嘉茉，没有……"方茴的眼圈也红了，她一边抹去林嘉茉的眼泪，一边抹去自己的眼泪说。

　　"呵呵，别哭了，你哭什么啊！真傻……"还挂着泪珠的林嘉茉站了起来，她使劲擦擦脸，深呼了口气，大声地唱着：

　　"看着她走向你，那幅画面多美丽，如果我会哭泣，也是因为欢喜，地球上两个人，能相遇不容易，做不成你的情人，我仍感激……很爱很爱你，所以愿意，舍得让你，往更多幸福的地方飞去。很爱很爱你，只有让你，拥有爱情，我才安心……"

　　方茴望着林嘉茉在夕阳下的亮丽身影，突然觉得特别难过。在那一瞬间，她发现，原来喜欢不仅仅是两个人之间的美好的事，也许有人会因为喜欢而肝肠寸断。明明都是一样的心情，可是结果却是欢喜与忧愁两种，而且根本不能简单地判别是非对错。她无法想象，如果以后在她与陈寻之间出现另一个人会怎么样，该怎么办。

　　盛夏的暮色中，方茴打了个冷战。

6

　　会考结束的那天，林嘉茉为了能独自给苏凯过生日而提前交了卷，她拿着礼物跑到苏凯的考试教室门口眼巴巴地等着。苏凯是倒数几个出来的，他看到站在门口的林嘉茉惊讶地说："你怎么跑我们班来了？你没考试？！"

　　"怎么可能！提前交卷啦！"林嘉茉把他拉到一旁楼道里说。

　　"吓我一跳……"苏凯拍拍胸口说，"怎么了？有什么事？"

　　"也没什么事，"林嘉茉低下头看着自己脚尖说，"今……今天不是你生日么！生日快乐！"

　　"特意来跟我说啊！谢谢谢谢！"苏凯开心地笑着说。

　　"嗯……还有……这个给你！"林嘉茉从书包里掏出一个包装好的卡通纸袋子，别别扭扭地递给苏凯。

　　"哇噻！还有礼物？太感动了！"苏凯兴奋地拆开纸袋，里面是一副耐克的护腕。

　　林嘉茉将了将耳边的碎头发说："哪，这个可是我自己送的啊……"

　　"嗯！我知道的，谢谢你！不过这玩意还挺贵吧？干吗花这么多钱啊！"苏凯小心翼翼地又重新装好说。

　　"也没有太贵……不过你以后打球可必须戴着！"林嘉茉强调说。

　　"好！我天天都戴！"苏凯很郑重地保证说。

　　林嘉茉满意地看着他把礼物收回到书包里，因为考试，所以那里面没有几本书，一个红色的东西在其中格外显眼。

　　"那是什么啊？郑雪送给你的礼物么？"林嘉茉有些不是滋味地问。

　　"这个？"苏凯掏出来给她看说，"不是，是本小说，郑雪想看我就帮她借来了，最近好像还挺流行的，叫《第一次亲密接触》，你看过么？"

　　"是《第一次亲密接触》啊！我知道，总听别人说，据说很感人呢！"林嘉茉接过来翻了两页，很感兴趣地说。

　　"想看吗？要是想看你就先拿走看吧！"苏凯笑眯眯地望着爱不释手地捧着书的

林嘉茉说。

"啊？"林嘉茉惊讶地抬起头，犹豫地说，"不用了……那多不好啊，郑雪不是还要看么。"

"晚两天没事儿，你先看吧。"苏凯拿过林嘉茉的书包，不由分说就把书塞了进去。

"那谢谢了！"林嘉茉高兴地说。

"客气什么啊！"苏凯挥挥手说，"对了，待会儿和我们一起吃饭吧，去雨花餐厅，我过生日请客！"

林嘉茉还没来得及说什么，苏凯却掉转目光朝另一边使劲挥起了手，林嘉茉回过头去看，只见郑雪背着书包款款地走向了他们。她冲林嘉茉点了点头，转向苏凯说："考得怎么样？"

"还行，及格没问题！"苏凯笑着说。

林嘉茉这才想起来苏凯也要考试，而她却都没问一问，就像生怕输了一筹似的，她也急急忙忙地说："是啊！你总说赵烨，你自己呢？"

"就那么信不过我啊？"苏凯扬起下巴说，"要没这点本事我也甭当校队队长了！再说，我还有秘密武器呢！"

"什么秘密武器啊？"林嘉茉好奇地问。

苏凯看着郑雪很温柔地笑了笑说："你问她。"

林嘉茉又疑惑地看向郑雪，郑雪不好意思地低下头说："别听他胡说了，就是考试前拿了我的几本笔记看看。"

"你是希瑞啊！那就已经赐予我力量了！"苏凯毫不避讳地开玩笑说。

"行了吧你！"郑雪轻轻拍了苏凯一下说，"现在就走么？嘉茉也一起去吧。"

林嘉茉看着他们打情骂俏心里一阵泛酸，她勉强笑着摇摇头说："我不去了，你们俩好好玩吧！"

"不行！今天我过生日，你必须得去！你别担心，都是你认识的,待会儿赵烨也来！"苏凯说。

林嘉茉刚想再推辞掉，远远地就听见了赵烨的喊声，他跑过来惊喜地看着林嘉茉说："你怎么在这儿啊！苏凯说让我叫你一起吃饭，我还没来得及和你说呢！看你那么早交了卷，我那叫着急！敢情你都知道了啊！"

　　林嘉茉当然并不知道苏凯早就要叫她一起，也不好在他们面前说提前交卷是为了送礼物，只好"嗯啊"了两句带过，很不情愿地和他们一起去了雨花餐厅。

　　如果不把林嘉茉的少女情怀、黯然神伤算进去，那顿饭还是吃得很愉快的。那天去的基本都是篮球队的人，高一年级的只有赵烨和林嘉茉两个。席间苏凯在照顾郑雪的同时，也兼顾着帮林嘉茉夹两筷子菜。

　　篮球队的男生吃饭一个比一个生猛，刚上一盘菜，林嘉茉还没拿起筷子，周围的无数双筷子已经以迅雷不及掩耳之势纷纷夹中了目标。下一道菜上来时，等她做好准备事先拿好了筷子，那边却又全部直接用手抓了。

　　赵烨大呼吃亏，惨兮兮地说："不带你们这样的！也不知道让让我们！欺负我们小啊！"

　　苏凯笑着骂他："滚蛋！要你还算小，那中国没他妈大人了。"

　　赵烨一边给林嘉茉盛汤一边说："看见没有，咱们还得自己动手丰衣足食！你赶紧多吃点，他们可不让着你！"

　　"那是，我们哪有你知冷知热啊！"苏凯别有深意地接话说。

　　林嘉茉一下子沉下了脸，赵烨也不好意思了，拿起汤勺甩他。郑雪在一旁拉住苏凯的衣袖说："你别逗人家了。"

　　"知道了，知道了，我们赵烨是学雷锋做好事，热心帮助女同学，LADY FIRST！"苏凯坏笑着说。

　　"对！我就做好事了！郑雪，把你碗给我！我也帮你盛！"赵烨无赖地说。

　　"去去去！你丫哪儿凉快哪儿歇着去！"苏凯挡住他的手说。

　　"切！嘉茉你看他，还有脸说我呢！"赵烨在一旁起哄。

　　这些人没一个知道林嘉茉的心思，她是看在眼里疼在心里，越来越伤心。她没有理睬赵烨的调笑，拿起旁边的酒杯倒满啤酒，站起来说："光吃了，还没来得及祝生日快乐呢！我带个头吧！祝你生日快乐！"

　　苏凯也举起酒杯说："还是嘉茉最有良心啊！谢谢啦，不过一天祝一次就行了，要不我就觉得比你更老了！"

　　赵烨在旁边惊讶地说："你都祝过一次啦？"

林嘉茉苦笑地点点头，把杯子举到了嘴边。

苏凯忙喊住她说："唉！小姑娘意思意思得了！你还真喝啊？赵烨，这会儿你丫怎么不管了？"

赵烨扯了扯林嘉茉说："你不用喝，抿一口就行了，剩下我替你！"

"没事，我行！"林嘉茉一仰头，"咕嘟咕嘟"就喝干了酒。

坐着的篮球队员在下面拍手叫好，一个劲地起哄让她再喝，林嘉茉也不推辞，那天她祝了无数次生日快乐，每祝一次就喝一口，恨不得凑够了苏凯一辈子的生日。赵烨和苏凯都拦不住她，只能眼睁睁地看着她一点点地醉了。

散席之后，苏凯叮嘱了几句就陪郑雪走了。赵烨送林嘉茉回家，他好不容易才把林嘉茉安置在了自行车大梁上，用胳膊紧紧环住她。林嘉茉晕晕乎乎地靠在赵烨胸前，含混不清地哼唱着《很爱很爱你》。

赵烨知道不能把她就这么送回去，于是带着她绕着二环骑了一圈又一圈。

等林嘉茉酒醒的时候，天已经黑了。她趴在车把上，不再唱歌，也不再依靠着赵烨。在她后背与赵烨的胸膛之间，吹入了夏日甜腻的风。

赵烨奋力蹬着车说："脑袋晕么？还难受么？"

"不。"林嘉茉闭起眼睛，吹着风说。

"知道么？我都带你遛了两次雍和宫啦！"

"哦。"

"那现在回家？"

"嗯。"

"嘉茉……"

"啊。"

"今天你其实不开心吧。"

"嗯？"

赵烨深吸了口气说："你一定不开心，因为你一不开心，我就会跟着难受。"

"……"

林嘉茉没有回答，她偷偷地哭了，因为在她身后，赵烨唱起了那首《很爱很爱你》，他唱了一路，直到把她送回了家。

方茴说，从此之后林嘉茉完成了某种蜕变，她也说不好这是什么感觉，只是忽然之间林嘉茉沉稳内敛了，那种感情好像经过了一个蒸馏的过程，更加美好纯粹。在这个过程中，林嘉茉仿佛先她一步成长了起来。而仅仅这样的一步之遥，就让她们的人生分别去往了不同方向。

7

那年夏天在嘈杂的大喇叭音乐和纷乱的集体舞步中慢慢流逝。

后来方茴再也没穿过裙裤，学校统一派发了集体舞专用 T 恤和黑裤子，上衣有红黄两种颜色，上面龙飞凤舞地印了个大大的"舞"字。这让方茴松了口气，她唯一的希望就是混在人群里，而不被人注视，这套集体服装算是帮了她的大忙。

放暑假之后，F 中要求高一年级除周末外每天早上到学校练习三小时的集体舞。方茴嫌天天往返太热又太麻烦，就干脆住在了奶奶家。

她奶奶家在东城，是那种北京胡同里常见的大杂院，院里住着三四户，街坊间见面打招呼都是按家里的辈分论，一张嘴就"三叔""大姑"的，亲近得就像是一家子。方茴奶奶家占了一间北房和后搭出来的半间西房。老两口住在北屋，方茴去就住在那鸽子窝般大小的小西屋里。院里有个公用水龙头，打水的时候见着了，都客气两句"您先来，您先来！"。但是没有厕所，方便的话都得去胡同里的公共厕所蹲坑。厕所往北去一点，有个副食店，方茴小时候在那儿买冰镇酸梅汤，现在也阔气地摆了冰柜，卖着高档冰激凌。再往前小口儿那有棵大槐树，傍晚的时候就聚着一帮光大膀子的老少爷们，有的下象棋，有的聊聊形势，都说皇城根底下的人爱谈政治，老舍的《茶馆》里描写的贴"勿谈国事"的字条那是一点不假，到了现在老百姓们还是照样管不住他们的嘴。间或也有穿着宽松背心裤子的妇女，聚在一块嘎达牙说谁家二丫头四小子又怎么怎么着了。老人们见面,则一定会说"吃了么您哪？"，要不就说"晚不晌遛弯去？"。

按现在的话说，方茴就是在重温着浓厚的老北京文化，因此也不觉得太无聊。

陈寻他们总在练完舞后到她奶奶家一起玩会儿。那时候他正弹吉他上瘾，什么《小草》《我是一只小小鸟》早就弹得滚瓜烂熟，已经开始练习新曲子《恋恋风尘》和《那些花儿》，手感好了还能来一段许巍的《在别处》。乔燃在暑假里也学了吉他，不过还只是在《同桌的你》的初级阶段。两个人经常一起背着吉他去，在方茴的小屋里轮流弹唱。林嘉茉和赵烨不会这些，就坐在一旁的马扎上听。方茴的爷爷奶奶总给他们准备不少好吃的，一来就切西瓜煮玉米，拿个大钢种盆，放在地下扔皮吐籽。屋里地儿小，西晒的时候更加热。方茴把家里那咯吱乱响的华柱牌老风扇开到最大，再一人发个蒲扇扇风。要是有蚊子，就在屋门口点上一盘蚊香。

方茴笑着说，可想而知那时候他们过得是怎样的邋遢和悠闲，吉他声、电扇声、说话声混合成一片，蚊香味、西瓜味、汗味蒸发在一起。大概因为看不到离别，所以时光总是慢悠悠的。

而在开着空调的澳洲小屋中，听到她说这些，我却不禁有点悲哀。一是因为我发现成长带给她的疼痛越来越清晰可见，二是因为在我这里她仿佛并未得到真正的安慰。我突然有点怀疑自己，到底能不能让她在我面前从心底绽放这样的笑颜。在我们之间，没有过去的话，会不会有将来。

但是方茴并未发觉我的心思，她薄薄的嘴唇一张一翕，又开始缓缓念出了陈寻的名字。

转眼间陈寻的生日就快到了，他生日和我一天，所以注定会和我遇到一样的问题，那就是记住这日子的人少，忘记的人多，不得不年年在暑假里长大。因此陈寻的生日习惯性地和发小们过，而并不和同学一起。如今有了方茴自然又不一样了，不可能抛开方茴，那么必然这些人要再次见面。上次的会面以那种方式结束让陈寻很不舒服，他决定调和这两方的矛盾。因为不管是方茴还是唐海冰他们，都是他不愿意舍弃的人。而且，以陈寻的性格也不愿意与往事纠缠。他觉得，既然都过去了，又不是开心的事，那么就忘了呗。

陈寻在头一天挨个给他的发小们打了电话，他语气坚定地说一定会带方茴去，所以无论方茴以前出过多大的事，都不要再计较了。他自己都不在意，他们就更没有在意的必要。反正他就是喜欢方茴，没辙，只能这样了。

　　孙涛和杨晴答应得还算痛快。杨晴前一阵刚看了不少席绢的小说，因此特为之感动，她说陈寻能为一个女孩这样做他妈男人，这样的爱情应该歌颂应该弘扬应该写成小说拍成电影，反正不应该被破坏。她坚定地站在了他们一边，坚决反对一切邪恶势力棒打鸳鸯，还信誓旦旦地说，如果他们私奔，她一定去帮着弄票，还特意问了问到时候是不是要坐到上海然后换船去香港，这样比较符合故事情节，有怀旧的味道。

　　孙涛比较冷静，他根本没理杨晴那小女生般的爱情幻想，很诚心地跟陈寻说，这么做他也没什么太大意见，毕竟方茴是陈寻女朋友又不是他的，如果杨晴以前那样他肯定早蹬了她。但这种事作为朋友而言，立场只有一个，那就是陈寻自己能过得舒心。至于方茴能不能让他舒心，孙涛从理论上持保留意见。

　　他这番话陈寻和杨晴都不爱听了。杨晴在电话那边操着一口流利的京片子骂道："你丫蹬啊！蹬啊！蹬你大爷的！抽你小丫挺的信不信，再说一遍我跟你丫死磕！"眼见自身难保，孙涛忙挂了电话，陈寻一肚子词都让杨晴说了，他在电话那边憋屈了半天才又联系了吴婷婷。

　　吴婷婷听了陈寻理直气壮的陈述后沉思了一会儿，她和孙涛的想法差不多，对方茴这个人还不太能接受。她总觉得这两个人并不合适，经历多的那个很敏感，而经历少的那个又太热血。这样的结合注定会扰乱彼此的生活步调，越努力接近就越痛苦。不过这些话吴婷婷没有明说，只是提醒陈寻，方茴和她不一样，不能心如止水。如果陈寻认真，就一定要多担待。陈寻知道她又想起了白锋，就没有再说什么。最后吴婷婷还是答应到时候会照顾方茴一点，并劝他最好亲自去和唐海冰说这件事，毕竟只有他见过当时的情景，心结也最大。

　　傍晚的时候陈寻去找了唐海冰。他们小时候住在同一条胡同，后来几个人都随着北京的建设而不断搬迁，现在已经分散在了不同的地方。陈寻骑车在几栋红砖楼之间穿梭，他回想起小时候和唐海冰一起骑着父母的二六永久牌自行车在胡同里乱钻的日子，那会儿他个子还小，甚至够不到自行车座，唐海冰总在一旁陪着他，每当他来不及刹车摔倒了，唐海冰都立马下车去扶他，而陈寻也总心甘情愿在他前面开道，把车把上的铜铃按得震天响。那会儿他们总是自然而然地做这些事，一直到现在陈寻觉得他们之间还应该那样，既然他喜欢方茴，唐海冰就也一起玩好了，又不是多大不了的事，不至于弄得那么不开心。这么想着，陈寻又紧蹬了两步。

陈寻到唐海冰家楼下时，正好赶上他买烟回来。唐海冰高兴地挥了挥手，往旁边的荫凉地一指就走了过去。

"今儿怎么有空找我来了？你们现在不是跳舞呢么？"唐海冰说。

"操！我们是早上跳，现在这会儿跳还不热死！我就知道你丫忘了！明天什么日子啊？"陈寻把车支好说。

"我他妈才没忘呢！不就是你丫诞辰日么！明儿什么安排？"唐海冰抽出根烟说，"来一根么？"

"不要不要！我想先一块吃饭，然后去地坛滑冰去。"陈寻推开他的手说。

"我都忘了你丫是好学生了！行！那明天我和孙涛他们一块找你去！"唐海冰掏出打火机自顾自地点燃了烟，深深吸了一口。

"海冰……"陈寻犹豫着开口说。

"啊？"

"明天我会带方茴去。"陈寻直直地看着他说。

唐海冰愣了愣，把烟扔在地上狠狠踩了一脚大声说："你丫还没死心啊！怎么就那么不进盐津味儿！方茴她……"

"不就是初中喜欢她的人死了么！"陈寻打断他说，"那怎么了？又不是她杀的，她有什么错啊？"

"你不懂！那女的玩人玩得……操！你想想李贺要没尝过甜头，至于为她卖命吗？"唐海冰气急败坏地说。

"她也没让李贺去和人家打架啊！海冰，你相信我，方茴不是那种人。"陈寻言辞恳切地说。

"相信你？我是亲眼看见的好不好！"唐海冰推开他说。

"亲眼看见怎么了？你又不是李贺，你知道他怎么想的？再说了，那是误伤！又不是谁成心安排的！方茴也想不到啊！生死有命，白锋也沾过这事，你能说他是坏人么？"陈寻奋力替方茴辩解说。

"操！你为了她居然拿白锋说事儿！我先告诉你，你这话别在婷婷面前说啊！要不然她恨死你！"

"我知道！"陈寻烦躁地说，"海冰，我就是喜欢她，长了我也不敢说，至少现在我肯定要和她一块儿，要是哥们儿你也别劝我了，明天来大家一起好好玩。行还是不行？你说句话！"

唐海冰冷冷看着他说："得！我明白了！我也不和你争，你小，我让着你！但我这话撂这儿，早晚有一天你自己会受不了的！明天几点？我去！"

"啊？"陈寻没想到他这么痛快。

"啊什么啊！几点？"唐海冰不耐烦地说。

陈寻告诉他了时间，唐海冰也没再跟他说话，转身就上楼了。陈寻总觉得这事特别不痛快，也没法发牢骚。好在总算还是摆平了他们，一切都安排好只差方茴没通知了，陈寻打算晚上回到家再给她打电话。

可是他没想到，那天晚上他却怎么也没能找到方茴。

8

陈寻回到家以后很自然地给方茴奶奶家打了电话，可是一向和蔼的老人却语气冷淡地说："方茴不在。"还没等陈寻再问点什么，那边已经变成忙音。陈寻有点奇怪，接着拨给了她自己家，是她爸爸接的，一样的简单冷漠，而答案却让他很诧异，居然还是那句"方茴不在。"

陈寻突然不知所措。

他发现自己没有任何办法，不知道她去了哪里，不知道她在做什么，甚至不知道该怎么找到她去问问她。

　　我想那种感觉肯定很绝望，明明如此亲近的两个人，却可以在一瞬之间分开，可怕的是，他都不知道究竟分开了多远。

　　那时候的陈寻还是年轻的，他不甘这种失落。他不敢再给方茴家打电话，于是他就托自己的同学朋友们，赵烨、林嘉茉、吴婷婷、孙涛、杨晴等等，去给方茴家打电话。他知道这种行为可能很骚扰，也明白会因此更加降低方茴在他发小心中的信任度，可是他管不了这么多了。到了现在，方茴的神秘感对陈寻而言已经不是一种吸引了，准确地说，是不安与煎熬。

　　但是结果仍然让他失望，不管是方茴的爸爸还是奶奶都没说她去了哪里，问来问去都只是说她不在。

　　就这样几乎折腾了一晚，第二天陈寻早早地就骑车去学校了，他完全忽略了自己的生日，也没有丝毫的开心与兴奋。他只想赶紧见到方茴，问问她到底怎么回事。

　　陈寻几乎是第一个到的，他也没进去，就在校门口坐在车后架上四处张望。陆陆续续有人来了，陈寻面儿熟人缘广，不少人跟他打招呼，但他都没怎么理，挥挥手就过去了。王曼曼进来时跟他说生日快乐，他也仅仅点了点头。一直等了很久，方茴才姗姗来迟，她没骑车，看见陈寻忙小跑了几步过去。

　　"生……生日快乐。"方茴还没喘匀气，笑眯眯地说。

　　可是陈寻却没有丝毫领情，他面容冷淡地说："昨天干吗去了？"

　　"啊？"方茴被他问得发蒙，不明所以地说，"我一直在家，没干吗啊……"

　　"是吗？"陈寻冷笑了一下，转身推起了车。

　　方茴发觉了他的不开心，她突然想起自己昨天的确出去了一趟，去一个小商品市场取为陈寻定做的"米链"。那是那会儿挺流行的小项链，吊坠是一个很小的玻璃瓶，里面的透明油状液体中装着米和一些亮晶晶小珠子，在米粒上面可以写字，方茴定做的那个写着"陈寻生日快乐"。方茴觉得陈寻一定是以为自己没给他准备礼物，所以别扭了，她从书包里拿出那条小项链，拉住陈寻说："对了！下午是出去了一会儿，我去……"

　　"别骗人了！"陈寻甩开她的手说，"我问你晚上！晚上去了哪儿！我轮着番地让人给你自己家、你奶奶家打电话，都说你不在！方茴，你跟我说实话就那么费劲吗？"

　　方茴的手尴尬地停在半空，项链上的小瓶子在两人之间晃来晃去，最终滑落在了

Fleet
of
Time
· · · · ·

匆　匆　那　年

地上，小玻璃瓶应声而碎，写着"陈寻生日快乐"的几颗米粒滚落四散，沾上了脏兮兮的土。方茴悲伤地看着陈寻，慢慢把手收了回去。

陈寻毫不示弱地问："说啊！你昨天晚上去哪儿了？"

"在家。"方茴抿着嘴唇说。

"方茴！"陈寻几乎是嚷着说，"你别再……"

"在我妈妈家。"方茴的声音很小，但还是一下子就让陈寻停止了怒吼，"我妈和我爸……离婚了。"

操场的大喇叭响起了集合的声音，方茴低着头从陈寻旁边走过，陈寻犹豫地拉住她的衣袖，小声说："为什么不告诉我啊……"

"我不想和别人不一样。"

方茴深吸了口气，挣开陈寻的手，擦了擦眼睛向操场跑去。

陈寻觉得心像被什么刺穿了一样，生疼生疼的。他默默蹲下，一粒一粒地捡起了地下那些碎片，白色的米粒已经变得黑乎乎的了，上面依稀的字迹加剧了他心中的疼痛。他恨不得立时去跟方茴道歉，可是他又突然想起，他追方茴的时候给她的保证就是，绝对不说对不起。

其实方茴的父母在她初中的时候就离婚了。那一代人可真是什么倒霉事都赶上了，年幼的时候刚解放，整个国家都在复苏的阶段，可以说一穷二白要什么没什么。上学的时候正"文革"，学校全部停课，不管你学得多好都别念了，上山下乡去兵团，天南地北地发配出去，这一走就是几年，离家数千公里。等轰轰烈烈的"文化大革命"过去了，知识青年再教育结束了，分配工作时却基本都留在了外地。好不容易国家政策允许知青返乡了，孩子户口又不好弄。终于游子归家，一切落听了，没过两年踏实日子，又市场经济下岗了。

方茴的爸爸方建州就亲身经历了以上这一系列的所有事。他思想并不开化，怎么也想不通好好的国有企业怎么就完了，工人兄弟怎么就都卷包袱回家了，他有着这么好的技术，会画这么漂亮的图纸，怎么就没活干了？相比之下，方茴的妈妈徐燕新就精明很多，她早早地就当起了个体户，从开始在街边卖煮苞米，到后来买卖"软黄金"羊绒，她是什么挣钱就做什么，一步步将资本累积到惊人的数字。

　　社会学家说得没错，最稳定的婚姻是男人比女人的经济基础和社会地位都稍高一些的婚姻，而最不稳定的婚姻就是女人比男人的经济基础和社会地位都高很多的婚姻，比如方茴父母这种。他们离婚倒不是说就没有感情了，只是来自社会的影响，远远胜过了内心的影响。

　　离婚后方茴跟了她爸爸，定期会去妈妈那里住几天。虽然她不愿意承认自己爸爸是弱者，但是其实也明白自己站在了弱势的一方。她觉得爸爸更需要她，失去了完整的家庭，富裕或贫穷对她来说不再有什么意义。而且，她还是有点淡淡地埋怨妈妈，不管什么理由，结果表现出来的就是妈妈为了金钱抛弃了她。

　　我觉得方茴的独特性格，就是由生活中这些事一一促成的。但是，作为旁观者，已经成人的我可能可以看出这些，而对那时刚刚过完 16 岁生日的陈寻来说，我想大概还是不能明白。不能明白就无法体贴，无法体贴就会无意伤害，无意伤害就会削弱彼此间的牵绊。

　　而年少的他们，也许就此恶性循环。

　　那天跳舞，陈寻一直心不在焉的，他紧紧盯着方茴，一结束就径直跑到了她面前。

　　"一会儿一起吧！"陈寻有些羞愧地说，"陪我过生日。"

　　方茴没有答话，陈寻早上的话让她有点伤心，但是怎么说今天也是陈寻的生日，她也不想让他不开心。如果说去年他们之间发生问题，那么她会胆小地选择分手了事。可是今年她却下不了这个决定了，不是因为她变得可以勇敢地去承受，而是因为她更加胆小了，胆小得不敢离开，生怕失去。

　　"我昨天就安排好了，但是怎么也找不到你……真是特别特别的着急，我心里巨不踏实。方茴，以后不管去哪儿都让我能找到你，行吗？"陈寻看着她，越说越委屈。

　　"还有这个……我都捡起来了。我很喜欢，回家我就把它洗干净，我会一直留着的……我……"陈寻摊开手心，上面是写着"陈寻生日快乐"的那几颗米粒，因为一直攥着，被手里的汗渍浸得干净了些。

　　"好吧，"方茴看着心软了些，点点头说，"那先陪我回趟我妈家，我拿东西，晚上不住那里了。"

　　"嗯！我带你！"陈寻高兴地说。

在路上，两个人还是有些别扭，没怎么说话，他们骑车三拐两拐地，就到了朝阳门外。

陈寻问："你妈家在这里？"

"嗯，从这儿拐进去！"方茴拍拍他后背说。

那条路就在华普超市旁边，陈寻突然想起了春游那次方茴的特别反应，说："上次咱们来这里买吃的，你是不是看见你妈了？"

方茴愣了一下说："嗯……"

"我说就隔一条马路的事，你怎么不去呢！不过遇见她也没事啊。"陈寻说。

"就是不想让她看见，左拐，到了。"方茴淡淡地说。

陈寻停下车，诧异地看着面前的高档小区说："就这儿？"

"嗯，你等我一下，我马上出来！"方茴跳下车说。

那时候绝大多数北京人还没听说过复式住宅，而方茴妈妈徐燕新住的地方，就是全部复式小楼的俱隆花园。陈寻看着里面郁郁葱葱的园林和跑进跑出的外国孩子，不由感叹生活的差距。他从来没想到方茴她妈会这么有钱，从方茴身上是一点也看不出来。他不理解方茴干吗不告诉他，他觉得有钱又不是坏事，完全没必要掖着藏着的。

不一会儿，方茴就背着包走了出来，陈寻往前骑了两步，她一下子就蹿上去了，现在，她已经习惯蹿陈寻的车。

"咱们去哪儿啊？怎么没叫嘉茉他们？"方茴问。

"去地坛滑冰，不和他们一块，每年我都和唐海冰他们过，咱俩得快点，估计现在他们已经到了。"

"啊？"方茴吃惊地说。

"没事！你放心，我都跟他们说好了，反正我就要和你在一起，他们不会怎么样的。以后，我要让你觉得和别人都一样！没什么你害怕的事！不过，你可不许再有什么瞒着我了！"

"我不会滑冰……"

"我教你！"

"我……"

"坐稳了啊！我可加速了！"

陈寻飞快地蹬起了车，方茴坐在他身后没吭声。其实她心里一万个不情愿，她实在不想再跟唐海冰见面,因为一见面两个人就都会想起以前的事,那绝对不可能愉快。但是看陈寻这么笃定,她也不好再拒绝。

从那个时候起,他们就渐渐发现了彼此间的缺憾。小裂缝带来的恐惧感让他们诚惶诚恐地去暗暗妥协,甚至费尽心思地努力弥补。可是,我想他们或许太用力,或许太稚嫩难以承受,或许命运戏弄阴错阳差。总之,他们在不知不觉间却慢慢地渐行渐远。

⑨

陈寻带着方茴赶到地坛,他出了一身的汗,后背有两大片水印。唐海冰他们都到了,孙涛远远地冲他挥了挥手。也许因为紧张,方茴跳下车的时候裤子挂在了自行车支架上,两人踉踉跄跄的,几乎摔到一起。

"我操……真他妈笨!"唐海冰眯着眼睛不屑地说。

杨晴在旁边"哧哧"一声笑了出来,吴婷婷拽了拽她,笑着迎上去说:"怎么了?一来就给我们行这么大礼?"

"别没良心啊!还不是着急怕你们等久了!我刚才腿差点抽筋!"陈寻笑着说,"是吧,方茴?"

方茴怯怯地从他身后走过来,眼睛看了一圈,点点头算是打了招呼。

"上次都认识了,我就不介绍了!今天咱们一块好好玩!"陈寻把方茴往自己身边拉了拉,看着唐海冰说,"说吧海冰,今天上哪儿吃去?早商量好怎么宰我了吧?"

唐海冰点了根烟,随手向马路对面一指说:"就麦当劳吧!齁逼热的,待会儿不还滑冰么,也别走太远了。"

"行,等我存车,咱一块过去!"陈寻推着车走向了存车处。

方茴没来得及跟上他,她呆呆站在一群人旁边,显得格外孤立无援。

“嘿！你知道么？”唐海冰走到方茴旁边，吐了口烟圈说，“就是李贺教会我抽烟的。”

方茴轻轻颤了颤，脸一下子就白了，吴婷婷一巴掌拍在唐海冰后背上说：“你这人！真他妈没劲！”

“操！轻点！你丫横纹掌，打人疼着呢！”唐海冰叽叽歪歪地走开了。

“甭理他！”吴婷婷对方茴说，“他嘴欠！”

方茴惶恐地点了点头，陈寻存好车跑了过来，拉住她的手说：“背着我说什么坏话呢？走吧！”

攥住陈寻的手，方茴稍稍心安了些，他们一起过了天桥，去了地坛对面的麦当劳。

几个人占了张大桌，杨晴一坐稳就噘着嘴说：“陈寻，我想吃巧克力圣代！”

“行行行！吃什么都行！”陈寻笑着说，“都还要什么？告诉你们，就这一回啊！过这村，没这店！别超过 100 块钱。”

“仨巨无霸！”孙涛摇摇晃晃地举起三根手指说。

“操！吃得了吗你！撑死你丫的！”陈寻愤愤地说。

“谁说吃不了！我他妈天天干体力活，就得补补！是不是，晴儿！”孙涛瞪着眼睛说。

“滚蛋！”杨晴一拳打在他身上。

“你丫真淫荡！”唐海冰不怀好意地笑着说。

“行了啊你们！这还有好学生呢！”吴婷婷望着脸红的方茴说。

“切……好学生可不见得是好人啊！”唐海冰阴阳怪气地说，“我要麦香鸡！”

“海冰！”陈寻瞪了他一眼。

“看什么看！记啊！”唐海冰嚷着说。

方茴默默地低下了头，她的心情几乎沉到了谷底，她知道唐海冰不会轻易原谅自己，这样的时间对她来说太漫长太难熬了。

“方茴，你想吃什么啊？”吴婷婷打圆场，和气地问她。

“随便……”方茴小声说。

“我知道她吃什么。”陈寻把笔扔下说，“还要不要别的了？不要我可买去了！不能再追加啊！”

“没了，你坐着，把钱给我，我去买。”吴婷婷拉住陈寻说。

“也行。”陈寻知道吴婷婷是想让他留下陪方茴，感激地说。

　　终归还是年纪小，等到吃饭的时候，他们之间气氛就好了很多。这些人聚在一起像是有说不完的笑话，彼此揭短，以前干的那点陈芝麻烂谷子的事，翻出来说了个够。

　　陈寻刚讲完唐海冰被他爸拿笤帚疙瘩追着满胡同跑的英雄往事，唐海冰马上就清清嗓子说了起来："嘿！这次说一段绝密的，保准你们以前都没听过！"

　　"别逗闷子！快说！"孙涛笑着说。

　　"故事叫作《陈寻和狗》……"唐海冰慢条斯理地说。

　　听这名字杨晴就笑了起来，她一边拍打唐海冰一边说："《陈寻和狗》……你真能琢磨啊！还《篱笆、女人和狗》呢！"

　　"你丫别他妈瞎编啊！"陈寻笑着说。

　　"今天我要是瞎编！我唐字倒着写！"唐海冰好像跟他杠上了，挑起眼睛学着单田芳的声音说，"话说80年代末期，在北京西城德外东大院中，那是群雄割据……"

　　"操！还说没瞎编呢！"陈寻扔过去一根薯条说。

　　"就是！你丫简练点！真当自己是说评书的啊！"孙涛附和说。

　　"行行行！就是老张家二大妈养了条狼狗你们还记得么？"唐海冰笑着说。

　　"我知道！"孙晴举起了手，"刚拿回来时还挺小的，没两月就长得特大！凶着呢，我都不敢去那院玩了！后来好像让套狗的给抓走了，对吧？"

　　"对，就是那条狗，"唐海冰点点头，"有天晚上我和陈寻去小卖部买冰棍，陈寻嘴馋，偷拿了他妈点钱，又买了包粘牙糖。结果刚一出门，就看见那条狗了……"

　　"啊！"陈寻一声惨叫，拉住唐海冰说，"大哥！我服了，别讲那事了！行么？"

　　"不行不行！"吴婷婷拦住陈寻，笑着说，"海冰，甭理他！你快讲，后来怎么了？"

　　唐海冰得意地看了眼陈寻，接着说："当时二大妈没在旁边，那狗也没人牵着，就自个跟那儿溜达呢。丫小时候胆儿不是特小么，吓得手里东西撒了一地。我就跟他说，别瞎动换，捡起来赶紧走。都说狗怕人蹲，它估计不敢过来。哪承想那狗厉害着呢，一看陈寻蹲下，以为他要拿石头砍它，'呼'的一下就蹿过来了。操！吓得我拉着陈寻撒丫子就跑啊！"

　　"不是越跑越追么？"杨晴插嘴问。

　　"对啊！但那会儿哪还想得到啊！结果你们猜怎么着？别看陈寻那会儿个儿小，跑起来是一点不含糊，居然跟得上我！我也管不了那么多了，见胡同就往里面窜，我刚藏好，就看一条黑影"嗖"就过去了，一点不夸张，那速度，是人是狗我都看不清楚！过一会儿，我就听见那狗在呜呜。我偷偷一看，你猜怎么着？狗在那儿转圈，陈寻影都没了！操！丫比狗跑得还快！"

大家哈哈笑成一片，方茴也笑了，她觉得说起这些的唐海冰，真的只像是陈寻从小玩大的好朋友，一点也不可怕。

"听着！还有最关键的呢！等我被解救出去，我马上就去了陈寻家，他正坐小板凳上哭呢，我抬眼一看院里的晾衣服绳上，挂着一条湿漉漉的小裤衩，就是……就是他刚才穿的那条。"

唐海冰憋不住，自己先笑出了声，大家愣了一会儿，轰的一声爆笑了起来。陈寻红着脸，越过桌子去揪唐海冰，唐海冰笑着闪开他说："不赖我！我说的可都是真话！"

杨晴几乎笑出了眼泪，她趴在孙涛身上说："哎呦妈呀，逗死我了！这段子真经典！你以前怎么没讲过啊？那后来你是怎么从那小胡同出来的？那狗就跑啦？"

"白锋听见狗叫，把二大妈叫来拉走的！"唐海冰说。

哪知他说完这句话，刚才还嘻嘻哈哈的所有人，突然一下子沉默了。方茴纳闷地看着他们，陈寻瞪了唐海冰一眼，唐海冰自知说错话，低下了头。杨晴小心翼翼地看着吴婷婷，孙涛轻轻叹了口气。

吴婷婷没说话，她拿起杯子喝干了剩下的可乐，抹了抹嘴说："都吃完了就走吧。"

方茴发现她的手有点微微颤抖，忙问她："怎么了？不舒服？"

大家都别有深意地看了她一眼，方茴有些不知所措，陈寻忙在桌子下面拉了拉她。

"行！那咱走吧！"孙涛站起身说。

出门的时候，陈寻特意走到了吴婷婷旁边，他小声问："没事吧，海冰不是有心……"

"我知道，不用你说！"吴婷婷打断他。

陈寻皱着眉说："你别这样，婷婷，跟你说真的，都这么多年了，你别钻牛角尖了行不行？他在哪儿，能不能回来，谁都不知道，你何苦这么……"

"你他妈烦不烦啊！"吴婷婷红着眼睛几乎冲他喊了起来，"自己的事还没弄利索呢，还他妈管闲事！我怎么样不用你管！我这话先放这，你今天留点意，海冰明显没憋好屁！"

　　陈寻回头看看方茴，犹豫地停了下来，他望着吴婷婷的背影想了想，又跟上了她："我不信海冰能怎么着，你现在这样我没法不管。你从小就倔，还爱蒙人，多大事都搁心里。这么大人了，还这样……别哭了！待会儿让他们看见！要不一会儿都围过来，烦也烦死你！"

　　"事儿妈！要你管！"吴婷婷使劲吸吸鼻子，笑着擦了擦眼泪。

（10）

　　听方茴讲了后来发生的事之后，我有点像娘们似的埋怨。我觉得当时陈寻要是不跟吴婷婷在一块说话就好了，他去做滥好人，方茴却被扔在了一边，然后才会发生那些事……

　　现在我想，可能是我恨不得充当陈寻的角色才会产生这么无理取闹的想法。因为直到很久以后我才明白两件事，第一，陈寻不是第一次也不是最后一次这样走到吴婷婷旁边；第二，假如那会儿他陪着方茴，该发生的也一样会发生。

　　就在陈寻安慰吴婷婷的时候，唐海冰走到了方茴旁边。方茴有些瑟缩，但还是努力地冲他笑了笑。

　　唐海冰没有笑，他皱着眉头，样子很为难地说："你喜欢陈寻么？"

　　方茴一怔，点了点头。

　　"就跟以前喜欢李贺一样？"唐海冰这次其实并没有一点讽刺的意思，但是方茴还是觉得浑身颤悠了一下。

　　"不……不是。"她声音有些发抖，却又坚定。

　　"不是也不行，你明白么？"唐海冰点了支烟说，"我知道可能这么对你也有点不公平，但是这世道你没法强调什么公平。要是公平的话，干吗李贺就死了，可是捅了他的那个傻逼现在还活得好好的呢？年轻杀人就不用偿命啊！李贺是坏人么？他就该死么？不是吧，可他怎么就死了呢？"

　　方茴的眼泪在眼眶里凝聚了起来，她想起了李贺，想起了曾经和他一起玩拔根、唐海冰在旁边起哄捣乱的时候，那会儿的他们从未想过有一天会变成现在这样。

　　"实话说，以前你铅笔盒里的蚯蚓都是我放的，你自行车的气门芯都是我拔的，你和别的男生说一句就得给李贺道歉也是我规定的，还有你戴了三年的小白花，这主意也是我想的。你肯定觉得我特浑蛋，可我也没办法，不管为什么，没有你的事他就不会死。所以不干点什么我觉得对不起李贺。你知道么？他那会儿真是特喜欢你……"

　　"你别说了，我不怪你，"方茴摸了摸眼睛，"我现在还记得那日子，清明也给他烧纸。"

　　"嗯，那你也算还行。不过，你还是不能和陈寻在一块。李贺对我来说就像亲哥哥，而陈寻就像亲弟弟。他们俩通过你联系起来，我怎么也接受不了。我是看着李贺死在我旁边的，而他当时最后看见的肯定是你，虽说你没看他吧。就这一点，咱俩谁瞅谁都痛快不了。而且不是我故意找借口，我太了解陈寻了，我觉得你们俩根本没可能，成不了。你别怪我说话狠，说白了就是我不放心你，当然也不放心他。年轻时候不就是玩玩么？你找别人我绝对不管，没准还祝福你呢！可陈寻，绝对不行。"唐海冰望着陈寻的背影，坚定地说。

　　方茴半天没有吭声，她在脑子里把唐海冰的话好好过了一遍。虽然唐海冰这人平时挺不讲理的，但这几句他还真是打心眼里好好说的，有些地方也确实就像他说的那样。但是，她不可能因为这些话就放弃陈寻。方茴和陈寻在一起的日子，可以算是她十几年的生命中最舒心的时候。不仅是少男少女间的那种懵懂爱恋，更重要的是，陈寻带着她看到了生活的美好。而她，原本已经绝望。

　　就像一个想跳楼自杀的人，你要是不理他，那跳下去死也就死了。可是如果你在半截拉住他，那他自然产生的求生欲望则是惊人的，而且一旦救上来就绝对不会去自杀第二次了，这是心理学的结论。方茴的情形，和这个有些类似。

　　唐海冰紧紧盯着方茴，她的手因为害怕和紧张而不自觉地攥住，指节泛起了青白色。

　　"我……我还是……喜欢陈寻，"方茴轻轻地颤抖着说，"海冰，我不会离开他。"

　　唐海冰没想到这个战战兢兢、说话都颤悠的女孩居然这么回答他，因此更加严厉地说："你别敬酒不吃吃罚酒啊！"

方苘咬着牙摇了摇头说："我做不到。"

唐海冰差点背过气去，他记得初中时无论他做什么，方苘都不敢反抗，他本以为这样半推心置腹、半逼迫威胁的方法能有效果，但是却错估了方苘的勇气。他正想再说点什么，腰上别的 BP 机却响了起来。他拿出来看，"嘿嘿"笑了两声说："方苘，那你就别怪我了。"

方苘凄然地笑了笑，走在前面的陈寻如春花般绚烂，走在身后的唐海冰黑暗得深不见底。远离天使或许恶魔也不会再纠缠，可是为了那一点点光，两者之间，她选择面对未来，背对过去。

他们走到地坛冰场，在前台租了鞋。方苘从来没滑过冰，看着明晃晃的冰刀直眼晕，陈寻笑着扶她站起来，她紧紧抓住陈寻的胳膊，像到了陌生地方的小动物，满脸惊恐。

"哟！我才看见，你怎么穿短裤就来了？"吴婷婷系好鞋带，走过来说。

"啊？怎么了？"方苘勉强站稳，抬起头问。

"冷啊！"吴婷婷向手心呵了口气说，"再说，摔冰上也容易破。陈寻你真是的，也没提醒人家一下！"

"呀，我还真没想那么多，不过就算我想起来，也没办法告诉她。"陈寻说。

方苘知道他还在介意昨晚没能找到自己，就没再多说什么，冲吴婷婷笑了笑说："没事，不是特别冷。"

吴婷婷瞥了陈寻一眼，自己滑了进去。

孙涛和杨晴在里面已经滑了一圈，两个人动手动脚又笑又闹，亲热得不行。大概是怕唐海冰找麻烦，吴婷婷缠住他非要学倒滑。唐海冰倒也配合，一直耐心地陪着吴婷婷，也没过来和陈寻方苘说话。

陈寻拉着方苘滑到另一个半圈，扶住她的肩膀问："冷么？冷就出去坐会儿。"

"还行。"方苘嘴唇有些发紫，轻声说。

"行什么啊！说话都上牙打下牙了！"陈寻一把拉住她，"出去吧！"

"那你陪我……行么？"方苘哀求地看着陈寻说，她之所以硬撑了这么久，就是害怕独自在外面的时候，唐海冰会再和她说些什么。

　　"废话！我不陪你干吗去呀！"陈寻搓了搓她的手说，"你看看，都快僵了！你怎么不说啊！"

　　"我觉得还行……"方茴笑了笑。虽然陈寻嘴里一直在嘟嘟囔囔地埋怨，但是手却攥得很紧，手心那一点点温度，仿佛就让她暖和了起来。

　　两个人到了外面，方茴坐在凳子上，她僵硬的手指怎么也解不开鞋带。陈寻还了鞋，径直走过去蹲下说："我来吧。"

　　"不……不用了！"方茴忙推开他说，"我自己就行！"

　　"你看你，哆哆嗦嗦跟老太太似的，得了吧。"陈寻自顾自地解起了鞋带，"我啊，要是多想点就好了，我没想到这么冷，要不然一定让你多穿点。"

　　"嗯，我知道。"方茴两只手支在旁边，微笑着说。

　　"早上的事不生气了吧？今儿还高兴么？"

　　"挺……挺好的啊。"

　　"是吧？我就说吧？"陈寻兴奋地抬起头，"别看他们一个个跟小流氓似的，其实骨子里都是好人！尤其是海冰，特仗义！"

　　方茴的笑容中掺杂了些苦涩，她低着头，腿一晃一晃地蹭着地，套在脚上的白袜套染上了一层薄灰。

　　陈寻把鞋扔到一边，坐在方茴旁边说："小时候我们几个玩拍画儿，我的技术最棒，自己攒有一套变形金刚的拍画，别人都没有，好看着呢！结果让旁边胡同的几个大孩子盯上了，有一次他们和我玩，输了还耍赖，非要我把那套画儿给他们，我当然不给了，他们就急了，跟我抢。孙涛真是没白搭他这个姓，那孙子就是一尿货，看形势不对撒丫子就跑了，只有海冰跟我一起撑着，一直等到白锋来，才算摆平。所以说海冰这人

是面恶心善，你和他待长了就适应了。"

　　方茜点了点头，其实唐海冰这些特点她已经很了解了，因为他们也曾经同窗三年，在那段时间内，她充分地感受到了唐海冰的义气。方茜不想再和陈寻讨论唐海冰，这话题就让她不舒服，于是打岔问道："你们总说白锋、白锋的，到底是谁啊？怎么一直没见过？"

　　"白锋啊……下回再说吧。"

　　陈寻看见吴婷婷他们走了出来，站起身向他们挥了挥手。

11

　　方茴疲倦地和他们一起走出冰馆，动作僵持地穿久了沉甸甸的冰鞋，猛地脱掉却并不觉得轻松，腿没劲，软绵绵地落在地上没有真实感。就如同她的心情一样，压抑了很长时间，现在仿佛没什么不开心的事了，反而却隐隐不知所措。

　　唐海冰出门后就说有事先走了，孙涛送杨晴回家，陈寻和吴婷婷顺路。方茴回奶奶家，对面有公共汽车到，便和他们告别，打算自己坐车回去。

　　陈寻拉住了她说："我送你到车站吧！"

　　"不用，就过个天桥，你们走吧。"方茴说。

　　"还是我送你吧，等你上车我再走，"陈寻扭脸对吴婷婷说，"跟我一块把她送走，咱俩再回家。"

　　"得得得！"吴婷婷摆摆手说，"我可不当电灯泡，我先取车去，你回来找我吧。"

　　陈寻笑了笑说："也行，那你等会儿我。"

　　夏末的北京还有些燥热，白天晒在柏油路上的热气，在傍晚全部蒸发了出来。两人走上天桥，陈寻走在前面，嘴里哼唱着《白桦林》，方茴慢了他一小步，跟在后面。

　　"上我旁边来！"陈寻侧过身说，"要不我老看不见你。"

　　"人多。"方茴抬头看了看前面台阶上的人群说。

　　"不行，那你走我前头！"陈寻干脆回过头，站住了说。

　　"你这人……"方茴无奈地笑了笑，陈寻也笑了，一把抓住她，把她推到了自己前面。

　　方茴没站稳，轻轻撞了旁边一个人，那人"哎哟"一声，急赤白脸地说："吗呢？"

　　"对不起。"方茴连忙道歉说。

　　"你丫走路不长眼啊！他妈的挺大的窟窿，出气用呀！"那人流里流气，头发染成红色，身上穿的T恤几乎到膝盖那么长。他身旁还有两个人，一看就都不是善主儿。

　　"你丫嘴干净点！也没怎么着！至于么！"陈寻冲他嚷嚷着说。

　　"操！你丫哪儿蹦出来的呀！关你丫蛋事啊！"红头发上去就推了陈寻一下子。

　　"你丫再……"陈寻挡开他，指着他刚要骂，就被方茴拦了下来，她战战兢兢地说："别吵了，算了，对不起，对不起……"

　　"滚蛋！我操你妈！"红头发一点都不含糊，拉开方茴，照着陈寻肚子上就是一拳。

　　陈寻从小到大没挨过什么打，这一拳打得他差点吐了酸水，他一下子火了，不管不顾冲上去就和红头发厮打在了一起。旁边两个红头发的同伙亦不甘落后，马上过来把陈寻围在中间一顿拳打脚踢。虽然陈寻比他们高大，但毕竟寡不敌众，眼见就处在了下风。

　　方茴快要疯了，她一次次地去拉他们，一次次地被他们推开，她大声地叫陈寻的名字，大声喊不要打了，但是没人听他的，也没人帮她。

　　最后她用尽全身力气抱住红头发的胳膊，哭叫着求他住手，红头发才停了下来。他一边骂一边又给了陈寻一脚："让这孙子横！操！打不死丫挺的。"

　　"别打了，求求你……求求你……"方茴忙拉住他，泣不成声地说。

　　红头发戏谑地看着方茴说："丫太欠，这是让他长点记性，刚才他骂我你也听见了，骂了不能白骂，我得抽他一嘴巴，抽完咱们就两不相欠了！"

　　"你大爷……"陈寻捂着肚子，挣扎着还要说，方茴忙挡在他身前说："你要打就打我！"

　　"也行啊！"那红头发仿佛就在等这句话，他出手又快又狠，上来就扇了方茴一个耳光。

　　方茴被他打得身子一晃，半边脸都肿了起来，耳朵"嗡嗡"作响。疼痛感和耻辱感直袭到她心底，恍惚间，她好像又回到了初中时那段苦难的日子。

　　就在这含着杂音的空旷瞬间，方茴模模糊糊地听见红头发凑到她身边说："你呀，好自为之。"

　　陈寻被这一巴掌彻底激怒了，他的眼睛已经被打肿，几乎睁不开，但从红胀的眼缝中，他还是看见了方茴摇摇欲坠的身体和绝望的表情，那一刻他根本没办法再理性思考，他冲上去狠狠掐住了红头发的脖子，语无伦次地喊："你干吗！你丫干吗！操你妈！我宰了你！"

　　路旁看热闹的人和红头发的朋友都被陈寻的气势吓蒙了，所有人都呆立着，甚至没人敢上去劝一劝，说一句话。

"放开！你们都放开！"方茴突然声嘶力竭地尖叫，"陈寻！分手吧……我们分手吧！我不和你在一块了！我不要了！我受不了，真的不行了！我……我要分手！"

陈寻被方茴的话骇住了，他的双手无力地垂下，根本顾不上身边差点翻白眼的红头发了。他觉得时间仿佛一下子静止，呆呆地望着站在他对面的方茴。

方茴头发凌乱，脸颊红肿，眼泪像珠子一样不停地滚落，眼睛中满是掩饰不住的哀伤。

陈寻有些茫然，他不明白为什么突然就这么狼狈了，就在不久前他们还在一起聊天，还牵着手滑冰，还坐在车后座上聊她家里的事，还笑闹着上天桥……早上送的礼物虽然成了碎片，但也还好好在他裤兜了放着呢。明明刚才都还好好的，可是为什么现在却像要失去这一切的样子呢？

陈寻不能接受，也根本不想接受，他摇摇晃晃地走向方茴，不顾天桥上人来人往，一把搂住她呜咽地说："不行！我不干！绝对不行！我不和你分手！"

桥下的繁华如流水般匆匆而过，尚还青春年少的两个孩子放任地在那年的一点时光中紧紧拥抱，那时候的他们还不知道以后将会是怎样的结局，只是单纯地以为，能够这样在触手可及的地方抓住彼此不放，便是永恒。

方茴泪眼蒙眬地从陈寻肩膀上凝视着对面地坛古老的牌楼，她明明死死抓着他的衣服，却仍说着别离的话："陈寻，咱俩啊……还是别在一块了……"

"不！不成！你肯定是生气了对不对？我不该跟他们打架？我下回再也不这样了，我发誓，行不行？我不分手，死也不分手！"陈寻也哭了出来，在男孩子还能尽情流泪的年纪，他因害怕别离而泪流满面。

"不是的……你也看见了，不是你不好，是我……今天这些人，肯定是冲我来的……要不然也不会这样……"

"不可能！"陈寻紧紧抱着她，不让她有一点挣扎的余地，"你一个女孩儿，碍着他们什么了？那帮人就是流氓！我保证以后绝对不去招惹他们了！"

方茴凄然一笑说："你没看见，他们不是三个人，刚才他们下了天桥就有一个人过去说话了，那个人我认识，也是李贺的朋友，以前总和海冰他们一起玩的……你还不明白么？我们已经没办法好好地在一块了，你最好的朋友不愿意我们好，我也不愿意和他见面，我们谁也不能妥协，就算我妥协了也没用……看见你这样我受不了，真的……受不了……"

方茴说不下去了，她伏在她最喜欢的男孩肩膀上放声大哭，她害怕，也不解，她觉得自己已经非常用心地去喜欢陈寻了，也没做一点对不起他的事情，可是最后却还是变成了这样。

"唐海冰是么？那咱们以后不见他们了，我们只和赵烨、乔燃、嘉茉一起玩，我们好好念书，考外地大学，离这片儿地远远的，行不行？方茴，我不和你分手，求求你了，我喜欢你，我不想分手，真的不想……"陈寻扣住方茴纤薄的肩膀，在她耳边不住地说着。

方茴再也忍不住，她已经哭得喘不过气，一顿一顿地说："我……也喜欢你，特喜欢……特喜欢……我也不想……分手……"

"那我们不分手！永远也不分手！"陈寻不容置疑地坚定地说。

两个人就这么抱了很久才慢慢分开，他们谁也不再提分手这个词，刚才的经历让他们彻底感受到伤心与恐惧，离别不仅仅是说说而已，这玩意儿太撕心裂肺，他们根本经受不起。

陈寻牵着方茴的手一直走到车站，他走得很慢，总停下来看看方茴。

方茴的眼睛哭肿了，她拿手挡住自己的脸说："看什么啊……齁寒碜的。"

"一点也不寒碜，"陈寻笑了笑说，"方茴……"

"哎？"

"没事。"

"……"

"方茴。"

"干吗？"

"没事。"

"……"

"方茴。"

"你怎么啦？"方茴停下来，无奈地看着他说。

"嘿嘿，我就是叫叫，我特爱听你答应我那声儿，"陈寻不好意思地说，"车来啦，你上吧，晚上我给你奶奶家打电话。”

　　可是方茴却慢腾腾地没怎么动，陈寻纳闷地看着他，她红着脸说：“再……再陪我等一趟吧，我也挺爱听你叫我的……”

　　陈寻肿胀的脸颊上绽开了一个大大的笑容，他清脆响亮地喊了声“方茴”，方茴也清脆响亮地答应了声“哎”。

　　他们来来回回等过了四趟车，天都渐渐黑下来了，陈寻突然蹿起来说：“糟了！”

　　方茴吓了一跳，忙问他：“怎么了？”

　　“婷婷还在存车那儿等我呢！我怎么把她忘了！我得赶紧找她去！晚上！晚上我给你打电话啊！”

　　“嗯，你快去吧。”方茴淡淡地说，她其实也想得到，虽然陈寻答应说以后不和他们一起玩了，但他和唐海冰他们是从小的交情，怎么会那么轻易就舍弃掉呢？

　　陈寻飞奔在天桥上的背影英俊挺拔，方茴从下面仰望着，轻轻叹了口气。

　　当陈寻赶到存车处的时候，吴婷婷早已不见踪影，只不过在陈寻的自行车旁边，她用红砖头在地上写了歪歪扭扭的几个字母“BYE BYE”。

　　陈寻看着这种小孩子的把戏，不由有些失落。他想起了小时候吴婷婷穿着小花裙子、塑料凉鞋蹲在地上画跳房子的样子，也想起了刚才信誓旦旦答应方茴和发小们不再见面的诺言，在这两者之间，他突然觉得自己格外落魄、孤单。

（12）

　　“他那时候真哭了？”在黑暗中我摸索着杯子说。因为要省电，所以那段日子我和方茴晚上都不开灯，为了避免两个人面面相觑的尴尬，我就一直让她讲故事。

　　“嗯，哭了……啊！小心！别碰右边！”方茴惊呼。

她的夜视能力比我好，及时阻止了我把欢欢遗留下来的杯子扒拉掉地上，避免了它粉身碎骨的命运。

我忙把那个小熊杯子小心翼翼地挪到柜面中间，问她："你喝水么？"

"不喝……你别弄了，喝我也自己去倒，你破坏力太强悍，都甄了多少个杯子了？"方茴把书清理好，给我腾出了过道。

"嘿！你踩咕谁呢？"我笑着端着水走过去，"我不就有点夜盲么？你还不允许我这么优秀的21世纪新好男人有一丢丢小缺点啊？"

"没有……"方茴往一边坐坐说，"要不……还是开灯吧，我再想想办法，要没有我的事，你也不至于这样……"

"瞧你！又见外了不是？你说这人生四大喜事，'久旱逢甘露，他乡遇故知，洞房花烛夜，金榜题名时'，咱俩怎么着也占了其中一条吧？所以你别和我客气啊！告诉你，谁要阻止我见义勇为帮助落难老乡，我就跟谁急！"我忙插科打诨道，说实在的也许有点犯贱，我生怕她自己想辙去，跟她一块受苦，我乐意。

"你就贫吧！"方茴笑了笑说，"你再坚持坚持，好日子离咱们不远了。"

"嗯，"我虽然嘴上应和着，心里却不这么想，我是巴不得能和她多待些日子，"接着说，没想到陈寻还挺多愁善感的，动不动就掉金豆儿啊！"

"不是，"方茴好像有些不高兴，"他也没哭过几回……"

"切！我小学毕业之后就没哭过！"我逞能地说。

"但我觉得能哭出来挺好的，至少能让人知道，到底是高兴了还是难受了。要是两人在一块，没的哭也没的笑，那我估计也就到头了。还是小的时候好，你看现在人长大了，一个个都猜不出喜怒哀乐，没劲透了。"

方茴淡淡地说着，我知道她其实是在维护陈寻，我也承认长大的我们多少都在伪装，不愿意轻易透露悲喜，芸芸众生恨不得都一个样儿。但我心里还是挺别扭的，我有点嫉妒在那个年纪可以抱着方茴痛哭流涕的人，他可以使劲地爱使劲地伤害，而我却连保护都遮遮掩掩不敢明说。

"那后来呢？"我一边暗暗咒骂着没出息的自己，一边问她。

"后来啊……"方茴轻叹了口气，娓娓讲了下去。

那天回家之后陈寻还是没憋住给唐海冰打了电话，他一上来就气急败坏劈头盖脸地问候了唐海冰的祖宗八辈，把唐海冰骂得直发蒙，好半天才弄明白他说的是什么事。

"操！真不是我干的！要是我安排的我他妈就是孙涛的孙子！你丫还全年级前几名哪，脑子进水啦？你好好想想，我就是再不待见方茴，也不能连你一块收拾啊！"唐海冰也急了，奋力解释说。

陈寻愣了愣，他一琢磨也对，唐海冰说到底是为了他，不可能连他都捎上，但嘴里还是不依不饶地说："操！没准你丫没跟人说清楚，他们就连我一锅端了呢！也没准你丫故意使的苦肉计！要不然谁没事跟我们俩学生过不去呀！方茴说他们还有同伙，在天桥蹲着等他们来着，她认识，以前就是和你们一块的！"

"操你妈！"唐海冰一下子火了，"我要是那么有心眼当年也他妈上F中了！还至于现在这么瞎乱晃？你怎么不想想是不是你那位长了毛比猴还精的方茴栽赃我的啊？我就一个操！我看你是彻底让丫迷住了！"

"不可能！你那是没看见今儿我俩都什么样了！"陈寻大声嚷。

"哼，等我想想啊，嗯……没准是耗子干的，丫在那边混，妈的，等我问问他，敢动你，我他妈连他一起灭了！"唐海冰怒火中烧，电话那边"咔吧"一声，不知道他掰断了什么。

"那倒也不用，但是你一定得告诉他们，让他们别他妈再来找方茴麻烦了！这次是当着方茴的面，下回我决不跟他们客气！爱谁谁，我豁出去了！"陈寻严肃地说。

"得了吧你！你能怎么着啊？少给我来这套！告诉你，你给我踏踏实实念书啊！当初你上了F中你妈多高兴啊！挨个给老街坊打电话报喜，还让我妈气不过抽了我一顿，要因为这事弄个处分什么的，我看你怎么交代！"唐海冰轻笑着说，"你放心，要真是他们干的，我肯定不会让他再招惹你了。但是我还是这句话，这事的本质是在方茴这块儿，不是我能保证怎样就怎样的，当初李贺不是就我一个哥们儿，这件事也不是就我一个耿耿于怀，所以要我说啊，你还是和她分手算了，你条件这么好，是金子在哪儿都发光，还怕找不到比方茴更好的？她也就顶多算个一般人，还有前科，我就奇怪你看上她什么了！"

"去去去！别跟我再提这事了啊！"陈寻烦闷地说，"我还奇怪你们呢！都什么年代了，真当自己刘关张啦？又不是过命的哥们儿，还成天琢磨着两肋插刀、报仇雪恨，有本事找捅人那个去呀！跟一女孩儿过不去算什么本事！"

"哼，迟早有收拾那人的一天，丫跑不了。至于方茴，还就不能说和她一点关系都没有，当年李贺在校门口蹲人她比谁都明白为什么，但她一次也没拦过，连劝劝都没有。后来人死了，倒是比谁跑得都快。这种女的，也就你这种缺心眼儿当个宝！白送给我我都不要！"唐海冰冷笑着说。

"滚蛋！不和你说了，跟你丫说不明白！反正我就是喜欢她了，不管谁欺负她我都不答应！挂了！"

陈寻摔掉电话，回屋仰躺在了床上，他很生气，却不知道到底在生谁的气。

在带着血腥味的生日之后，他们又回到了循规蹈矩的校园生活。虽然又要早起、穿校服、写作业、考试，但是方茴却很喜欢过这样的日子，踏踏实实的，不必害怕侵害。毕竟在学生时代的生活也好，恋爱也好，并不是那么风花雪月，更刻骨铭心的是每天相依相伴的感觉。

因此开学那天，方茴的精神特别好，她满脸笑容地和每个熟人打招呼，如沐春风。

乔燃走到她身边说："怎么那么高兴啊？我看全班就你最开心！别人都盼着多放几天假呢！"

"是吗？"方茴一边收作业一边笑着说："开学也挺好的啊，不是又每天都能见面了么？"

"也对！"乔燃笑了笑说，"那天练完舞你和陈寻上哪儿去了？我们还说一块吃串儿去呢，后来怎么也找不着你们了。"

"啊……我有点事……"方茴结巴地说，"帮我数数本。"

乔燃接过本说："那咱今天放学去吧，估计今天没什么作业。"

"21、22、23……嗯……行啊！"方茴把本戳齐了说，"你那边多少？"

"20个，怎么少俩？我再数一遍。"乔燃皱着眉说。

"不用，刚才我都数了一遍了，看来就是少两本，谁没交暑假作业啊？"方茴抬起头问。

"我我我！等会啊！马上就好！"赵烨举起手说，林嘉茉在他旁边焦急地催促，"快点！快点！"

方茴和乔燃走过去一看，发现赵烨正奋笔疾书地抄着林嘉茉的作业，乔燃笑着说："我一猜就是他！每次都这样，现上轿现扎耳朵眼儿，嘉茉下回不借他！不惯他这臭毛病！"

"嘿！乔燃你丫真不仗义！"赵烨愤愤地说。

"快写！"林嘉茉一巴掌拍在他后背上，委屈地说："我哪儿知道他差这么多啊！下次再也不借他了！"

"是得快点，一会儿侯老师就来了，"乔燃说，"嘉茉，刚才我和方茴说好了，晚上一块吃串儿去！"

"好啊！"林嘉茉兴奋地说，"不过咱们别吃串儿了，我都腻味了，咱今天去吃麻辣烫吧！"

"麻辣烫？是火锅么？那多费事儿啊！"方茴说。

"不是涮锅！也跟串儿似的，不过是放锅里煮的，倍儿香，你去看就知道了！"林嘉茉说。

陈寻从班门口跑了进来，往赵烨旁边一坐说："还抄哪？快点，侯老师这就来！我刚从她办公室出来！"

"操！写完了！"赵烨合上本扔给方茴说，"我手腕子都快折了！怎么他妈这么多啊！"

林嘉茉瞪他一眼说："活该！早干吗去了！哎！方茴！把我们俩本儿错开，别放一块！答案都一样，一看就是抄的！"

"累死我了！今儿放学我得好好吃一顿！"赵烨喘了口气说。

"吃什么去啊？"陈寻问。

"麻辣烫，嘉茉找的地儿，刚商量好，一起啊！"赵烨说。

"没问题！"陈寻笑了笑，掏出课本坐好。

放学的时候这几个人痛痛快快地收拾好书包就走了，方茴没骑车，陈寻带着她。陈寻新买了一个索尼的随身听，带线控的，特高级，方茴拿过来摆弄，陈寻很兴奋地给她介绍功能，方茴也不懂，笑笑塞上了耳机，里面是张信哲的歌，听着确实不错。

赵烨和乔燃笑话他显摆那劲儿，不停挤对陈寻，一路上又笑又闹就没消停。

　　说到底那时候他们也没什么愁事，当然也没有什么远大理想，天天晃悠着小日子过得挺滋润的，所有人都很知足。只不过他们年纪小，不明白这是什么样的感觉，其实就像张信哲的那首歌唱的，且行且珍惜呗。

长大

Fleet
of
Time
· · · · · ·

方茴说:

"我们都以为长大以后

就能真正地永远相伴,

于是不惜一切代价地拼命成长,

但是当真的长到足以告别青春时,

才突然发现,原来长大只会让我们分离……"

1

我有时候会害怕方茴消失。

我总觉得她是以很决绝的姿态离开北京的，因为在这里，我从没看见她给除了亲人外任何一个故事中提到名字的人打过电话，这让我总是产生很抑郁的预感——总有一天她也会悄无声息地离我而去。

虽然我们之间也有类似于互相依靠的关系，但是我心里仍然很不踏实。我想这可能算是雄性生物的一种特性，对于不能到嘴的猎物，总惦记着。

可惜我不能像狮子扑羚羊一样，把方茴按在我爪下，等不到也联系不到她的夜晚，我只能像怨妇似的窝在家里，吸烟，胡思乱想，在心里咒骂，却又竖着耳朵，小心听着楼道里的动静。

方茴进屋的声音很轻，她转动门把手，小心翼翼地放好东西，尽量不让纸袋子和塑料袋发出"沙拉沙拉"的声音，然后打算再小心翼翼地离开。

"回来啦。"我在黑暗的角落里突然发出声音。

我曾问过她为什么叫"茴"，她说是因为他爸爸上山下乡、远离故土的时候时时刻刻都想着早些回家，所以生下孩子第一反应就是"回"字，她妈妈嫌女孩子叫这名不文雅，于是擅自添了个草字头。我觉得她真是辜负了这名，明明是寄托回家的念想，但却常常漂泊在外。可是，她又和这个名字有着冥冥牵绊，总是让身边人想着，她回，或不回。

"啊……"她没想到我在等她，有点惊讶。

"哪儿去了？"我起身问她，我视力不好但鼻子很灵，这就是生物界的互补，总能让你有一种办法察觉到生活的异常，给你留下及时做出反应的余地。

她身上带着一点点陌生的味儿，不是街道乱哄哄的人气，而是在某个地方待久了的味道。

"外……外头。"她有点结巴地说。

我叹气她的老毛病，一有事隐瞒就结巴，看来是从初中起就落下根儿了。

"我还不知道是外头？你要在屋里我还用这么眼巴巴地等着吗？"我有些烦躁地说，"你也用不着瞒我，我真不是那么爱管你的闲事，也不是特喜欢观察您那点绝对隐私，只不过下回你出去什么的好歹吱一声，你现在不是一个人过，再怎么着也该有点自觉，这么大人了，不懂什么叫互相照应啊！我天天鞠逼累的，你就别再让我操心了成不成？"

方茴没有说话，她静静地站在那里，身体明显有些僵硬。

我想自己可能说话说重了，但是我是真担心她来着，这丫头太愣，心眼直，不懂回旋，还特别固执。把她扔谁那儿我都不踏实，就是跟 Aiba 都不行，我怕哪天她真傻了吧唧地被 Aiba 掰弯了……

"挺累的先洗澡去吧，还在我这屋，替 Aiba 省点。"我走过去拉她。

她毫不犹豫地拍掉我的手，然后自己却有些呆住了，我们好像都在状况外，一时气氛无比尴尬。

我很清楚地记得，在共同生活之后，她已经不再拒绝我"目的单纯"的接触了。

最终，沉默被一个外人打破了，楼下的韩国眯眯眼小伙来敲我们的门，用很韩味的英文呼喊着方茴的名字。

"袋子，我拎的那个，刚才忘记给你了。"他站在门口，一手支门，一腿弯曲地摆着 Pose 说。

我心想，喷点发胶穿件帽衫你就以为自己是张东健宋承宪啊！装什么大头蒜啊！

"啊！谢谢！"方茴客气地说。

　　"真是！你还特意跑一趟！"我赶在方茴之前接过袋子，一脸识相就赶紧滚蛋的表情，蠹在门口俯视着他说。

　　"那明天晚上我来接你，我们一起去。"小眯眯眼白了我一眼，微笑着冲方茴说。

　　"好，英浩，谢谢你，真是麻烦了。"方茴很真心地说。

　　"上哪儿去呀？"我有点急眼了，那什么英浩一直对方茴心怀不轨，她看不出来我却能看出来，天下乌鸦一般黑，我自己也有这心思所以完全能明白他那点猫腻。我可坚决不能容忍在自己默默奉献的时候，被这眯眯眼抢得先机。

　　"打工，"英浩一副资本主义丑恶嘴脸，他完全忽视了身边方茴努力制止他的表示，得意地说，"我们从今天起，每晚一起打工。"

　　我彻底没话说了。

　　不是因为嫉妒，而是因为感动，只有我知道她为什么去打工，她肯定是看着我这么累觉得不落忍了。

　　那韩国傻叉儿压根不明白怎么回事，以胜利者的姿态跟我们道了别，我关上门，有些不好意思地说："你不用……"

　　"给！"方茴把手里的袋子扔给我，别扭地说，"吃吧！"

　　我打开袋子，眼睛里直冒绿光，里面是一盒辣白菜炒饭，这东西我有 N 久没吃过了，确切地说，与方茴合伙之后，我们就没吃过像样的饭，估计我们俩的分量加一块，都没一健壮的澳洲男人沉。

　　"是我们打工那个餐厅做的，好吃么？"方茴趴在桌子上问我。

　　"嗯！好吃！你也吃啊！"我狼吞虎咽地说。

　　"我吃过了，"方茴说，"我去给你倒杯水。"

　　她把水端回来的时候，我已经在抹嘴了，她惊讶地看着我说："你这是……"

　　"呵呵，传说中的风卷残云！"我笑了笑说，"你们在哪儿打工啊？要是远就别去了，要不你天天这么晚回来，还不够我着急的呢！"

　　"没事，我都和英浩一起的。"

　　"跟他在一块儿才更不让人放心呢！他那狼子野心昭然若揭啊！"我拿着饭盒愤愤地说。

　　"得了吧你！"方茴笑笑说，"反正我肯定去打工了，你要是拦着，咱们就散伙！

这么大人了，不懂什么叫互相照应啊！"

"嘿，你这人，学我是不是？好的不学，你倒是先会威胁我了！"我皱着眉一脸苦笑。

"当时你不是就这么威胁我的吗？就这么定了，我洗澡去。"方茜站起来背对着我说，"你看看自己都成什么样了，跟瘦杆狼似的……"

方茜就是这样，总是时不时地让我心疼一下，她那种别扭的温柔，只有慢慢地才能体会到。

我偷偷地看着她把头发梳成发髻，踮起脚拿毛巾，把衣服放在盆里走进浴室。那个时候我终于有了切实的感觉，觉得自己真正地是和她这个人相处，而不是她过去的回忆。

我们忙了一通，等我洗完澡再收拾好，方茜已经窝在我们捡来的沙发上睡着了。

她一定累坏了，那么蜷缩着不舒服的姿势，她却像婴儿一样睡得香甜。我小心翼翼地凑过去，在月光下，她的睡颜恬静美丽，毫无防备，两根湿漉漉的发丝懒散地搭在她的脸颊上，嘴唇微微嘟着，粉粉嫩嫩地泛着光。

我低下头轻轻吻了她一下，她没有醒，睫毛微微动了动，扫过了我的心尖。说到底我也不是什么正人君子，不可能做事干干净净大义凛然，但是我也不愿意乘人之危。我当时给了自己一个很好的理由，那就是当方茴把她以前的事讲完，我们都能仰起头面对过去时，再一起向未来迈进。

那时候我就像找工作之前一样自信满满，我根本想不到竟然会在几年之后才听完这个故事。现在想想，如果我能再决断点，也许就不会错过。

但是我们永远无法预计未来，年轻的时候我们太坦诚，而长大之后我们又太不坦诚。时光这种东西充满魔力，它没有提醒我以后会发生什么，只是看着我傻子一样靠在沙发边沉沉睡去。

大概凌晨两点的时候我被一阵扑簌簌的声音吵醒，我模糊地看见方茴在沙发上抱成一团，她在微微颤抖，发出动物一样的呜呜声。

我爬起来，坐到她身边拍着她问："怎么了？做噩梦啦？"

"我……我梦见他了……"方茴抬起头，满脸绝望地说："可是……为什么是梦呢？"

这次，换我绝望。

2

1999 年 9 月的某一天方茴做过一个噩梦。

在梦里她回到了 B 中校门口，确切地说就是李贺死的那天，那里围着一群人，地上殷红殷红的，她本能地想跑，却又觉得应该回去和他说点什么。于是她大着胆子拨开人群往里走，她远远地看见唐海冰怀里抱着个人，他半跪在地上狠狠地瞪向她。方茴急忙摇头，大声说我不知道的，你别怪我，我是来看看他，看最后一眼……唐海冰没有说话，他身边那个人动了动，遥遥地抬起头，方茴瞬间呆住了，那个人不是李贺，而是陈寻！流着血的陈寻！

方茴疯了一样地跑过去，她哭喊着陈寻的名字，紧紧抓着他的手，一次次想把他拉起来，拉到自己怀里，可是对方却没有一点反应，死气沉沉的。这种徒劳无功的拉扯突然让她产生无比空虚的感觉，好像整个世界只有她在用力。

难道就不想一起站起来逃跑吗？她疑惑地抬起头。

然而她看见的竟然是冷冰冰的尸体，李贺的尸体，他的手上沾满了血，而方茴一直紧紧握住的，就是这只无丝毫生气的手。她猛地甩开它，可是不可避免地，她已经染上了李贺的血。

唐海冰不知道什么时候走开了，人们渐渐围成一个圆圈，方茴觉得有千百个指头指点着自己，她大声辩解，但根本没人听。在这些冷漠的人中她终于看到了陈寻，但是陈寻一脸厌恶，他撇撇嘴，转身和唐海冰一起离去……

"别走！"

方茴惊醒时泪流满面，她竟然觉得这个梦无比真实，至少那种无可挽回的锥心之痛是真的，让她一阵阵心有余悸。

第二天上学，方茴因为这个梦很没精神，乔燃跟她说话，她都回答得恍恍惚惚的。陈寻吃完饭后坐在她后边的桌子上，方茴一直发呆，连头都没回。

"嘿！想什么呢！"陈寻拿手里的棒棒糖敲了她头一下说。

方茴猛地一哆嗦，两个人都吓了一跳。

"怎么了你？"陈寻忙跳下来，走到跟前弯下腰说。

"没事，"方茴玩着手里的涂改液说，"你吓我一跳！怎么神出鬼没的！"

"什么呀！我都坐那儿多半天了！吃棒棒糖么？要橘子的还是草莓的？"陈寻问。

"橘子。"方茴随口说。

"橘子……"陈寻翻了翻兜，笑着说，"我忘了，橘子就是我嘴里这个，只剩草莓的了。

我就舔了两口，你要不嫌弃，就凑合吃吧。"

"哦。"方茴茫然地点点头。

陈寻本来是跟她逗贫的，没想到她根本没听进去，一点反应都没有。看着她心不在焉的样子，陈寻疑惑地问："方茴，你今天怎么这么不对劲啊，刚才上语文课时我就发现了，你趴了得有半节课，到底是怎么了？"

"陈寻……"方茴认真地看着他说，"我昨天做了个梦，我梦见你和唐海冰一起走了，我一直叫你，可你没理我……也不知道为什么，我觉得早晚有一天，你会跟他们走，我最后还是留不住你……"

陈寻"扑哧"一下笑了，他揉了揉方茴的脑袋，毫不在意地说："你成天都琢磨什么啊！就因为这事？那是梦，又不是真的！再说，没听人说梦都是反的吗？怎么可能呢！"

"可是我醒了就哭了，那种感觉特难受……"方茴低下头说。

"你别胡思乱想了！"陈寻蹲下来，趴在她课桌边小声说："我永远不会离开你的！"

"永远是多远啊，"方茴轻笑了一下说，"我们才这么大，谁能说得准那么久以后的事情，我只是希望就算哪天我们分开了，你也不会后悔曾经和我好过，就够了。"

"你什么意思？"陈寻沉下脸说，"我就是想以后都一直在一块才和你好的，要不然我这算是干吗？逗闷子啊？你就是压根不相信我！"

"不是……"方茴有些伤心，虽然陈寻说得那么美好，但她却没什么底气。前路漫漫，而他们相遇太早，能够结伴同行多远，她真的没谱。

"好！我要是说的不是真心话，以后抛弃你了，就让我出门撞墙，万事不顺，众叛亲离！"陈寻急了，赌气说起了狠话。

"行了行了，我知道了。"方茴忙安抚他说，"不是说给我棒棒糖么？哪儿呢？"

陈寻看她不再纠结，心里舒服了点，把手中的棒棒糖递过去说："你也真是的，你看电视里，那男的要发毒誓，女的都使劲拦着。你可好，一字不落听我说完，一点也不心疼我！"

方茴红着脸剥开糖纸说："你别胡说了，班里这么多人呢……"

"哦……"陈寻站起来说，"那我下楼找赵烨去了，你别自个瞎想了啊！"

方茴点点头，看着陈寻走出了教室。

其实她刚才根本没想过要阻拦陈寻说下去，恰恰相反，她一直在认认真真地听。她觉得，如果真的担心那些诅咒的东西实现，那么就会一直遵守诺言，这样不也挺好的吗。当然，这些想法她并没有告诉陈寻。

方茴这种稚嫩的心思未免有点可笑，她在那会儿并不知道，所有男孩子在发誓的时候都是真的觉得自己一定不会违背承诺，而在反悔的时候也都是真的觉得自己不能做到。所以誓言这种东西无法衡量忠贞，也不能判断对错，它只能证明，在说出来的那一刻，彼此曾经真诚过。

而陈寻也同样有件事没跟方茴说。

他一出教室就碰见赵烨了，赵烨在下面刚盖了三个球，正兴奋呢，见到陈寻就高高蹦起来，一边学《灌篮高手》嚷着"赵烨苍蝇拍"一边扑了上去。陈寻一下没躲开，被他挤到了楼道墙上，胳膊肘蹭掉了一块皮，浸出了血丝。

"哎哟真对不起！"赵烨嬉皮笑脸地说，"没想到你这么不经拍，一暑假没练功力降低了呀！"

"滚蛋！没空搭理你啊！"陈寻推开赵烨说。他有点慌乱，因为他突然想起了刚才那个"出门撞墙"的誓言，心底凉飕飕的，手心都出了汗。

"装什么逼啊？怎么脸色儿都白了？魔怔啦？别真给你打坏了。"赵烨凑上来说。

"就凭你？再修炼一万年吧！"陈寻揉了揉胳膊，轻蔑地说。

两个人笑笑闹闹地下了楼，陈寻没有多想，他用唯物主义推翻了自己的不安。新世纪的三好学生怎么能被封建迷信给吓唬住呢，应该高举马列主义大旗，紧握政治理论，见神杀神，见鬼拍鬼，小宇宙爆发，一顿天马流星拳把敌人 KO 掉，就不信这个邪了！

③

　　在长达几个月的排练之后，10 月 1 日来临的那天好像有种大幕即将拉开的凝重感。

　　方茴住在了奶奶家，早上一起来就在居委会大妈的带领下在门口挂上了国旗。奶奶早就把她晚上去天安门广场跳舞的事宣传出去了，在门口就站了那么一会儿，就过来不少街坊打招呼，院里的李大爷乐呵呵地说："今晚上我们方茴去接受国家领导人接见！"大家一片"啧啧"的赞叹声，问她到底是在天安门广场上跳舞，还是在金水桥上面跳舞，还问是不是得给领导人献花，弄得方茴十分无奈。她苦笑着想，这群众的言论就是厉害，估计再传两条胡同，就会变成她今晚上将独唱一曲，歌颂祖国美好河山了。

　　中午在院里就能听见轰隆隆的声音，也可以看见空中飞过的飞机，据说是检阅的，还有直升机巡逻。对门王叔叔拿挂红布的竹竿召回了几只陌生的鸽子，估摸着是在广场放飞的，里院一小男孩还捡了个气球，也说是在天安门放的，飘到这里来。方茴想起当年亚运会时自己也这么兴奋过，还存了几张熊猫盼盼的彩票当书签，不过现在她可没精神再和邻居们嘎达牙了，下午东四大街会戒严，学校规定了集合时间，她要不提前走，一会儿就连胡同都出不去了。

　　方茴和陈寻他们约在东四路口集合，她收拾好了东西，跟英雄似的被奶奶拉着在院里和大家一一告别，被一群人簇拥着一直送到了大门口，说了半天才阻止他们把她送到胡同口的想法。这么一来一去耽误了不少工夫，她匆匆忙忙疾走着去和同学会合。

　　大街上几乎没有人，远远地，方茴就看见了陈寻，他正焦急地往这边看，一见到她的影子，便使劲挥起了手。

　　"怎么这么慢？我都快急死了！一会儿这就戒严，刚才都过去好几辆警车了！"陈寻说。

　　"耽误了点……"方茴走得急了，咳嗽着说。

　　乔燃递给她一瓶水说："甭着急，这不赶上了么？先喘口气，纱巾带了吧？别忘东西。"

"坏了！"听乔燃这么一说，方茴突然叫了起来，"不行，我还得回去一趟！"

"怎么了？快来不及了啊！"林嘉茉看看表说。

方茴已经跑走两步了，她回过头说："你们先去吧，别等我了！"

"哎！你看着点车！我们在你家对面胡同口等你！待会儿咱们一起穿胡同过去！"陈寻大声喊。

"她搞什么啊！真戒严了，咱们可飞都飞不过去。"赵烨皱着眉说。

"我也不知道，先往前走吧。"林嘉茉拍了拍他肩膀说。

方茴几乎是踩着警铃跑出来的，两条胡同之间的窄街就像不可逾越的深崖，她差点与陈寻他们失之交臂。快跑到那边的时候陈寻伸手抓住方茴，一下子把她拉了过来。

"太你妈惊险了！快赶上美国大片了！"赵烨呼了口气说。

"吗去了？"陈寻问。

"取……取相机。"方茴拍拍兜说，"刚才……忘了。"

"操！我当什么呢！拿它干吗啊！齁占地的。"赵烨白了她一眼说。

"不是你那天说要拿的吗？"方茴委屈地看着他说，"还说到时候咱们五个在天安门城楼底下合个影……"

"啊？"赵烨一脸茫然。

"你听赵烨的？他说话就跟放屁似的！不，还没屁值钱呢！他也就心血来潮那么一张罗，他一说你一听，全当小鸟操老鹰，也就你当真！"陈寻气得直笑，不停数落赵烨。

"滚蛋啊！就你丫说得好！操！方茴待会儿咱俩照，不带丫玩啊！"赵烨揽过方茴的肩膀说。

"放手！"陈寻和乔燃同时喊了起来，两人互相瞧瞧，都有些尴尬。

"行了行了！都别闹啦！赶紧走吧！再不走真迟到了！"林嘉茉把纱巾系在腰上，拉起方茴就跑。

他们是倒数几个到学校的，侯老师免不了也批评了两句。陈寻赶紧接过她手里的活，帮着发放晚上的食品。乔燃一个个地检查服装和道具，说是道具其实也就是一块纱巾而已，上面缠了个闪亮的绒球，跳《阿系跳月》时当腰带，跳《迷人的秧歌》时当手绢。

　　出发之前校长、副校长、德育主任挨个讲了话，满是家国大业、民族气节的豪言壮语，一副当今世界舍我其谁的气势。底下的学生没那么些想法，更多的是小孩子般的兴奋，谁和谁都没在一起待过这么久，想起即将集体熬夜，一个个喜笑颜开。

　　长安街早就禁行了，全校的学生配合典礼要步行到天安门。好在年轻也不怕多走这点道，一路上有说有笑的丝毫不寂寞无趣。十几岁的男孩子还不太懂温柔和体贴，陈寻只顾着和男生逗笑，偶尔凑到方茴旁边和她聊两句天，却看不见她手里的塑料袋已经从左手到右手，换了几个来回。一直等到林嘉茉嚷嚷着沉，赵烨屁颠屁颠地去替她拎时，陈寻才反应过来也该去帮方茴拿袋，但他回头一看，却发现方茴手中已经空闲了出来，乔燃走在她旁边，提着两个袋子，正拧开水给她喝。

　　乔燃把水递给方茴，跟她聊天："暑假的时候去和我姐姐看了，故事还可以吧，歌确实好听。"

　　"什么啊？"陈寻就听了个开头，走过去问。

　　"电影，《宝莲灯》，"方茴说，"主题曲是张信哲的《爱就一个字》。"

　　"哦！那个啊！我知道，'爱就一个字，我只说一次……'对吧？"陈寻随手拿过方茴的水瓶，对着嘴喝了起来。

　　"嘿，你这人！讲不讲卫生啊！你喝了人方茴待会儿怎么喝啊。"乔燃笑着说。

　　"她都不嫌弃我，你管得着么？"陈寻半开玩笑半挑衅地说。

　　"谁……谁说不嫌弃！"方茴不好意思地夺回了瓶子说，"喝自己的去！"

　　"那个《宝莲灯》好看吗？"陈寻看着方茴欲盖弥彰的样子有点想乐，板了板脸赶紧说起了别的事。

　　"还行，比我想象的好，特别纯真美好，所以你不一定爱看。"乔燃说。

　　"你就踩咕我吧！"陈寻不理他，转过头问方茴："想看么？赶明儿我带你看去！"

　　"不想看！"方茴没想到他当着乔燃就这么说，她很不自在，急忙地拒绝。

　　"现在好像也不映了吧……"乔燃想了想说。

　　"哎？可惜！"陈寻叹了口气，一副很失望的样子。

　　没聊多久，走在前边的侯老师就喊了陈寻一声，陈寻忙答应着跑过去，乔燃看着他的背影，若有所思地说："方茴，你和陈寻挺好的哈。"

　　"啊？"方茴愣了一下，结巴地说，"还……还好吧，咱们不是都很好吗？"

"呵呵，也对，"乔燃笑了笑说，"不过不知道的人看起来，没准以为你喜欢陈寻呢！女孩都挺喜欢他这样的男生吧！"

方茴不知道说什么好，尴尬地点点头，又摇摇头。

"也不是……"

"你看，咱们学校喜欢他的女生多少啊！够个加强连了！"

"那有什么好的。"方茴看着五班那边的学生撇撇嘴说。

"总比我好，呵呵，我怎么就没想到和你去看《宝莲灯》呢？"乔燃低下头，眼睛里闪过了与以往不同的波光。

"那……那干脆叫上嘉茉、赵烨，一起再去看一次好了。"方茴所答非所问地说。

"哦，可以啊。"乔燃的眼神黯淡了下去，但只有那么一会儿，再抬起头，依然是温和的笑容。

陈寻在前面一直偷看着他们，眼见两个人窃窃私语，终于忍不住喊："乔燃，别和姑娘逗贫了！快来帮忙数人，前边就到了！"

"滚蛋！谁逗贫啊！这就来！"乔燃脸颊微微发红，转头跟方茴说，"那我过去了啊。"

"嗯。"方茴点点头，虽然乔燃是让人舒服的男孩，但她却并不贪心。

乔燃往前走了几步，又突然回过头，他拿过方茴手中被陈寻喝过的矿泉水，掏出自己袋子里的水递给方茴说："喝这个吧，还没动过的，我已经帮你拧开了。"

方茴接了过来，她望着手中透亮干净的矿泉水瓶，突然有些茫然无措。

F中跳舞的地方在长安街靠近人民大会堂的一边，方茴看着宽阔的广场叹了口气，这样的距离她根本不可能回家向邻居们汇报国家领导人穿了什么衣服，系了什么领带，脸上有没有痦子，褶儿多不多，能看见个影儿就算不错了。

晚会八点开始，时间还早，但是有演出任务的人已经全部准备就绪了。F中校长命令大家集体休息，不许胡乱走动，上厕所举手跟老师汇报。学生们坐在平时车水马龙的天安门广场上，多少有些不真实的兴奋感。赵烨把这种躁动表现得淋漓尽致，他先是拉着林嘉茉玩"一个、一个、一个个……"，巴掌拍得飞一样快，引得不少人看，后来又伙同陈寻、乔燃，和方茴、林嘉茉一起玩"龙虎斗"。渐渐周围看的同学越来越多，赵烨干脆组织了小十个人一起玩"一只青蛙四条腿，两只青蛙八条腿"。偏偏他玩得又不好，就在赵烨被一群人起着哄，等待林嘉茉弹脑嘣儿时，侯老师终于按捺不住走了过来。

　　"都给我坐好了！别的班同学都好好待着呢，就看你们疯了！都多大啦？还玩这个！我要是不过来你们是不是就要在天安门广场上'老鹰捉小鸡'了？"

　　"没有，没有，不会动静那么大，顶多'一网不捞鱼'。"赵烨嘻嘻笑着说。

　　"说你呢！还笑！给我老实待会儿！"侯老师板起面孔说，"我看你是太闲了，这么着吧，我给你安排个活儿，一会儿你负责带同学去厕所，就在那边，蓝色围挡的地方。"

　　"啊？"赵烨一声惨叫，"不用吧，这事还是乔燃去比较靠谱，他不是生活委员吗？"

　　"别推三推四的！你个子高，眼睛好，可以帮着看着点，防止同学们走散了！这么大地儿这么多人，真丢了上哪儿找去！"侯佳四处看了看说。

　　"侯老师，那厕所是怎么弄得啊？平时也没看见天安门有这么多厕所啊！"林嘉茉疑惑地问。

　　"走，我带你看看去！看看不就知道了么？"赵烨笑嘻嘻地说。

　　"你瞧他，什么人哪，刚才还老大不乐意呢！嘉茉一张罗立马就欠儿灯似的了！"陈寻捅捅方茴小声说，方茴瞅着赵烨满脸放光的样子笑着点了点头。

　　"没事去厕所参观干吗啊！你们来的时候看到路边有一排排那种长方形的排水井盖了吧，把那个盖子卸掉就可以当作厕所了。"侯老师指着远处说。

　　"啊？就是那个啊！还能这么用啊？"赵烨惊奇地说，"谁设计的？真牛！"

　　"不知道吧？所以说侯老师让你带领大家去厕所就是为了方便你近距离地考察，回头书面给我们汇报一下，这次回去的感想你就写《关于天安门广场厕所的思考》好了！"陈寻挤眉弄眼地说。

　　"操！我看你丫最近是太舒服了！治不了你了还！"赵烨冲过去使劲按陈寻的头，大家在旁边笑成了一片，侯老师边笑边批评他："赵烨！不许说脏字！"

　　当宏大的天安门广场响起《爱我中华》的音乐时，人群自然而然地沸腾了起来。平常懒懒散散的舞蹈，也突然变得充满活力，成千上万人一起熟练地转起了圆圈，场面非常壮观美丽。此情此景，大概只有在泱泱大国神州大地才能欣赏到了。

　　偶尔方茴和陈寻相遇的时候，两人都会相视一笑，他们不约而同地觉得幸运，在茫茫人海中偷偷享受着爱恋的感觉。我想这也算是一种浪漫，毕竟在那么多人里相逢已算不易，对于年龄尚小的他们，相知更是可贵。

　　随着晚会的进行，夜空中燃放了非常绚丽的礼花，那和我们平时看的烟花爆竹可不一样，每一枚都是精良制作，用礼炮放，在空中绽放的花样既大又亮，非常饱满。因为距离非常近，伸手就能触碰的感觉，所以看上去仿佛银河遗落的天光在头顶上盛开。方茴他们从没见过这样漂亮的花火，一个个像小孩子一样又蹦又跳，欢呼雀跃。

　　音乐重新响起，陈寻招呼着同学们说："兄弟姐妹们！跳吧！最后一次集体舞了！咱都动起来啊！"

　　"快跳快跳！"赵烨一把拉住了林嘉茉。

　　"干吗……我不站这队啊……"林嘉茉纳闷地说。

　　"靠！都最后一次集体舞了，还管站哪儿啊！等到新中国成立一百周年时咱俩都快七十了，还跳得动吗？到时候可没机会共舞一曲了，就这么着吧，快点！"

　　赵烨趁着《青春舞曲》的音乐，做了个很绅士的请舞姿势。林嘉茉看着他古怪的样子哈哈笑了起来，欣然握住了他的手。

　　整个广场的声浪响彻天边，林嘉茉捂着耳朵大声向方茴喊，方茴还是听不清她说了什么，两个人对着比画了半天，才明白林嘉茉说的是"照相"。方茴把相机给了侯老师，让她帮忙，林嘉茉拉来了陈寻他们，五个人挤成一团，摆着各种姿势，在漫天金色礼花的夜晚照了他们人生中唯一的一张合影。

　　那场全世界瞩目的盛大典礼，在这些少年眼里最终化成了照片中烟花的倒影。他们不清楚历史上将会怎样记载，也毫无意识已经成为一个重要日子的组成部分。作为千千万万抬起头仰视那场繁华的人中的一个，方茴在那会儿只是单纯觉得快乐，以至于忽略了自己和陈寻悄悄握住的手，和身后乔燃惊讶悲伤的目光。

④

　　性格决定命运，这句话真是一点也没错。比如陈寻和乔燃两个人，就方茴的叙述看来，我觉得陈寻善于制造问题，乔燃善于解决问题；陈寻喜欢表现，乔燃乐于观察；陈寻坚决果断，乔燃同样坚决却犹豫；陈寻做事的过程是思考行动再思考，乔燃则是思考思考再行动。

　　总之，可以这么说吧，陈寻是进攻型的男生，而乔燃是防守型。这直接就注定了他们与方茴的命运，爱和恨，责难和宽恕，相遇和别离。

　　十一新中国成立五十年大庆晚会结束之后，F中又集体步行回了学校。可能是刚才的狂欢消耗掉了太多能量，学生们都安静了下来。方茴也没精神再和陈寻他们聊天了，她有一件事情迫在眉睫，十分地为难。

　　因为活动后的时间很晚，所以学校要求家长们来接孩子回家。方建州和徐燕新知道后都争着来接女儿，徐燕新认为那么晚了，跳舞又累，自然是开车把方茴接到俱隆花园好好休息。而方建州则认为自己骑着自行车来，把车停在学校里再打车回家一样可以，不用开车那么显眼。他们谁也说服不了谁，两句话不对又扯到了钱上，一个说你不就是有点臭钱，有什么了不起。一个说臭钱怎么了，有这点臭钱就能让女儿舒舒服服地坐高级进口车，不用大晚上满街溜达打车，还要使劲瞪眼专挑一块二的夏利，不敢打一块六的富康。两人吵了起来，互相摔了电话，最终也没商量好。方茴生怕他们都来，在校门口闹起来弄得满城风雨，因此回到学校就匆匆和大家告别，跑到了校门口眼巴巴等着，心想要和爸爸一块回家。倒也不是想了别的什么，她只是觉得爸爸大老远骑车过来不容易，不能让他一个人回家，妈妈有车多少好点。

　　另一边陈寻看着方茴走远，自个去取了车，男孩子没女生那么麻烦，他就没叫家人大半夜跑一趟。陈寻走到车棚时遇见了乔燃，他也一样没家人接，正若有所思地想着点什么，一边转车钥匙一边发愣。陈寻走过去拍了一下他的肩膀说："嘿！大半夜琢磨什么呢？"

乔燃回头看了看他，低下头开车锁说："你们家没来人啊。"

"没！太折腾，咱们都这么大了，又不是小学生，用不着他们接送。再说今天治安肯定好，能出什么事。"陈寻也开了车锁，把车推出来说。

"那咱俩一块出去吧。"乔燃把跳舞用的纱巾缠在车把，回过头说。

"成，走吧。"陈寻跨上自行车说。

月光在两个年轻男孩的身上镀上了一层银色的亮光，他们一起在寂静的大街上并排骑着车，身上洋溢出青春独特的气息。夜晚的黑和月亮的美，让人的心安静了下来，在这样的景致里，乔燃终于问出了困扰自己很久的问题。他语调平和，坦诚地说："陈寻，你是不是喜欢方茴啊？"

陈寻有一些吃惊，他愣了愣，随后很自然地绽开笑容说："对啊！我喜欢方茴，嗯……她也喜欢我，其实我们已经交朋友了！"

乔燃逆着光，并没有看清他的笑容，虽然月光很亮，但他却觉得世界黑暗了一下。这仅仅一下下的黑暗，让他的心突然钝痛。

"不好意思啊，一直瞒着大家，我们怕被很多人知道，不好。不过你都看出来了，我就不瞒你了！"陈寻仍旧笑着。

"哦，这样啊，"乔燃扯了扯嘴角，勉强算是笑，他冲着空荡的夜空深吸了口气说，"方茴是好女孩，她真的挺好的。"

"嗯！她心眼特好。"陈寻点点头说。

"善良，单纯。"

"从来不去麻烦人，什么事都尽量自个做。"

"找她帮忙，她一定尽心尽力。"

"虽然不爱说话，但是她想得多，心细周到。"

"不虚荣，不做作。"

"上体育课做操的时候显得挺笨的，但努力把胳膊抬平的样子很可爱。"

"做功课认真的样子也很可爱。"

"课桌收拾得特整齐。"

"校服永远干净。"

"眉毛和眼睛漂亮。"

"手指漂亮。"

"皮肤好。"

"头发很软。"

"写字好看。"

"声音好听。"

"画画好。"

"唱歌也不错。"

"聪明。"

"温柔。"

"所以我喜欢她！"

"……"

　　他们对于共同喜欢的女孩的赞扬，在十字路口戛然而止。陈寻最后说的那句话让乔燃无话可说。他突然惊醒，从对方茴的美好想象中抽离。他悲哀地明白，即使方茴再好，也已经失去了。可能连失去都算不上，因为他从未得到。所以，面对陈寻的骄傲，他根本没有立场。

　　乔燃跟陈寻在那个路口分开，他们带着不同的心情去往了不同的方向，就如同日后他们对方茴的感情，两种不同的方式从那时候起就背道而驰。

　　其实我认为乔燃有点傻，他没给自己余地，就拱手退让了。如果一开始他不是问陈寻喜不喜欢方茴，而是直接说自己喜欢方茴，那么可能心里痛苦辗转的人就会是陈寻，可能他就有了机会，公平地去和陈寻竞争，至少不用把心事隐藏。可是他没有，陈寻的诚实把他逼进了死角，使他的感情只能压抑了起来，被埋在年少时光中最深的地方，而这一埋，就是很多很多年。

　　方茴和陈寻的秘密就这么揭开了，既然五个人里有四个人都知道了，那么剩下的一个自然也不能再隐瞒。

　　赵烨听说之后十分兴奋，甚至比当事人还看重这件事，一边嚷嚷着地下工作做得好，一边两眼放光地观察他们的一言一行，经常莫名其妙地小 High 一下，让旁边的人甩过一排白眼。可惜没人和他分享这种乐趣，方茴脸皮薄肯定不会和他说这个，陈寻怕被他挤对也不主动提，林嘉茉新鲜劲早过了，不屑于像发现新大陆似的天天念叨，乔燃心里独自难过着，压根就不想提。

但是即便这样，赵烨仍旧跟吃了激素似的雀跃异常，其实他并不是看热闹忘儿哄，而是用另一种眼光看待这件事。

赵烨喜欢林嘉茉，基本属于一见钟情，二见倾心的程度。别看平时凡事都有他，总是冲在最前头，但是骨子里他却很胆小，尤其是面对林嘉茉的时候，按陈寻的话说，就是稚嫩得像鸡一样。这话曾经招来一顿暴打，害得陈寻每次都要解释，是小鸡的"鸡"，不是小姐的"鸡"。

说到底赵烨还是担心被拒绝，那简直太折面子了。他们天天都在一起玩，低头不见抬头见，如果被闪了，就真的下不来台。毕竟林嘉茉并没表示过什么，只是天天围着赵烨傻玩傻乐。那次喝醉酒，林嘉茉靠在他胸前沉沉睡着，而赵烨却百爪挠心，火烧火燎的，送她回家之后又绕着二环骑了一圈才冷静下来。所以赵烨迟迟不敢跟她说出这份心意，他害怕林嘉茉那美丽的笑容会因此在他眼前消失不见。

而这次陈寻和方茴的事给了赵烨勇气，他突然发现两个人原来可以像好朋友一样天天玩闹，同时又可以在心底互相倾慕，在别人看不见的角落偷偷牵一下手，塞张纸条，掰块橡皮。这种美好的关系大大刺激了赵烨，他渴望能和林嘉茉变成陈寻他们这样，渴望得已经忘记可能产生的尴尬了。

但是赵烨并不知道，林嘉茉没有一丝一毫这样的想法，即使有，对象也不是他。那本《第一次亲密接触》她还没有还给苏凯，苏凯高三了，忙得顾不上和他们混在一块，所以能见到他的时候少之又少。林嘉茉仅凭着这本小说和他保持着一点点联系，每次苏凯路过他们班门口，都会停下来朝里喊一句："嘉茉，书看完了么？"林嘉茉就假装说："没呢！轻舞飞扬还没死呢！"慢慢地，好像那本小说已经不再那么重要，只是林嘉茉冲他微笑的借口罢了。

久而久之，方茴他们聚在一起的时候，也谈起了"喜欢"这样的敏感字眼。赵烨总是旁敲侧击地说，要在适当的时候做出适当的表白，两人之间也许只隔着层纸，但是不说开就永远不会知道。这段话被林嘉茉自动代入了苏凯身上，眼看他毕业日日临近，她不甘于就这么送走他，就这么说再见，因此频频点头，说赵烨想得有道理。但岂不知这样一来，更让赵烨蠢蠢欲动。

乔燃持着另一个论调，他觉得喜欢不一定非要说出来，舍得自己的幸福去让心上人幸福，也是种不错的牺牲，王菲不是有首歌么，就叫作《你快乐所以我快乐》，挺好的，挺好的。

林嘉茉说他是书呆子哲学，太不现实了，人家王菲孩子都有了，也就他真信什么你快乐所以我快乐。要真这么下去，是个人都能比乔燃快乐！

乔燃笑笑，不再说话。

陈寻说喜欢这种东西，就是按捺不住的冲动，想早上一起上学，晚上一起回家，最好天天待在一起，一睁眼就能看见。所以即使以后不能一直在一块，但一定要在尚还亲密的时间里，不留下一点遗憾。等彼此老了回想起来，还觉得当初能遇到这样的人，真是太好了。

这话方茴听着有点不舒服，当初陈寻说天长地久的时候她不信，现在陈寻说曾经拥有了她又心酸，因此在她看来，喜欢就是让自己的心变成别人的，说不准是好还是不好的情感。陈寻的话她也无法反驳，只是在心里想，就像他说的吧，若是以后四散天涯，也不要后悔好了。

每个人都有自己的想法，几个孩子已经不能再像最初一样单纯相处。长大就是这样，总是让你得到一些再失去一些。比如他们都不会知道，这些曾经的天真谈话，会产生怎样的后来。

5

其实要不是那天聊起喜欢这个话题，可能方茴和陈寻永远都不会再提到以前的事了。方茴说，现在想想有些事情还是不知道的好，可是所谓覆水难收，她也没办法告诉那时候的自己不要好奇去听，一切终归来不及。

大家吃完饭，各回各家各找各妈。方茴没骑车，她晚上去妈妈家住，陈寻送她回家。以前要是也有这样的时候，方茴可能随意让他们来载，乔燃和赵烨都行。但自从她和陈寻的事曝光之后，陈寻的自行车后座就成了她的专座。乔燃站在马路另一边跟他们挥手道别，槐树下三个身影，偏偏只有他显得有点孤单。

初秋的北京是天气最好的时候，五四大街两旁的银杏树落下金黄的叶子，洋洋洒洒铺满了一地，方茴坐在陈寻身后，手扶着车架，两只腿交替晃悠着，像小女孩一样的调皮。

"你看着吧，赵烨要对嘉茉下手了！"陈寻蹬着车，扭过半边脸说。

"哎？不会吧？"方茴惊讶地说。

"肯定的！他那点花花肠子，逃不过我的法眼！"

"嗯，他看上去对嘉茉还真的挺认真的……"

"切！他对谁不认真啊！什么小学的丽丽，初中的小冰，到高中，就轮到嘉茉了。"

"啊？这样啊，那也好，反正嘉茉也不会同意的，"方茴皱着眉说，"男生对第一个喜欢的人，是最看重的吧？算是初恋对不对？"

"也许吧，可我觉得两个人彼此喜欢才算初恋吧，比如咱俩这样。第一个喜欢的人……不是一般都是单恋么？"

"我也不知道……"

"呵呵，是不是我不算你初恋啊，是李贺吧！"陈寻酸溜溜地说，他总觉得，不管是好还是不好，李贺这人给方茴留下的东西太深刻了，这么多年过去，做梦居然还会梦到他。

"你……你胡说！"方茴有点生气了，"我和他从来就没……"

"知道了知道了！"陈寻向后伸出胳膊拍了拍她说，"我逗你呢！"

"那你呢！我是你初恋么？"方茴问，她有点紧张，手不自觉地抓紧了车架。

"靠！当然了！要不然我也不会这么狼狈啊！"陈寻大叫。

"没有单恋过谁？"方茴放松下来，笑着逗趣地问。

"没……"陈寻不假思索地说，却又突然停住，"有吧……"

方茴的脚后跟猛地磕在了车后轱辘上，狠狠地疼了一下。

"聊会儿天再回去吧。"陈寻停下来，转过身说。

"好……"方茴恍惚地回答，她的心刚才停滞了一下，模模糊糊地搞不清楚陈寻刚才说的到底是没还是有。

"我请你吃冰棍！我都骑出汗了！冰冰怎么样？你要橘子的还是荔枝的？"

"橘子。"

"好！等我啊！"陈寻把车停到路边，跑向了旁边的小卖部。

陈寻买回了冰棍，两个人就坐在了旁边马路牙子上。方茴轻轻咬了一口，橘子味的冰块让她打了个哆嗦，她咳嗽了两声，装作不在意地问："是有吧？"

"啊？什么？"陈寻吸了一口快流下来的冰水，转过头说。

"单恋的人……"方茴小声说，"是王曼曼？"

"怎么可能是她！"陈寻使劲摆摆手说。

"那是谁？"

"其实那也算不上什么单恋……嗯……你认识的。"陈寻有些局促，低下头说，"是……吴婷婷。"

"哦……"方茴尽量平淡地表现，她想起吴婷婷那漂亮的低领衣服，姣好成熟的模样，活泼开放的言语，心里突然有点难受。

"你上回不是问我白锋是谁么？我干脆给你讲讲我们以前的事吧。"陈寻望着远处，已经沉浸在了过去的思绪里。

"好吧。"方茴随着他的目光，也茫然地望向了另一边，她有种感觉，那里可能是她怎么也看不清的地方。

当陈寻和唐海冰他们梳着板寸，穿着背心裤衩，吸着鼻涕，自称女神的圣斗士满胡同乱跑时，吴婷婷还是个天真漂亮人见人爱的小丫头片子。那时候她根本不会骂人，更不会抽烟，也绝对没穿过暴露的衣服。她总是一身干净的小花裙子，梳着两个小辫，一颠一颠地跟在他们后面，奶声奶气地说："等等我，等等我。"这种时候唐海冰通常不会理会吴婷婷的呼喊，继续向前冲杀，而陈寻总会停下来，回过头喊："快点啊！"如果她实在慢了，陈寻就干脆拉着她一起跑。

不过陈寻和吴婷婷并不是传统意义上浪漫的青梅竹马。在80年代末90年代初北京这地界儿上，这些孩子还根本不知道浪漫俩字怎么写。他们会分抢金鸡片和虾条，以至于吵得不可开交；会因为玩三个字时拍打得使劲了，去告彼此家长；同时也会开开心心地掰开大大泡泡糖或双棒冰棍，一人一半；会偷偷买五毛钱一碗的豆腐脑，头碰头凑在一起大口地吃。这样的生活酝酿不出什么激烈的情感，只有站在对方院门口大声呼喊名字时所带来的欢愉和一种说不清道不明的淡淡喜欢。

白锋和他们不一样，他比这些孩子大两三岁，不管是上学、懂事还是闯祸，都比他们先行一步。他家里情况并不好，父亲因为盗窃被判刑，母亲是同一个监狱的女犯，两人不知道怎么着出来之后就结婚生孩子了，接着又不知道怎么着就互相看不顺眼不过了。最后他们谁也不要这个孩子，把他扔在了他爷爷家。白锋他爷爷收留了他，那老头已经什么都看开了，眼珠子都指望不上，还能指望眼眶子？不过多副碗筷，白锋就权当是小猫小狗养大的。

好在这些都没影响白锋快乐成长，至少开始没影响，他以自己的聪明才智和身高个头充当起了这一片的孩子王。比如他玩砍包时总能抓住包，多挣几条命，玩踢锅时攻守俱佳，捉虫子也最灵巧，放在玻璃罐里的蛐蛐永远叫得最响，打架更是几条胡同里的No.1。所以大家都爱跟他一头，和他一起玩，傍晚吃完饭就像聚会一样纷纷跑到白锋那里去，在他们的胡同里，总能听见孩子们稚嫩的呼喊声："走！找白锋去！"

在那时，陈寻、唐海冰和孙涛是白锋的忠实拥趸，而杨晴和吴婷婷则是白锋的忠实崇拜者。小孩子不懂得怎么表现爱慕，男孩通常用追跑打闹来引起女生的注意，而每次陈寻"欺负"了吴婷婷之后，她都会扁着小嘴一脸委屈地说："我告白锋去！"然后一颠一颠地跑走。留在原地的小陈寻，也会因此而感到一丝丝的难过。就这样，三个人之间构成了无比单纯的三角关系。

　　可惜好景不长，随着年龄的增长，大人们渐渐地介入其中。找白锋玩的人越来越少了，原因很简单，就是家长不让，怕跟着犯人的孩子学坏了。其实白锋他爸不见得有多大道行，但是经过人们口口相传，这事就深了。张家二大妈经常跟她孙子说："白锋他爸杀过好几个人！现在凶刀还在他们家床铺下头压着呢！跟白锋玩，万一他看你不顺眼了，就得给你三刀六洞！"小口儿王叔叔吓唬他儿子："白锋家是祖传的杀人病，发起疯来你爸爸我都制不住他！以后不许跟他玩，听见没有！"相比较起来陈寻他妈还比较科学客观，她只是淡淡地说："别去白锋那院了，近朱者赤，近墨者黑。"这些事白锋心里明镜似的，他也不怒不怨，干脆和学校的同学鬼混起来，不在胡同露头了。

　　唯一不太听话的就是吴婷婷，她照样天天往白锋家跑，敲门问他爷爷："白锋在家么？"只不过她的期待问话常常得到失望回答，他爷爷总是摇摇头说："不在，外面野去了！唉！随他爸随了个铁！"就这么三番五次之后，吴婷婷终于遇见了白锋，确切地说不只白锋，还有他身边一个挺古怪的女孩子。那女生穿了很紧身的衣服，小小的胸脯形状能看得一清二楚，白锋和她坐得很近，一边吐着脏字笑骂，一边抽烟。

　　"婷婷！进来啊！"白锋看见她，高兴地笑了。

　　吴婷婷怯怯地走进去，白锋一把拉住她，往她手里塞了一大把酸三色。

　　"看我们婷婷漂亮吧！"白锋很骄傲地对身边的女孩说。

　　"你丫不会恋童吧！"女孩不屑地瞥了吴婷婷一眼。

　　"滚蛋！你丫吃醋了吧！"白锋毫不顾忌地拍了她屁股一下。

　　吴婷婷手心里出了汗，糖果好像化了一点，黏黏的感觉让她很不舒服。

　　"她是谁啊？"吴婷婷小声地问。

　　"她呀！你嫂子！"白锋坏笑着说。

　　"嫂子？"

　　"就是我媳妇！"白锋大笑了起来，那个女孩有点不好意思，狠狠地捶了他一下。

　　吴婷婷从白锋家出来时哭了，她一边抹眼泪一边吃糖，在路上她遇见了陈寻，陈寻慌慌张张地凑到她脸上看，不停地问怎么了。吴婷婷后退两步，把小花裙子紧紧向后勒住弄得像紧身衣一样，抬起眼问陈寻："好看么？"

　　"不太好看。"陈寻歪着头，困惑地说。

　　"好看！你不懂！"吴婷婷气鼓鼓地转了个圈。

"那……好看吧。"陈寻无奈地说。

"其实……"吴婷婷低下头，"我也觉得不太好看……"

说起来白锋没给过吴婷婷什么好处，更谈不上情感的付出。他就像喜爱一个洋娃娃一样地对她好，直到他彻底离开都是如此。

那天他见到吴婷婷的时候照例跑过来塞给她糖，他兜里好像总能变出点她喜欢的东西。吴婷婷接过来含在嘴里，学赖宁把糖纸搓成小棍。

"好看么？"吴婷婷突然想起了点什么，她手忙脚乱地把裙子又弄成了紧身的形状。

"好看！我们婷婷最好看了！"白锋笑着看她折腾。

"比你媳妇好看么？"吴婷婷的童音念出"媳妇"这两个字，听着特别别扭。

"嗯！比她好看！"白锋弯下腰掐了掐她脸蛋说。

"那我当你媳妇成么？"吴婷婷天真且认真地说。

白锋大笑起来，最终看着吴婷婷快哭出来的小脸使劲说了可以。

"长大吧！长大了当我媳妇！"

"好！"

这是他们两人最后一次的对话，怀揣着最美好梦想的吴婷婷怎么也想不到，她和白锋竟然就此一别，后会无期。

半夜两点多的时候，胡同里进来了两辆警车，蓝红相间的顶灯，晃得各家各户都胆战心惊的。吴婷婷迷迷糊糊地缩在她妈妈怀里，她爸爸和几个男人一起出院看了看。没一会儿他们就回来了，她妈妈忙迎上去，慌张地问："这是怎么了？谁家出事了？"

"老白家！他那个孙子把人脑瓜瓢给开了！警察抓人呢！"

"哎哟我的妈呀！白锋这孩子怎么这么大胆儿啊！抓着了么？"

"没！早跑路了，晚上就没回家。他们这家子人可真是的，我就说别让婷婷总跟他玩，你还不当个事儿！你瞅瞅！现在都闹出人命了！"

"谁不当事啊！我说她，她听么！婷婷！婷婷！……哎？这孩子上哪儿去了！"

吴婷婷听见白锋的名字早就跑了出去，她在院门口遇见了同样闻风而来的陈寻，两个人大眼瞪小眼谁也说不出来话，半天吴婷婷才倒过气来，颤悠悠地说："你说，白锋他没事吧？"

"没事吧？"陈寻的话一点都不像回答。

"没事，肯定没事。"吴婷婷努力笃定地说。

"嗯，肯定没事。"陈寻也跟着她笃定地说。

两个孩子最终被各自家长拉回了家，他们那时候还以为睡个觉明天就一切都好了，可以当面问问白锋到底怎么回事，可是自那之后他们就再也没见到过他。

白锋的案子很简单，聚众酒后斗殴，多人受伤一人身亡，疑犯除白锋外另有两人在逃，正在通缉中。死者系某职高学生，据传是混乱之中白锋拿着啤酒瓶砸到了他的后脑勺，致使其当场死亡。涉案的孩子多半被送入了少管所，剩下少部分情节较轻的，也都被学校给了处分。

沸沸扬扬的白锋事件告一段落，人们除了在茶余饭后再念叨两句，也就不再惦记他。而为之改变的只有吴婷婷，她后来和白锋的那些朋友混在了一起，也开始穿紧身衣、化妆、骂人。她收集所有的线索，去打听发生在白锋身上的所有事。倔强的她信誓旦旦地认为，总有一天白锋会回来。即使不能履行彼此的诺言，至少想起来时还可以相视而笑。这是她整个少年时代最执着的想法，一想很多年。

"那你呢？是不是还喜欢她？"方茴静静地问。

"怎么会呢！现在不是有你了么！"陈寻轻抚着她的头发，叹了口气说，"已经不喜欢了。我觉得两个人在一块，一定得是彼此心中最至高无上、无可替代的存在。可是显然我代替不了白锋在婷婷心里的位置。我不愿意委曲求全，她也不想退而求其次。既然这样，何苦非凑在一起呢？"

"因为这个就放弃了？你还真自私霸道……就不能多付出一点啊……"方茴摇摇头说。

"不一样……呵呵，反正我就是挺极端的人，你可别让我知道有什么对不起我的事啊！"陈寻笑了笑说。

"但是我还是挺心疼她的。我觉得她真不值得，因为白锋的人生改变自己的人生，而改变自己之后又不能对白锋产生一丝一毫的影响，这样的等待，太没意义了。"

"有些事，对你来说没意义，对别人可就不一定了。"方茴轻轻地说，她从陈寻语气中感受到了一些不甘心，这种感觉让她很不舒服。

"好了好了！不说了！走吧！我送你回家……哎哟！你怎么弄得！"陈寻站起来拉方茴，突然指着她的衣服大叫。

方茴低下头看，不知道什么时候橘子冰棍融化的水都滴在了她的衣服上，平日可亲的橘黄色变得一片狼藉触目惊心。

她惨笑了一下，即便表现得再不在意，实际上也还是慌乱地掩饰不了小小的心酸。陈寻的心里，终究有她不能进入的空隙。

我觉得女人心海底针这句话很欠妥，要我说，这女人心根本就是宇宙黑洞！你以为你看了个大概了，其实不过是个影儿，真实内容距离你起码亿万光年。

我和方茴闹了小小的不愉快。

起因是什么我也说不清楚，与平时不太一样的地方大概就是我们在买菜的时候遇见欢欢了。当时我们正在奋力地为一些黄瓜和菜贩讨价还价，他比较心不在焉地应付我们，因为他另一边的摊位上有一拨更厉害的主儿在使劲贬低他家胡萝卜的价值。而那两个人就是欢欢和她的澳洲男友。

最终我们两队人马抱着黄瓜和胡萝卜胜利会师，不得不说这是些许尴尬的场景，尤其是我发现那澳洲男人长得基本就像猪一样的时候，我的嘴角很不自然地抽搐了。我琢磨着这小娘皮明显间接骂我了，她甩了我选了他，不就是他比我好的意思吗？可是……操！他哪部分比我好啊！

欢欢的眉毛挑了挑，我知道这也是她不自在的表现。她表明立场似的挽住了那男人的肘子，用依旧没有改观的四川味英语说："Hi!"

我心想装什么孙子！统共四个人，仨都是中国人，干吗还放洋屁啊！

"你好！"我特绅士地说，"你朋友啊？不错不错！我还以为你再也不会来菜市买菜了呢！今天是特意来寻求浪漫的吧？俩人一起砍价多默契啊！"

"还……行吧。"她脸明显绿了一下，随后瞥了眼方茴说："住一起了？"

在方茴没来得及回应之前，我先一把抓住了她的手说："对啊！"

其实我心里特没谱，万一方茴当场挣脱来一句"没有"，那我就跌份跌大发了。可是她很配合，乖乖地将柔若无骨的手放在我掌心里，就像真的甜腻腻的情侣一样。

"我就知道……"欢欢一副了然于胸的样子，"所以当初我是明智的，你一开始就喜欢她了吧？"

虽然她说得不对，但是我也没反驳，因为她至少猜对了一半，我现在的确喜欢方茴。除此之外，欢欢那有点伤心的表情，让我难受了一下。她过得不好我也没觉得过瘾，同是天涯沦落人，何苦来呢！

"如果不介意的话，请说英文好吗？"旁边那头猪一样的男人终于发话了。

欢欢立马换成灿烂的笑脸，十分温柔地介绍了我们，当然没说我是她前男友，只说是同学。

那男人寒暄了两句，他盯着方茴的眼神十分猥琐，我实在忍不了，胡乱说了两句就拉着她走了。

刚刚走出他们的视线，方茴就把我的手甩开了，那力道让我明白她一定是不太高兴。我忙凑到她身边问："怎么了这是？"

"没怎么，人都走远了，我们也不需要继续演戏了吧。"

这丫头挺聪明，我那点小伎俩被她看得透透的了。

"是是是，那你干吗生气啊？"

"谁生气了？"

"你看你看，口不对心了吧！脸还皱着呢，还嘴硬！"

"呵，也不知道咱俩谁口不对心！"她冷笑了一下，弄得我彻底不舒服了。

"我怎么口不对心了！你倒是说说！"

"干吗和欢欢说那样的话！你明明还想着她呢！"

"我现在哪儿有空想着她啊！"

"那你为什么小心翼翼地留着她的杯子？"

"我……"

"得了！不用解释，你不是自己说的么？解释就是掩饰，掩饰就是讲故事！"

我气得一下子乐了出来，平时我说话方茴总不往心里去，但一旦我们吵架她却总能说出点我扯淡的那些话来堵我。

"我发现了，你呀，就是我克星！"我拿过她手里的袋子说。

"不敢当！"方茴没有争，把袋子交给我，却还剩下一点点小脾气。

"啊！我明白了，你是吃醋了对不对？"我逗她说，虽然是玩笑话，但是我还是有一丝奢望。

"张楠！你能不能不瞎说八道啊！"方茴瞪了我一眼，彻底绝了我的念想。

我自嘲地笑笑说："我留着她的杯子，不代表我还喜欢她。就像你把陈寻所有的东西都扔了，也不代表你就忘了他。这么说吧，人不是只有爱和恨两种情感，还会怀念，会埋怨，会惦记，会感叹。不能说我和欢欢分手了就只能讨厌她，厌恶她吧？毕竟曾经我们俩过了一段很开心的日子，就为了生命中的这一段，我也做不到把她彻底忘干净了。你们女的就喜欢让男人心里永远只有一个人，但我跟你说，没一个男人能做到！就是说了那也是骗你呢！跟过去较真没什么意思，明智的女人不会算计怎么占有男人的过去，只会思考如何拥有男人的现在和未来！"

我当时这么说其实没有特别的意思，就是小发一下感慨而已。但是方茴却被这些话触动了，她沉默了一会儿说："没看出来你还对这挺有研究的！"

"那是！我可是实践出真知！"

"可是……"方茴回过头冲我无奈地笑了笑，"你为什么不在我 16 岁的时候告诉我呢？"

我有些发愣，随后也无奈地笑了笑说："那你为什么不在 16 岁的时候就认识我呢？"

方茴听陈寻说了吴婷婷的事之后多少有些敏感。

其实在不知道之前，她挺喜欢吴婷婷的，因为陈寻的那些发小里，吴婷婷是帮她圆场最多而且最照顾她的一个。可是现在方茴却不再那么感激了，她想陈寻和吴婷婷一定是商量了什么，所以吴婷婷才对她好。吴婷婷肯这么做并不是喜欢方茴，认可了这个女孩，而是仅仅为了帮助陈寻。结合他们之间曾经那若有若无的暧昧，方茴有种被欺骗的感觉。

可是陈寻并没有体会到方茴这种心情，他觉得把自己的过去和她分享是一件让两个人都轻松的事情。比起像李贺的事那样疑窦重重的猜测，直接说出来不是更好么？所以他并不介意在方茴面前继续提起吴婷婷，也因此忽略了方茴黯然的表情。

由于陈寻生日有很不好的回忆，所以方茴过生日就没有再张罗。直到 10 月 9 日当天乔燃才憋不住问陈寻该怎么过。

陈寻说他们俩不打算庆祝了，乔燃摇头，说你们俩是你们俩的事，咱们五个是咱们五个人的事，不能混作一谈。最终他们商量好，一个中午去订蛋糕，一个中午去买礼物，当然这些都是瞒着方茴进行的。

直到放学的时候，方茴才被林嘉茉拉到学校院子中的一个角落里，她惊喜地看见写着"方茴，生日快乐"的樱桃芝士蛋糕和三个一脸奸计得逞的男孩子。

大家送了一个毛绒大熊给她作礼物，大熊脖子上的项链是陈寻单独的礼物，他也做了一个米链，把自己生日撒落的米粒也放了进去，瓶子里面隐约闪烁着他们两个人的名字。

方茴开心地笑，几乎笑出了眼泪。

那个蛋糕未能逃脱被四分五裂的命运，他们分别拿起奶油往彼此脸和身上抹去，乔燃的眼镜被糊住了，林嘉茉的头发上居然残存了蛋糕花，赵烨说他身上有眼儿的地方就有奶油，陈寻的脸颊两边分别一绿一红，而方茴的脸基本看不见五官了。

林嘉茉和方茴在女厕所的水管子下面冲了头，一边冲一边打喷嚏，林嘉茉扭着自己的小辫说："怎么这里也有啊！都赖赵烨！他不扔你就不会对扔了！"

"是啊！这水真凉！"

"还说一会儿去蓝岛锔儿厅呢！这怎么去啊！"

"不行先拿桌套擦擦，走吧！太冰了！"

她们走出教学楼，陈寻迎着她们过来，把自己的校服外套递给她们说："用这个擦擦头吧！别着凉了。"

"不错！比桌套好！"林嘉茉接过来笑着说。

"你冷不冷啊？"方茴看着他的 T 恤说，"晚上回家怎么办？"

"没事，你快擦吧！"陈寻把宽大的校服罩在她头上，认真地擦拭起来。

　　乔燃出来正好看见这一幕，他看看自己手中特意脱下来的衬衫，默默地塞回到了书包里。

　　"干了就走吧！今天我要打拳！破蓝岛的纪录！"赵烨拎着他们的书包走过来说。

　　"走！"陈寻把校服套在方茴头发上说，"你先戴着，别吹风！"

　　那会儿如果作业少，他们偶尔也会去蓝岛镚儿厅玩会儿，那是在蓝岛顶层的游戏厅，有不少投币游艺，一块钱一个镚儿，通常是看多玩少。一般来说，他们的行程通常是这样：先到旁边的海蓝云天和卡玛商城去吹吹冷气或热气。围在高档柜台旁边找新鲜的玩意，数数价签后面有几个零，那时候的商家还比较实诚，10000 的东西他还不会标成 9999 跟你逗闷子。感叹完之后，他们其中总有人发出豪言壮语，"赶明儿我发达了给大家伙包场！""咱买一个摔一个，还剩下一个给宠物玩去！""切！以后这块地就不叫'海蓝云天'了，它将是我的家族产业，有我们家家徽的！家徽知道不？我给你们一人发一个，拿着它到我的地盘上，畅通无阻！闹着玩呢！"

　　直到现在方茴说起这些还会笑出声来，她说可惜那商场不太给面子，还没等他们发达呢就先改头换面了。我摇摇头说，这就是理想和现实之间的距离！

　　蓝岛镚儿厅中最惹眼的机器就是跳舞机，总会有人围看。那玩意一般人都不上去现眼，踩来踩去没得几分真是没脸下来。在上面玩的总是"舞林高手"，曲子和步点都谙熟于心了，看他们表演也真的很享受，在小小机器上，就像飞起来似的。

　　看到有人在跳舞机上耍帅，陈寻很不屑地说："一般般，没吴婷婷跳得好，她动起来才好看呢！《Butterfly》一点错没有！最后那个三键的动作，她是两手一脚沾地，特他妈漂亮！"

　　"谁啊？让你说得这么邪性！"赵烨惊讶地说。

　　"我发小，方茴见过！"为了证实他没说谎，陈寻就拉住方茴说："你见过她，是吧是吧？"

　　方茴苦涩地点点头，不再多话。

　　别看陈寻说得热闹，他上去玩也是一样的不灵，他们几个最常玩的游戏是"大家来找碴"，既省钱又可以全员参与。五个人一起对着屏幕，手指一下下戳上去，离远了看肯定又像又闹腾，可是他们全不在乎，一直发出"架子！""云彩"！"花！"这样

Fleet
of
Time
· · · · ·

匆 匆 那 年

不知所谓的叫喊。时而爆笑，时而叹惜。

　　方茴说那时候是他们五个人在一起都很开心的阶段，而从那之后，渐渐地竟然不能再一起欢笑了。

7

　　赵烨特意选择了一个他和林嘉茉都喜欢的晴朗秋日来告白。

　　乔燃和陈寻之前并不知道太多，只是按照赵烨的吩咐帮他做了简单的"清场"。方茴看出不大对劲，有点担心，但还是被陈寻拉走了，教室中只剩下了赵烨和一无所知的林嘉茉。

　　"我说，既然是明天就要用了，为什么他们都不帮忙啊？"林嘉茉使劲擦着一个篮球说，"你们篮球队都死光了？干吗全交给你啊！"

　　"嗨，平时都是苏凯组织，他现在不是高三了么，也没工夫管了，只好平均下来人人都分几个球擦。"

　　"那你头些天干吗去了？人家都是赶早不赶晚！你正好反过来！"

　　"忙忘了呗……"赵烨被她说得心虚，他是故意这样的。

　　"苏凯复习得怎么样啊？"林嘉茉把球举起来，对着阳光看着说。

　　"还行吧，我看他挺拼命的，估计是想和郑雪考一个学校。"

　　"啊？郑雪学习不是特好么？他能够上分数线么？"

　　"我们不是特长生么？分数线比你们低点，苏凯拿过奖项，只要结果不是太糟糕就应该没问题。"

　　"哦……"林嘉茉郁闷地把球扔向了筐里，这次准头不好，磕着筐沿滚到了地上。

　　"嘿！你好好放！这不是白擦了么！"赵烨追过去捡起来说。

"真烦！没劲！我回家了！"

林嘉茉懊恼地拿起了书包，赵烨忙拉住她说："别走别走！我话还没说呢！"

"什么话啊？"林嘉茉坐下来，疑惑地看着他说。

"这个吧……就是有点事想跟你说说。"赵烨红着脸，吞吞吐吐地说。

"那你说啊！"

"我说了你可别生气。"

"成，不生气，你说吧！"

"我……我……操！你等我整理一下思路！"

"你到底行不行啊……"

也不知道这是怎么了，面对林嘉茉忽闪忽闪的大眼睛，一句现在人随口即出的话却让那时的赵烨死活无法痛快说出来。

"这样吧，嘉茉！"赵烨在反复溜达了 N 圈之后，坐下来说："我有一个秘密，不说出来会把我憋死，但说出来可能会把你吓死。公平起见，咱俩交换吧，一人说一秘密，这样就扯平了，行么？"

"什么秘密啊？"林嘉茉纳闷地问。

"反正就是秘密，我发誓今天咱俩的话就天知地知你知我知，就这样吧！"

"那……关于哪方面的啊？我这秘密可多了，也不能什么都告诉你吧！"

"喜欢的人，"赵烨几乎是咬着舌头把这几个字念出来的，"一人写一个纸条，然后我们交换。"

话说到这里，林嘉茉已经明白了七八分了。赵烨对她的好感，她并非一点都察觉不到，但是因为她没有同样的想法，也不想伤了好朋友之间的情分，所以一直揣着明白装糊涂，她想再怎么着赵烨也慢慢地能看出来她的心不在他身上了。但看着这次赵烨的架势，明显是想挑明了说。林嘉茉暗想也好，干脆在没人的时候一次说清楚了，省得日后烦心。于是她点点头说："好吧。"

林嘉茉的这句话相当于间接地给赵烨打了一针强心剂，他一边庆幸这事有门儿，一边又动了点小心眼。

两个人背冲着对方各自写了点什么，扭过身来将属于自己的秘密攥在手心里，就像做黑市买卖一样，一手交货一手拿货。

　　林嘉茉打开纸条的时候差点把鼻子气歪，赵烨给她的纸上空白一片，别说名字，就是一撇一捺都没有，她气愤地一把抓住赵烨的胳膊，大声说："你这人真没劲！太耍赖了！还给我！"

　　而赵烨抬起头时却已和刚才不同，他的脸上一丝笑容也没有，摊开手心里的纸条直举到林嘉茉眼前说："真的吗？瞎写的吧？"

　　林嘉茉看着纸条上苏凯的名字，默默点了点头，她有些尴尬地说："骗你干吗？不是说写秘密么，我可不像你……"

　　"可他有郑雪了啊！"

　　"我喜欢他的时候他还没和郑雪好呢！"

　　"以前是以前，现在他和郑雪可是好着呢！你这样不就是第三者么？"

　　"我也没真怎么着啊，再说他们又没结婚！我怎么会是第三者！"

　　"反正他们俩是男女朋友，一提起苏凯人家立马反应他女朋友是郑雪，你算哪根葱啊！"

　　"怎么了，我不做他女朋友就不能喜欢她啦！那么多人喜欢陈寻的，也没看见方茴怎么着啊！"

　　"你和方茴所处位置是一样的吗？你这根本是自取灭亡！"

　　"我爱灭，你管得着么！？"

　　林嘉茉恼羞成怒地喊完了这句话，两个人一下子都沉默了。教室中对峙的他们如同两只小小的兽，而争夺的却分别是不属于自己的猎物。

　　林嘉茉把手里的空白纸条扔进了垃圾桶，经过赵烨身边的时候被他拦住了。赵烨张开手掌，上面静静放着一个与她扔掉的一模一样的纸条。林嘉茉犹豫了一下，拿起它慢慢展开，上面的几个字一下子戳中了她心里最柔软的那个地方。

　　"看什么看！就是你啊！笨蛋！"

　　"对不起……"说出这三个字的时候，林嘉茉突然流下了眼泪，赵烨在她身边叹了口气说："什么时候喜欢上苏凯的？"

"和你们一起去雨花餐厅吃饭那次……"

"哦！如果那天是我留下来挨打，他带着你跑，你会喜欢上我么？"

"我不知道……"

"没准最后喜欢的还是他，呵呵，为什么啊？"

"随缘吧……"

"随缘……"赵烨站起身，伸了个懒腰说，"真他妈深奥！"

之后他们就像没发生过什么一样，一起收拾好了桌椅和篮球，一起锁好了教室的门，再一起下楼取车，这个过程中他们谁也没说话，直到在校门口即将各奔东西时，赵烨才扭头说了再见，林嘉茉也向他挥手告别。

可是从第二天起，他们五个人不在一起吃饭了，赵烨说他不知道该怎么面对林嘉茉，而林嘉茉也不想看着赵烨的脸再次说抱歉。

那段时间赵烨挺消极的，他随身听里反复放着黄品源的《你怎么舍得我难过》，吃饭的时候总会莫名其妙问人家有没有"随缘"的菜，打球也不怎么上心，因为失误，好几次差点和苏凯争执起来。

只有方茴他们明白赵烨为什么变成了这样。陈寻说这是青春的阵痛。方茴说其实做好朋友挺好的，可进可退，永远处于不会被伤害的位置。乔燃点了点头没发表言论，这事对他的震撼最大，尤其是方茴的那句话，算是断了他的后路。他再也不想怎么去向方茴表白心迹了，自我安慰地决定甘心去做"可进可退"的好朋友。

林嘉茉没想到赵烨会被伤成这样，更没想到自己居然没能全身而退，反而落个两败俱伤的下场。她原以为会像以前一样，装傻充愣全当一切没发生糊弄过去，可是事到眼前她才知道自己根本做不到。那张玩笑似的纸条打中了她的脉门，就算没有武功尽失，也削了她五六成的元气，使得她没法再看赵烨的眼睛了。

以前放学以后林嘉茉看篮球队打球，那是只看苏凯一个人的，而这件事之后，她不自觉地也开始注意起了赵烨。其实赵烨打起球来挺帅的，他个子比苏凯还高，运球的动作特舒展，过去赵烨说他是人送外号"花蝴蝶"，林嘉茉总觉得他瞎吹，可是仔细一看，他那挥动起来的胳膊，还真的很像蝴蝶翅膀，灵动飘逸。

只不过，那天这只蝴蝶有点暴躁。

赵烨看见林嘉茉坐在场边的时候心就乱了，传接配合、控球篮板，就没一个做得像样。苏凯碍着林嘉茉的面子忍了半天，终于还是憋不住说了出来。

"停！停！都给我停了！赵烨你干吗呢？刚才刘博带球往你那边跑，你接他干吗啊？他那是绕你一下，拿你挡一下对方后卫，谁让你从他手里拿球了？这么简单的战术你都没看出来，训练的那些都就饭吃啦！就这样你还想打耐克杯？还不够去丢人现眼的呢！"

"不打就不打！"赵烨小声嘟囔。

"你说什么？你给我再说一遍！"苏凯听了个大概，气得直往前冲，身边别的队员忙拉住了他。

"我不打了成么？有什么呀！至于那么牛逼么！"赵烨仰起脸，把球狠狠往地上一摔，扭头走了。

"有种你就别回来！"苏凯大声喊，而赵烨就真的没有回头。

林嘉茉在一旁看着都快急出了眼泪，好不容易等训练结束了，她忙跑到苏凯身边说："你们……没事吧？"

"没事！我就是生气他不认真！没他那么打球的！多好的素质，生生让他浪费了！"苏凯火还没消，板着脸说。

"不会把他开除吧？"林嘉茉焦急地问。

"他让你来问的？"苏凯挑起眼睛看了看她。

"不是不是！"林嘉茉忙摇头说，"是我自己问的！他真的特喜欢打球，在班里还总跳起来摸高呢！而且他特别重视耐克杯，他说这是你高中时代最后一次夺冠机会了，一定让你拿到冠军，踏踏实实地毕业！所以你们别开除他行么？他只不过是心情不好……"

"行了行了！不开除啊！"苏凯终于露出了笑脸，"没想到赵烨这小子人缘还挺好，从篮球队到啦啦队，轮番在我耳边说好话、灌蜜汤儿，他给你们什么好处了啊，这么替他说话！"

"没有……我说的是事实……"林嘉茉被他说得有些不好意思了，她自己也不知道为什么为赵烨使这么大劲。

　　"我就是压压他这股邪火！篮球怎么说也是团队运动，要都像他这样高兴就打，不高兴就撂挑子，那哪儿成啊！刺毛倒刺的我见多了，听人劝的就像我们队中锋刘博这样，打球又好，学习也不错，不听劝的就像原来高三的冯远似的，被队里开除，跟一帮小混混胡闹，最后连大学都没的上。我是挺看好赵烨的，不想眼瞅着他走歪路，你没事也勤劝着他点，我看他还挺听你的！"

　　林嘉茉苦涩地笑了笑，捋起耳边的碎发说："我尽力吧！你呢？怎么样？复习得好吗？听说想和郑雪考一个学校？"

　　"呵呵，争取吧！"苏凯挽起袖子，对着水龙头喝了几口凉水。

　　"哎呀！你怎么直接喝自来水啊！脏！我请你喝水去！"林嘉茉忙拉住他说。

　　"没事！我们男孩没那么多讲究！"苏凯擦擦嘴说，"这么晚了还不走？一块出去吧！"

　　"好！"林嘉茉背好了书包笑着说。

　　他们并排走出了校门，地上纤长的两个影子十分相配，林嘉茉心满意足地享受着对她来说很珍贵的时光，嘴角不自觉地弯成了美好的弧度。而苏凯却似乎不那么开心，他推着车，嘴里吐出了白色的水雾。

　　"其实……今天这事也不能全怪赵烨，我最近心情也不太好。"

　　"怎么了？"林嘉茉停下脚步，抬起头看他，与以往不同的，她在苏凯一向明亮的眼睛里看见了莫名的黯淡悲伤。

　　"郑雪……"苏凯平静地说，"她可能要出国。"

　　林嘉茉倒吸一口凉气，愣在了原地。

⑧

　　那天苏凯没和林嘉茉再说什么，因为没走两步他们就分开方向了。林嘉茉也没好意思再问，她想和苏凯多待会儿，又不想听郑雪的事情，十分矛盾。

　　临走前苏凯拿出随身听，林嘉茉凑过去问："听谁的歌呢？"

　　"《你怎么舍得我难过》，黄品源的，老歌，挺好听的。"苏凯塞给了她一只耳机。林嘉茉踮起脚尖，苏凯离她很近，可以清楚地看见他微微泛青的下巴颏，她因此稍稍有点慌张。两个人在街灯初明的大街上，由一条细线连在了一起。

> 对你的思念是一天又一天，
> 孤单的我还是没有改变，
> 美丽的梦何时才能出现，
> 亲爱的你好想再见你一面。
>
> 秋天的风一阵阵地吹过，
> 想起了去年的这个时候，
> 你的心到底在想些什么，
> 为什么留下这个结局让我承受。
>
> 最爱你的人是我，
> 你怎么舍得我难过，
> 在我最需要你的时侯，
> 没有说一句话就走。
>
> 最爱你的人是我，
> 你怎么舍得我难过，

对你付出了这么多，

你却没有感动过。

林嘉茉觉得这歌特别适合自己心境，听完了主旋律才恋恋不舍地拿下了耳机。

"真好听！"

"好听吧，借给你？"

"真的？"

"骗你干吗啊！"苏凯打开随身听把磁带掏了出来，"但是你可别不还啊！跟上回那本书似的，到现在还没给我呢！"

"谁不还啊！明天就给你！我刚看完！"林嘉茉心花怒放地收起了磁带，这和小说有一样的效力，那本她早就看完的悲剧终于可以还了。

"行！那我走了！你慢点啊！"苏凯骑上车说。

林嘉茉举着磁带，使劲冲他挥了挥手，直到他骑远了才走开。

第二天方茴发现林嘉茉也在听《你怎么舍得我难过》时大吃一惊，她坐到林嘉茉旁边，一边玩歌篇一边小心翼翼地问："你怎么也听这首歌了？"

"苏凯借我的啊，怎么了？确实挺好听的！"

"哦，没事，"方茴松了口气，"就是赵烨最近也在听这首歌呢。"

"是……吗？"林嘉茉顿了顿，摘下耳机说，"我们俩挺让你们糟心的吧。"

"也还行……"方茴点点头说，"我觉得没必要弄得跟陌生人似的。"

"呵呵，你得给时间让我们都缓缓，"林嘉茉淡淡笑了笑说，"对了，郑雪可能要出国。"

"什么？那苏凯……"方茴吃惊地说。

"他很苦恼。你说也挺奇怪，我知道这件事应该高兴吧？可是我真的一点也高兴不起来。你没看他昨天那样子，眼圈都要红了……茴儿，你说我这样算不算第三者啊？"

"瞎想什么呢！"方茴戳了她脑门一下，"老实看会儿书吧！到时候别人都比翼双飞了，就你还为高考发愁！看你还想不想这些乱七八糟的！待会儿要默写这单元生字词，你都背了？"

"啊？你怎么不早说！完了完了！我一点都没看呢！你还有透明胶条没有？我粘点

下来！"林嘉茉忙翻出英语书，拿起自动铅笔奋力在纸上和课桌上抄了起来。

　　方茴远远地看了一眼赵烨，他趴在桌子上，从校服领口露出了一截随身听的线。方茴叹了口气，她也说不清楚，两个都难过的人，究竟谁舍得谁。

　　方茴说，很久之后，大概是 2003 年，她和林嘉茉一起看了关锦鹏导演的电影《蓝宇》，那是一部关于同性恋的故事，影片的插曲就是《你怎么舍得我难过》，最后一个镜头是在这段音乐声中，90 年代末的北京渐渐被拆毁重建，有记忆的地方都变成高楼大厦下面的银灰色死角。看到那里她和林嘉茉不约而同地哭了起来，因为她们心中最美好的时光就像电影里拍摄的那样，也随着这古老的城市被一起拆毁了。

　　我想那可能是方茴最后一次和林嘉茉待在一起，如果我没记错的话，她就是在 2003 年来到了澳大利亚。而到了这里之后，林嘉茉就再也没有出现在她的人生中。

　　赵烨的话没能实现，10 月 1 日那天他们并不是最后跳集体舞，实际上学校充分地把这套舞蹈利用到了极限，12 月 20 日澳门回归，12 月 31 日迎接新千年，F 中都去继续跳舞了。不过这两次都没有第一次轻松，光衣服就都多穿了不少件。

　　后来方茴在板报里写："虽然寒风彻骨，同学们却有着火一样的热情，倒计十秒的那一刹那，所有炎黄子孙都产生了强烈的归属感。"她的这句话被陈寻嘲笑了很久，他说方茴明明都冻得缩成一团了，就是有归属感那也不是什么炎黄子孙的而是他陈寻的。是他用自己的火热双手温暖了她冰冻的心。

　　方茴没理他，狠狠掐了他一把了事。这两个人已经不同于最初的青涩稚嫩，有了慢慢成熟的味道。

　　1999 年 12 月 31 日的新年联欢会，因为晚上的政治任务而与众不同地安排在了晚上进行。因为赵烨和林嘉茉的事，方茴他们的五人小组只好分成了两组去采购准备。乔燃和赵烨一组，负责买装饰品，陈寻、方茴和林嘉茉一组，负责买零食和水果。

　　林嘉茉提议先绕道去一趟邮局，她要给苏凯寄一张贺卡，邮局迎接新千年有特别的活动，会在信封上加盖"龙戳"。而且邮票上的邮戳分别是 1999 年 12 月 31 日 24 时和 2000 年 1 月 1 日 00 时，真正地跨越了千年，很有意义。方茴觉得挺有意思，便和陈寻一起，也互相写了一封短信寄给彼此。

陈寻写的是：谢谢你的爱，1999。

方茴写的是：谢谢你陪我走过世纪末的最后一天和新世纪的第一天。

林嘉茉偷看了，笑话他们说："应该是走过新世纪的每一天吧！"

方茴红着脸反驳："又不可能真的活 1000 岁，那不成妖精了！"

陈寻笑笑说："话不能这么说，有首歌不是唱'爱你一万年'么，人家也不可能活一万年啊！就是美好的愿望而已。那咱们也表达一下美好的愿望怕什么的？就改成每一天吧！"

"说得好听，那你干吗最后写 1999 啊？ 2000 年就变卦了？ 再美好的愿望，变不成现实也没意义。"方茴把信纸折起来说。

"我不是借取一下嘉茉偶像谢霆锋同学的大作嘛！"陈寻凑过来说，"瞧你瞎琢磨什么呢！要不咱俩管嘉茉再借两张信纸，都改了？"

"得了吧！别找借口，我早喜欢 HOT 了！这是韩国信纸！贵着呢！一共才五张！都给你们写情书了，我用什么？不行不行！"林嘉茉忙把信纸放进了书包里。

"哈哈！抠死你！"陈寻封好了信封，接过了方茴的信，一起投到了邮筒里。

"你这个吃白食的还好意思说我抠不抠？真够白眼狼的！快走吧，我和方茴还得排练一下呢！"林嘉茉瞪了他一眼说。

三个人买了吃的，一起回了学校。路上方茴和林嘉茉一直练着范晓萱的《相约1999》，喜气洋洋地唱"和你相约在那 1999 最后一天，就算全世界回不到，回不到从前"。

方茴在那时并不明白什么叫回不到从前，而林嘉茉却已经深深地体会了，尤其在进入教室和赵烨擦身而过的那一刻。赵烨从她身边走过时没有丝毫的停留，只是尽职尽责地举着胳膊拉着拉花。

乔燃走过去接过方茴和林嘉茉手里的东西，笑着说："看我们的灯光设计怎么样？"

"真好看！谁想出来的主意？把皱纹纸缠在灯上？"方茴抬起头说。

"赵烨！"乔燃看了林嘉茉一眼，"不错吧？"

"嗯，挺好，"林嘉茉眼神闪烁地说，"我帮你给欢乐球打气吧！"

"留点！别都打了！"陈寻小声说，"到夏天可以灌了水，玩水球！我小时候老玩，特凉快！"

"这才冬天，你就想到夏天去了！"方茴拿着一罐喷雾，往他头上喷了一些彩带。

"敢喷我！你等着！"陈寻一下蹿起来，夺过方茴手里的喷雾也往她头上喷过去。

乔燃笑着把方茴挡在身后说："行了行了！别都浪费了。"

陈寻绕过他，仿佛不经意地把方茴拉到自己身边说："服了么？"

乔燃笑容一滞，方茴却没有察觉，一边抖搂头发一边说："服了行了吧，你就是人来疯！"

"我不是人来疯，是今天气氛好！要我说，这新年联欢会干脆每年都晚上办好了！比白天有意思多了！你看外面，多漂亮！"陈寻指着窗外说。

"真的！"方茴跑到窗边，看着夜色笼罩的校园说。

陈寻跟了过去，两个人像孩子一样趴在窗台上，脸颊边凝结的水汽包裹成了一个圆圈，他们就在这个圆圈里说笑着看外面的灯火辉煌。

而圆圈外的少年却在他们身后静静地看着，在 1000 年的最末，总会有点寂寞。

9

联欢会进行到一半，陈寻招呼方茴走出了教室。他们出去的时候乔燃正在班里唱花儿乐队的《静止》，他一边唱"多希望有人来陪我，度过末日"一边看着方茴跟陈寻往外走。方茴回头冲他笑了笑，他也笑了笑，比了个很傻的 V 字。

陈寻带着方茴一前一后下了半层楼，在人少的楼梯拐角停住，方茴问他："怎么了？"

"咱们出去溜达一圈吧。"陈寻说。

"啊？去哪儿啊？"

"就出去随便转转呗！迎接千禧年，外面都弄得挺漂亮的。"

"来得及么？回来还得换衣服，一会儿就集合去世纪坛了，可别晚了。"方茴看看表说。

　　"来得及，也不去多远，走吧走吧！"

　　陈寻拉好了羽绒服拉锁，先下了几个台阶，方茴跟着他也跑下去了。

　　一走出校门两个人就兴奋起来，他们从来没有在这么晚的时候一起惬意地轧过马路，平日里总是和同学们在一起的时间居多，因而在1999年的最后一天，只面对彼此就有了格外甜蜜的味道。

　　大街上人不多，路旁商店的橱窗里都挂满了彩灯。有的店铺还没把圣诞节的装饰换掉，玻璃窗上白胡子的圣诞老人头像充满了喜气。陈寻买了两串夹豆馅的糖葫芦，他和方茴一人一个，两人一边吃，一边混迹在街上的大人们当中，偷偷笑着说话。

　　"你说街上这些人都要去哪儿啊？"陈寻拿竹签指点着说。

　　"回家吧。"方茴看了看说。

　　"也不能都回家啊！你看那一男一女，肯定去约会。"

　　"他们上哪儿约会呀？这点公园都关了，看电影？"

"谁在这日子口看电影啊！我觉得肯定去吃饭，然后一起倒计时跨千年！"

"12点饭馆都关门了！"方茴摇摇头说。

"那……总有开的吧！"

"我觉得也没准是去工作。"

"不可能吧，哪个单位这点还上班啊？"

"谁说不可能！我姑姑就是，今天得干一宿呢，据说都是千年虫闹的。"

"哦对！也不知道是谁设计的，真没有前瞻性！"陈寻笑笑说，"还是咱们好，去世纪坛一块迎接新世纪！多棒！"

"嗯！晚上咱俩一起倒计时啊！"方茴把竹签子扔到了垃圾桶，呵了呵手说。

陈寻假装不经意地拉起她的手，十指交握地揣在兜里说："到时候咱们就别按队站了，私自靠拢。"

方茴红着脸，攥住他的手心说："好！"

在茫茫夜色中，两只牵着的手其实并不明显。但是他们仍然有些紧张，仿佛做了在这个年纪不该做的事。一直绕到没什么人的胡同里，两人才渐渐放松下来。

"你冷么？"陈寻低下头问。

"不冷。"方茴说，外面的气温很低，但是和陈寻在一起好像就真的不怎么冷，"不会碰见咱们学校的同学吧？"

"不会！碰见怎么了？不是老师就行！"陈寻握紧了她的手说，"其实就是老师我也不怕，等咱俩结婚了，我一定请侯老师去当嘉宾致辞！"

"吹牛！要是遇见侯老师，你肯定松手，要不咱俩死定了，会被请家长通报批评的。再说……你娶谁还不一定呢，你怎么知道就是我啊！"方茴嘴上说得淡漠，但心里却因为陈寻的话，荡漾了一下。

"你什么意思啊？不想嫁给我啊？"陈寻停下来说，"我真是这么想的！咱俩考一个大学，一起毕业，一起找工作，再一起结婚生孩子！"

"谁……谁跟你生孩子！"方茴扭过脸说，心怦怦地跳了起来。

"你跟我结婚，不跟我生跟谁生啊？"陈寻瞪着眼说。

"你胡说！"方茴抽出了手，扭头往前走说，"不跟你说了，你这人尽胡说八道！"

"我说真的呢！"陈寻拉住她说，"反正我就是这么想的，连伴郎伴娘我都想好了，就乔燃和嘉茉，赵烨不太靠谱。"

"那会儿谁还理你啊！没准人家赵烨还不乐意呢！"方茴笑着说。

"切！他敢不理！你觉得怎么样啊，好不好？说真心话！"陈寻圈住她的肩膀说。

"还行吧。"方茴低下头轻声说。

"还行是好还是不好啊。"陈寻故意凑过去问。

"好……"这次方茴的声音更小，她红着脸嗔怪地看了陈寻一眼，重又低下头去。

她闪着温柔的目光扫过了陈寻的心尖，让他心里狠狠颤悠了一下。在胡同的昏暗光线下，方茴好像有了平时看不到的独特娇媚。陈寻看着触手可及的女孩，忍不住吻了下去。慌乱中两个人谁也没闭眼，互相品尝了一下对方还带着山楂味的嘴唇，就匆匆分开了。

"你……你干吗？"方茴愣愣地问，她根本没想到陈寻会亲她，脑袋里一片空白。

"亲你啊！"陈寻红着脸说。

"我是初吻！"方茴捂住自己的嘴唇说。

"我也是……"

两个人互相看着沉默了一会儿，他们都心慌得厉害，甚至紧张胜过了甜蜜。

"我怎么不想哭啊……"方茴靠在墙边说。

"哭什么啊？"陈寻舔了舔嘴唇说，那上面还留着陌生的柔软触感，让他流连忘返。

"不是说初吻都哭么？"

"不是初吻吧……是……是那个吧。"陈寻磕磕巴巴地说。

"你讨厌！"方茴瞪了他一眼，憋气地说。

"再说有什么可哭的，反正……我会对你好的。"陈寻蹭过去说。

"你就是讨厌！不许跟别人说！"方茴打了他一下，往前走了两步说，"回去吧！"

"我绝对不跟别人说！"陈寻跟上她说，"方茴……你等等……"

"干吗？"

"我想再亲你一下……"

"……"

见她没有说话，陈寻小心翼翼地走了过去，先握住了她的手，后又慢慢捧起了她

Fleet
of
Time
· · · · · ·

匆 匆 那 年

的脸。方茴的睫毛因为紧张而一直不停地扑簌着，被她这么看着，陈寻有点不好意思。他拉着她靠在街灯的死角里，轻声说："把眼闭上。"方茴听话地闭上了眼睛，陈寻低下头轻轻覆在了她的唇上，小东西有点微微颤抖，他却没有瑟缩。

那时候，他们都没有任何经验和技巧，不懂什么是法式什么是舌吻，但是他们都很真心地交付彼此，在世纪末，抓住了最后的那一点点温柔。

后来方茴问陈寻这样是不是不太好，陈寻说也许不好，但没关系，反正咱俩一起呢，方茴也就放下了心。他们都单纯地以为只要两个人一起，就没什么可怕的，而他们一定会一直一起走下去的。

方茴讲到这里的时候还像小女孩一样有点不好意思。我半取笑半心酸地说，你们这可以算上是世纪之吻了，很牛逼啊。她却淡淡地说，因为是初吻，所以才记得住，而且只是她一个人记得住罢了。

但是我想陈寻肯定不会忘了在 1999 年的这个亲吻，方茴毕竟是他曾经珍惜的人，这段感情也的确美好过。而不像我和方茴之间的那个吻，最终也只有我会怀念而已。

那天陈寻和方茴回去之后都有点不自然，林嘉茉说方茴明显心不在焉，跟她说话总弄得一惊一乍的，方茴也顾不上反驳，只是心里暗暗反复着刚才的吻。女孩子总有些特别在意的事情，尤其是初吻，能送给自己心里最喜欢的男孩，她觉得很幸福。

晚上十点钟的时候，标着国字号的大公共拉着一车一车的学生沿着规定路线驶向世纪坛。一班和五班一辆车，男生都站着，所有座位都尽量让给了女生。车上很挤，陈寻小心地护着方茴的座位，两人的眼睛里全是温柔，享受着心照不宣的甜美秘密。旁边的五班女生都看出了异常，直问王曼曼他们是什么关系。王曼曼也没明说，只说看着像什么关系就是什么关系。这话又被门玲草和几个一班女生听见，她们也都怀疑起来。

好在这些猜测在到了目的地之后都被暂且放在了一边。厚重的衣服掩盖不了孩子们兴奋的心情，跳舞的时候又是一片欢声笑语。与之格格不入的大概只有赵烨和林嘉茉，因为陈寻老往方茴那边跑，所以他们面对面成了舞伴，十一时还温柔邀舞的赵烨已经不再，两人举起的手掌间隔了一层零下十几度的冷空气，心底里谁都不太舒服。

快倒计时的时候有报社的记者过来拍摄，侯老师把学生都招呼了过来，方茴和陈寻也没能一起数着数字进入 2000 年。他们虽然都对着镜头露出了笑容，却多少有点遗憾。而这种遗憾没办法弥补，因为他们再也等不到下一个千年。

（10）

方茴说等真正到了 2000 年他们才发现，所谓的千禧年和以往也没有什么差别。幸福的照样幸福，不幸的也照样不幸。该考的试一门也没落下，该放的假也没因此多休几天。由此可见那些意义重大的日子都是人自己琢磨出来的，说到底 1999 年 12 月 31 日就是地球很普通的一次自转，要是记错了，糊糊涂涂不也就过去了么？比如陈寻，肯定早就忘了这天了。

我笑着摇了摇头，没有说话。我早就发现方茴总是在下意识地强调陈寻的漠然和淡忘，但我知道她心里肯定不是这么想。其实她害怕陈寻忘记，害怕到了这段感情的最后，只有她一个人去感怀凭吊。而我觉得陈寻并不会如此寡情，总共二十几年的人生他们一同走过了大半，如果没能留下一点，恐怕也对不起已然一去不返的青春岁月。人这一辈子要是没点故事可讲，没点故人可怀念，那活着又有什么劲呢？

反正我不想就这么被方茴忘了，哪怕只是个模糊的脸庞也好，我也要让她记住，曾经在很遥远的地方，有一个人真心陪伴过她。

坐在我正对面的方茴尚没发现我的心思，她稍停了停，又用她柔和平婉的声音，继续讲起了那年的事。

放寒假了以后，方茴和陈寻互相去了对方家里几次。白天家长都去上班，他们就在家一块写作业、看电视。他们都不会做饭，就去旁边的超市买点零食，或者从家里冰箱翻出点什么凑合吃。有一回两人煮馄饨，瞎搁了点作料，愣是做成了片儿汤。还有一次炸鸡块，有的煳了，有的没熟，色香味一样也没占上。可就这样他们还吃得倍儿香，一点没剩下。

　　陈寻家新买了电脑，偶尔他们也上网玩会儿。那时候没现在这么丰富多彩的网络生活，拨号也挺费劲的，充其量去聊天室逗逗贫。陈寻最爱和自称是帅哥的网友聊天，他说自己是"漂亮温柔"却"很寂寞"的女孩，总能引得这帮"帅哥"疯狂地和他说话，最牛的时候开了 20 多个对话框。有的还给他邮箱里发了照片，哥么，确实是，帅那可真真不沾边。方茴说他简直无聊透顶，而陈寻却说这是在揭露这帮人的丑恶面目，给方茴打预防针，防止她单独上网时被他们骗了。

　　方茴是压根没这个兴趣，而陈寻自己却见了次网友。他们也是网上聊天认识的，两人越说越近，竟然只隔了两条街，于是约着下午见了一面。那女孩说自己是普通女生，但有个沉鱼落雁、国色天香的朋友，可以带过来让陈寻开眼，当然也不能白看，晚上得请吃麦当劳。

　　陈寻准时到了，远远地就看见和约定服装一致的两个女孩。据他后来跟方茴讲，当时他感觉就一红烧狮子头和一牙签并排向他走了过来。那红烧狮子头基本上可以忽略五官不计了，而那牙签也没看出美来，瘦是真瘦，说一会儿话的工夫，抽了三根烟，弄得陈寻一直和她保持 5 米以上距离。最后陈寻也没和她们吃饭，红烧狮子头对陈寻产生了浓厚的兴趣，死活拉着他不让他走，直到陈寻说得接女朋友才恋恋不舍地含怨道别。红烧狮子头非得让陈寻留家里电话，逼得他没辙就把孙涛家电话留给她了。为此事后还被孙涛臭骂了一顿，说他为求自保居然把个 0.1 吨的肉弹扔给了自己，害他差点被杨晴误会了，晚节不保。总之从此之后陈寻对网上聊天彻底没了想法，见网友这种事，更是想都不想了。

　　这件事陈寻如实告诉了方茴，方茴虽然觉得不好也没太往心里去。她真正在意的是有一天吴婷婷给陈寻打来的一个电话。

　　那天陈寻接的时候就遮遮掩掩的，嘴里一直是"行""成""你定时间""见面说"这样的话。方茴觉得奇怪，问他是谁，他才支支吾吾地说是吴婷婷。其实陈寻也不是故意要瞒她什么，他上次已经说好了不再和发小们过多联系，但他根本就做不到。他怕方茴不乐意，又想起以前的事心里头过不去，这才没告诉她。

　　而方茴却不这么想，陈寻和吴婷婷之间的这种友情以上、恋人未满的关系让她有些慌张。她不知道自己应该以什么态度面对他们，数学中最牢固的三角形状，在感情上恰恰是最脆弱的关系。于是方茴干脆自欺欺人地躲开，假装糊涂，不闻不问。可是偏偏他们又总毫无防备地出现在她面前，仿佛在一次次明示他们之间牢不可破的牵绊，逼着她睁大眼睛看清楚了，让她无处躲藏。

　　"她是说后天一起去白锋爷爷家看看，我们每年都去一两次的。"陈寻看出方茴有心事，忙解释说。

　　"哦。"方茴点点头，随手拿了一本寒假作业翻看起来。

　　"也没什么别的事，就是去看看，以前还碰见过警察呢！"陈寻凑过去，故意逗趣地说。

　　"哦。"方茴依旧没说话，仔细地看着作业。

　　"怎么了你？"陈寻憋不住了，他把本从方茴手中抽出来，皱着眉说，"说话啊！"

　　"说什么啊？我也不认识白锋，你们去看你们的，和我有什么关系？"方茴扭过脸说。

　　"是和你没关系，我不是得告诉你一声么，要不赶明儿你知道了，肯定又瞎想。"

　　"我有什么可瞎想的。"

　　"还说没有，你脸上就差写个'想'字了！"陈寻扳过她的脑袋说。

　　"讨厌！"方茴摇了摇头，把他的手扒拉下去说，"我回家了，再晚点我爸回来了看我不在，又得说我。"

　　"不行，再待会儿，"陈寻拉住她说，"现在走你还不得琢磨一路？"

　　"你们去看白锋他爷爷我有什么可想的，瞧你这不放心的，难不成真有点什么，怕我去跟踪你？"方茴一边收拾包一边说，她心里也真没这么想，但是总有股怨气发不出去，随口就说了不中听的话。

　　陈寻一下子急了，他抢过方茴的包扔在一边说："我还怕你跟踪？还不是看你心事重重的那样儿才跟你说的。我和吴婷婷真没怎么着，要是有那种想法也没你了。唉！早知道还不如不告诉你，你们女生就是小心眼儿！"

　　"你们爱怎么着怎么着，不用跟我汇报，我也不至于像你说的那么没起子！"方茴气得眼圈都红了，陈寻说话没轻没重，恰恰就拿吴婷婷戳了她心窝。

　　方茴憋着眼泪，一把拿起包就往门口走。陈寻这下真着了急，从身后不管不顾地一搂，把她抱在了怀里，贴着她耳朵说："你干吗啊？好歹把事说完了再走啊！好吧好吧，就算我错了还不行么？你别吓唬我！"

"本来就是……"方茴抹了抹脸，口气也软了下来。

"是是是是是！"陈寻笑着说，"下次我可长记性了，我也不说那么清楚，反正该是什么样就是什么样，你冤枉我我也认了。"

方茴叹了口气，她知道陈寻还是没明白她是怎么想的，她也不想再说了，她比陈寻更害怕吵架。

那时候他们都太小，不是不爱，而是爱得太用力，因此弄伤了别人，也弄累了自己。

眼看时间来不及，方茴急着回家，就打了一辆车。临打车之前，陈寻揪着方茴亲了一口。方茴吓了一跳，慌张地四处看了看，生怕被大街上来往的行人和刚停下的出租车司机看到。陈寻倒是很志得意满，一直等车开了，还比画着打电话的姿势。

方茴上了车，做贼心虚地跟司机打岔说："那是……是我表哥。"

出租车司机会意一笑："嗨！没事儿！我又不是你家长，怕什么？现在这种事多普遍啊，别说你们，就我们十五六岁的时候，也都偷偷地喜欢个谁了。那是你小男朋友吧？小伙儿长得挺精神啊！岁数小就是好啊，嘿嘿！"

"嗯。"方茴脸红地看着窗外。

"不过啊，照我说你们这些小孩儿也都是瞎掰，什么情啊爱啊的，你们能懂多少？我现在想想我像你们这么大的时候，嘿！离真正过日子还远着呢！那《同桌的你》不是唱么，'转眼就各奔东西'。我都不多说，过个三两年的你再看看！肯定不一样喽！"司机自顾自地说，"呵呵，我这人就是爱说实话，不招人待见，你该玩玩你的，别往心里去啊！"

方茴没说话，她愣愣地看着前面，反光镜中陈寻的影子越来越远，她嘴唇上的温度也慢慢消失了。

11

　　春节过后方苘他们一起去了趟庙会。

　　北京城里从古至今最热闹的庙会其实也就数得过来的那几个地儿，不外乎地坛、厂甸、白云观、龙潭湖。逛庙会也是老北京的风俗传统，每年不去个庙会吃点小吃，买点玩意，这年似乎就过得不太带劲。地坛已经成了方苘和陈寻的禁地，没有特别的事两人基本上是不会去了，龙潭湖有点远，最终他们在去白云观摸石猴和去厂甸敲大鼓之间，选择了去不要门票的厂甸。

　　赵烨和林嘉茉也没太较劲，跟着大家一起去了，只不过他们之间还仿佛处在美苏"冷战"中最冷的阶段，两人分别是第一、第二个到的，却愣是一句话没说，白白辜负了乔燃他们特意创造出来的迟到假象，一直等人都到齐了，气氛才稍稍缓和了一点。说起来也还是孩子，他们从头吃起，灌肠、爆肚、炒肝、茶汤、羊杂、奶油炸糕、山东煎饼、温州鱼圆汤、油炸羊肉串，一样都没落下，横扫了整个厂甸。

　　方苘和林嘉茉一人举着糖葫芦，一人举着风车在前面走，陈寻、乔燃和赵烨捧着大盘小碗在后面跟着。有人多热闹的地，他们就钻过去看，晃晃悠悠一直走过了琉璃厂才往回返。

　　赵烨比前两个月多少好些，不那么阴郁了，他搭着陈寻的肩膀说："就你们，非嚷嚷着要来，也没什么好玩的，光就着北风吃了，还齁老贵的！"

　　"吐出来！吐出来！"陈寻拍打他说，"吃的时候没见少了你丫挺的，吃完了在这闲嘎达牙。"

　　"不过现在这庙会确实没以前有意思了。"乔燃在一旁接过话说，"我记得我小时候在庙会就能看见拿大顶的、顶幡的，有一回还看见光着膀子吞火球吞剑的呢！还有什么拉洋片、吹糖人、捏面人的。现在这些玩意估计都快失传了。"

　　"我小时候也看见过！在隆福寺看的拉洋片，好像是《西游记》，可有意思了！"林嘉茉听了凑过去说，"可惜现在看不着了，你们都知道隆福寺大火吧？原来隆福寺多热闹啊！我小时候那儿的夜市一点也不比东华门次，但那把火烧了之后，老人们都说是伤了龙脉，从此那边就不景气了。"

"快别说了！我都让你说冷了！"方茴缩了缩肩膀说，"上那边看看去，好像是套圈的。"

几个人围了过去，果然是个套圈的游戏项目，近处摆着廉价的小塑料玩具，远处的好些，还有个挺漂亮的玩具小狗。方茴挺喜欢那个小狗的，就停下来说："你们男生胳膊长，套套试试，好像也不太难，万一能中一个呢？"

"是啊！那狗多可爱啊！陈寻，看你的了！"林嘉茉把他推到前面。

"行！那咱就来一次！别光我啊！赵烨、乔燃，快一起上！"陈寻接过老板递来的套圈，分给了他们说。

三个男生一字排开，分别瞄准了那小狗，只可惜他们低估了精明的商家，这种游戏看着容易，其实里面却不少猫腻。套圈直径小不说，还没多少分量，稍一使劲就飞出很远，套近处的玩具勉强可以，远处的就很难命中了。三人乱扔一气下来，结果只套中了个塑料杯子，上面一层浮土，又旧又难看，谁也不愿意拿。

"你们可真丢人……"林嘉茉耷拉着脸说："好歹中个中间那个小存钱罐啊！"

"你自己试试去！真特难弄！咱们看看哪里有卖那种狗的，要在这儿套，我估计套100 次也够呛。"陈寻辩解说。

"不用了，我就是看着好玩，也不知道这么费劲，往前走吧，好像有投篮的游戏！"

"哪儿呢？哪儿呢？那可是我强项！走！看看去！"赵烨一听见篮球就来了精神，招呼着他们走了过去。

前头的确有一个投篮的游戏，规则是五个篮球一次，投进去两个以上给个小纪念品，如果五个都投进了，就送个公牛队标志的篮球。那里围了不少人，也有人上去试了试，但最多也就进一个俩的。

赵烨把吃的往方茴手里一塞说："看着啊！那篮球就是专门为我准备的！"

"这个比刚才那套圈靠谱多了，咱们一人一球！乔燃！哎？乔燃哪儿去了？"陈寻四处看了看说。

"刚还在呢，扔垃圾去了吧？"林嘉茉说。

"算了算了！你们都别上了，老老实实旁边看着吧，省得拖我后腿！"赵烨交了钱，搓搓手说。

　　"瞧你丫那德行！还知道自个姓什么吗？得不着篮球别说你认识我们啊！"陈寻笑着说。

　　赵烨运了运球，耍了几个小花样，人群骚动了起来，有好事的还使劲喊了两嗓子。赵烨往后站好，瞄准篮筐，轻呼了口气，一个漂亮的跳投，篮球应声入网。他的动作干净利索，旁边的人们不禁都鼓起了掌，林嘉茉满脸欣喜，内心里也暗暗叫了声好。

　　最终赵烨五球全中，老板把那个带公牛队标志的篮球拿给了他，不情不愿地说："哥们儿，你是专业的吧？多来几个你这样的，我这生意就没法做了！"

　　陈寻在一旁笑了笑说："您您放心，像他这种技术水平，估计您这几天里能遇见的超不过三个，踏踏实实挣钱吧您哪！"

　　赵烨拿着球走过林嘉茉身边时，低声说了一句话："我今年一定要把耐克杯冠军赢回来。"林嘉茉心里一颤，她看着赵烨高大挺拔充满自信的背影，竟然有种想哭的冲动。

　　他们围着那个篮球又说笑了会儿，乔燃才从远处跑过来。陈寻迎上去说："你上哪去了？没赶上看刚才赵烨露脸，丫特牛逼……"

　　陈寻说着说着突然没了声音，因为他看见乔燃手中赫然拿着那个刚才方茴说喜欢的小狗玩具，林嘉茉走过来，惊讶地说："哎哟！你去套这个了？还真中啦？"

　　"也没有，其实我刚才就差一点套中了，我看你们都挺喜欢的，就又回去试了试。"乔燃憨憨地笑了笑，把玩具递给了林嘉茉。

　　"你真行！有套圈的钱，都够买两个了！其实我也不是很喜欢，主要是方茴看着好，喏，给你吧！"林嘉茉又把玩具塞到了方茴怀里。

　　"谢……谢谢。"方茴有些不好意思地说，她很明白乔燃的心意，只愁无以回报。

　　"客气什么啊！"乔燃见方茴收下，开心地说。

　　而陈寻在一旁看着他们，心里别扭了起来。他一把拉住方茴的手说："也不早了，我送你回家吧！"

　　方茴还不太习惯当着乔燃他们的面和陈寻过于亲热，她总觉得大家都这么熟，反而更显得他俩格格不入。方茴微微挣了挣，陈寻攥得却更紧了，无奈之下，她只好任他拉着，红着脸说："那我们先走了。"

　　"好，你们路上慢点。"乔燃虽然也有些不自在，但他所求不多，因此也就比陈寻坦然了些。

　　他们和大家道了别就向车站走去，没走两步，方茴就松开手说："你刚才怎么啦？当着他们的面就……多不好意思啊！"

　　"有什么的？反正他们也都知道了。"陈寻闷声说。

　　"你不怕赵烨乱开玩笑啊！"

　　"你看自从他和嘉茉那事之后，他还爱开玩笑么？"陈寻轻哼了一声说，"你不是怕赵烨开玩笑，是怕让乔燃看见吧？"

　　"你……你胡说什么呢！"方茴又羞又怒，停下来说。

　　"我胡说？他对你简直是司马昭之心——路人皆知了！"陈寻生气地说，"说是你和嘉茉都喜欢那狗，哼，嘉茉心眼直说实话，明明是你一个人喜欢，所以他才去的！其实刚才我也想了，你不是喜欢那个玩具么？等散时，咱俩再回去看看，就算套不中，也问问能不能把它卖给咱们。结果，他欠儿灯似的倒抢先一步了！"

　　方茴见他像小孩子一样好胜又别扭，忍不住笑起来说："你还说我心眼儿小，我看你的心眼儿，也没比我大多少。平时和人家好哥们好兄弟地叫着，背地里却说他这么多坏话！暴露本性了吧？"

　　"就是因为是哥们儿，我才更生气！听过一句话没有：朋友妻不可欺！他这么做就是不对！"

　　"你又胡说八道了！谁……谁是你那什么了！再说，人家乔燃也没怎么着呀！"方茴红着脸说。

　　"嘿！你这会儿为了回护他就不承认了！昨天晚上打电话，我小声叫你什么来着？你不是也默认了么？"

　　陈寻一着急，声音不自觉地就大了起来，方茴忙去捂他的嘴，咬了咬牙说："你小声点！大街上瞎喊什么呢！"

　　陈寻看着她慌张焦急的样子，心里有点小小的得意，重又拉住她的手，咧开嘴笑着说："反正你以后和他保持点距离，要不然……要不然我真不知道再怎么跟他做朋友了。"

　　"知道了。"方茴点点头说。

　　"那不许以后一跟我吵架，就和他聊天去啊！"

"嗯！"

"也不许背着我互相送东西啊！不对，当着我也不行！"

"哦。"

"不许……"

"行了行了，车都来了！"方茴笑着说。

车上人多，他们被挤得东倒西歪的，陈寻个子高，他靠在栏杆上围了个圈，把方茴护到自己身边。两人把手藏在羽绒服袖管里，偷偷拉着，就这样一路都没有放开。

（12）

赵烨的耐克杯冠军梦在比赛开始前的一个星期提前破灭。

起因是篮球队特地为比赛展开的针对性训练，那天是一对一的攻防练习，赵烨拼得过于凶猛，惹得本队后卫也对他用上了真功夫。其实不管是他运球突破还是后卫抬手拦他都是打球的人很正常的反应，只不过这个很正常的反应由于攻防双方都很用力而产生了不太正常的结果。

一瞬之间两个人都飞了出去，又过了一瞬，站起来的只有一个。那个后卫焦急地冲苏凯挥手，他一边扶着后腰一边指着躺在地上的赵烨喊："叫校医！他不太对劲！好像是骨折了！我都听见声了！"苏凯骂了句"他妈的"以百米冲刺的速度朝他跑去，其他人也渐渐围了上去。

赵烨没有发出一点声音，他睁大眼睛静静地平躺在地上，胳膊弯成了一个很诡异的角度。那颗有公牛队标志的篮球滚落在他旁边，阳光之下，他突然连哭的力气都没有了。

赵烨的右臂确诊为骨折，这也间接宣判了他彻底失去了耐克杯的入场券。苏凯担

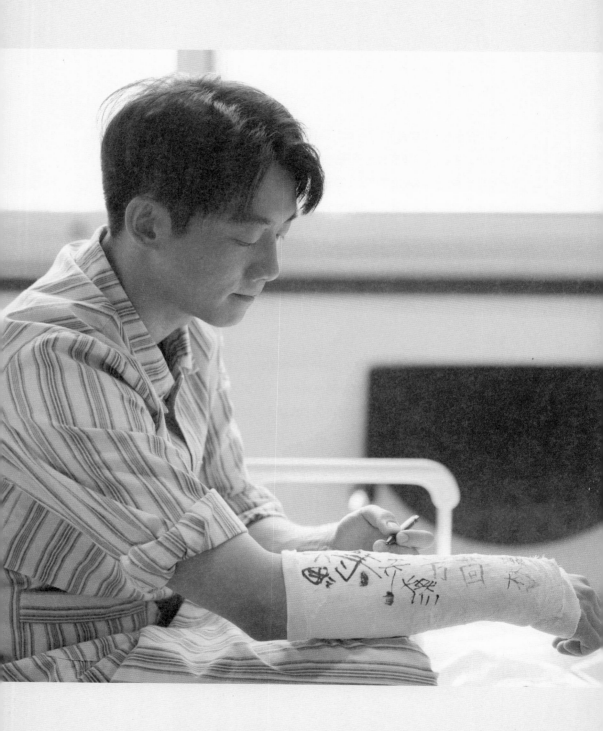

心他转不过弯，就在周末代表整个篮球队拎了一塑料袋水果去赵烨家看望了他。

赵烨的精神比他想象的好，他笑着说："队长，我发现咱俩绝对是命运共同体，看来我要想拿冠军也得等高三了。哦，也不对，我估计你高三是拿不着冠军了，没我你还怎么得冠军啊！"

苏凯笑骂说："孙子，你怎么不下巴骨折啊！也能老实闭会嘴！再等等吧，过两天我就拿着奖杯来看你了！"

他从袋子里拿出了一个苹果向赵烨扔过去，赵烨本能地想用右手去接，但剧烈的疼痛阻止了他，那颗苹果尴尬地砸在了他的身上。两个人一下子都沉默了下来。

"对不起……"苏凯看着低着头的赵烨，轻轻拍了拍他的肩膀说。

"队长。"赵烨没有抬头，他努力压抑着的声音还是有些颤抖，"你说得没错，我的左手是得再练练，传接球不太灵啊！"

"赵烨……"苏凯挨着他坐下来说，"我知道你心里难受，没事儿，咱又不是打不了了！篮球队里数你的潜质最好，明年冠军肯定是你的！"

"谁难受了？谁他妈的难受了！"赵烨再也忍不住，眼泪终于还是掉了下来，他一边推搡苏凯一边哽咽着说，"你起开点，我最不愿意在你面前哭，你知不知道？我想拿冠军不是为了我自己，你知不知道？你……你知不知道啊！"

看着平时活蹦乱跳的赵烨像孩子一样痛哭，苏凯的心紧紧揪了起来。他知道在满怀希望的时候绝望是一种很极端且很无奈的痛苦。这种痛苦没有人能帮忙承担，所有开导都显得特别苍白。所以他只能拍着赵烨的后背，轻轻说着："好了，好了，我知道了。"

　　苏凯其实并不知道，他了解的，仅仅是赵烨一半的痛苦。而另一半，就是林嘉茉，那多少和他也有点关系。

　　情感这种东西也许会凭空而来，却不会凭空消失。如果不找到出路，也许就会困死在心底里，永世不得平静。赵烨原本已经在他和林嘉茉之间找到了出口。那天在庙会的五个连中，重新给了他信心。周围的叫好声和林嘉茉的欣喜眼神，都让他觉得自己还可以成为一个强大的男人，可以抬起头，骄傲地面对一切。因此他迫切希望在耐克杯的赛场上证明自己，这个冠军对他来说意味着太多。对于苏凯的崇敬和报答，对林嘉茉的喜欢和成全，对他自己的坚持和肯定，每一方面都很重要，每一方面他也都很需要。

　　可是现在他却一个也做不了，他只能眼睁睁地看着，而无能为力。这种打击不是简简单单的失落可以解释的，也不是言辞恳切的话语可以安慰的。心冻上了，即使阳光明媚，也会依然觉得寒冷。

　　比赛刚开始的时候，F中发挥得并不好。毕竟赛前损失掉主力前锋是很难短时间内弥补的。在F中主场的那场比赛，也是在苏凯几乎拼了命的情况下，才仅仅以2分优势拿下来。

　　那天放学后几乎半个学校的人都挤到篮球场去看比赛了，赵烨没有下楼，偷偷躲在二层男厕所看完了全场。看着在场上奋力奔跑的队友们，看着不停大喊的苏凯，看着场边一脸焦急的林嘉茉，他更加觉得站在角落里的自己很没用。

　　比赛结束后赵烨背着书包疲惫地走出厕所，虽然他没有参加比赛，可他还是很累，心累。在楼梯口他意外地遇见了疾跑上来的林嘉茉，两个人愣愣地互相看着，谁也没说出话来。林嘉茉手里还拿着一瓶矿泉水，赵烨知道那是苏凯刚才喝的水，他亲眼看见林嘉茉及时地在场边递来递去，两人之间非常默契。

　　沉重的书包没能长时间坚持挂在赵烨并不习惯的左肩膀上，它坠下来时，两个人的表情都变了，赵烨疼得皱了皱眉，林嘉茉也在眼睛里闪过了同样的疼痛悲伤。最终他们也没开口，赵烨拖着书包，就着一个奇怪的姿势，狼狈地跑下了楼。林嘉茉很想帮他把书包扶上去，可是赵烨跑得太快了，她甚至没来得及伸出手。

后来陈寻也回来了，他上来的时候，只剩下林嘉茉一个人呆呆地坐在教室里望向窗外。

陈寻看了看她，小心地问："看见赵烨了么？"

林嘉茉点点头，随手指向门口说："走了。"

"已经走了？"陈寻叹了口气说，"我怕他瞎琢磨，还说上来跟他聊会儿天呢！"

"我也是……"林嘉茉捂住了脸，闷声说，"可是我看见他根本不知道该说什么。鼓励他？安慰他？那种话连我自己都觉得假，他怎么能爱听呢！况且……我现在用什么立场去跟他说这些？"

"其实我一直觉得你们俩没必要这样。你应该知道他现在这么难受不光光是因为打不了球，赢不了冠军。他颓成这德行，多多少少还是有点因为你吧？当然我不是埋怨你，但是也绝对不支持你们一直这么下去。难道真老死不相往来了？不至于吧？我觉得，你只要能跟他说句话，甭管说点什么，都会比现在好。"陈寻坐在她对面说。

"你太小看赵烨了，我主动去找他，他没准觉得我是在同情他。他会接受这样的怜悯么？"林嘉茉摇了摇头说，"我想，如果能把奖杯拿到他面前，告诉他我们都在为他努力，我们也从不曾忘记他的努力，他兴许能接受。可是……现在太难做到了……"

"今天校队确实发挥得不好……"陈寻用手指戳着额头说，"也真够苏凯糟心的了……你刚才没看见吧，他最后都累得没力气庆祝了。裁判一吹哨，他直接就躺地上了。"

"我急着跑上来，上哪儿看去？可是我跑上来也还是一点用也没有。陈寻，我觉得自己巨失败，既想让苏凯拿冠军，又想让赵烨心里舒服点，你说我是不是太贪心了？"林嘉茉趴在桌子上，红着眼睛说。

"别乱想啊！"陈寻拍了拍她说，"说实在的，他们俩的事和你有什么关系呢？你别这么想不开！"

"你没赶上过这种事，明白不了我的心情。要是有一天你和方茴分开了，你可能才能感觉到。陌生人，你懂么？不管以前多好，都只能成为陌生人。"

林嘉茉侧着脸看着窗外的蓝天，眼泪从一只眼睛里流下，又流到了另一只眼睛里，她眼前的世界渐渐模糊了起来，只剩下泪水的苦涩感觉。

陈寻猛地站起来，他走到班门口扭过头说，"我和方茴永远都不会变成陌生人！我也绝不让你和赵烨成为陌生人！"

匆　匆　那　年

"陈寻！你干吗去？"林嘉茉坐起来，抹了抹脸说。

"赵烨打不了，我打得了！我去帮他把他和苏凯应该得的奖杯拿回来！"陈寻坚定地说。

林嘉茉望着他的背影，原本失神的眼睛，突然有了希望的光。她的眼泪比刚才流得更多了，但是却不再悲伤。

"陈寻……谢谢你……谢谢你……"林嘉茉一边揉眼睛，一边哽咽地说。

"谢什么啊！从你刚来咱们几个就在一个桌子上吃饭，上学一起念书，下学一起出去玩，天天在一块儿，都快比跟自己爸妈在一起的时间还长了。我能不管你们的事么？"陈寻笑笑说，"你别哭了啊，其实我以前就想跟你说，但一直没好意思。你知道么？你一哭就满脸通红，再加上你这个新发型，跟《超级玛丽》里头那个红蘑菇似的，特傻！"

"讨厌！你才像蘑菇呢！不对！你像乌龟！壳比什么都硬！"

林嘉茉破涕而笑，她打心眼里感谢陈寻，也终于放下了心。她相信陈寻，只要他想做的事儿，就一定能干成。

13

其实当初一入学的时候，陈寻也在篮球队混过两天。但他天生随遇而安，最终因为受不了天天规规矩矩的早晚训练、单调无味的长跑运球，而退出了校队。F中的篮球队也确实比一般球队严格，尤其是在他们教练和队长苏凯的带领下，没有对篮球的极大热情，很难坚持下去。陈寻的技术算不错的，他当年退出的时候，苏凯还觉得很可惜。赵烨受伤后，苏凯也不是没考虑过让陈寻顶上来，但毕竟学生以学业为重，高三的人都面临高考，陈寻他们本学期末既要会考又要进行分文理的大考，他就没好意思让陈寻来接这个烂摊子。

所以这次陈寻自己主动来找他，简直就是雪中送炭，苏凯高兴得说不出话来，只一个劲地拍陈寻的肩膀，反复念叨："好样的！好样的！"

只要是陈寻决定做的事，方茴都毫无原则地默默支持。那段时间她几乎每天放学都和林嘉茉一起，陪着校队训练，帮他们买买水，打打杂。她默默无闻的付出让整个篮球队都给出了极高的评价，苏凯经常凑到陈寻身边说："你上哪儿找的这么好的姑娘啊？真是没挑了，你丫可千万别乱花丛中迷了眼，对不起人家！"陈寻则总是很骄傲地说："不能够！不能够！"

而林嘉茉在那段日子中，则几乎付出了自己青春中所有的热情。比起最初仅仅为了苏凯，她现在有了更多的感情酝酿其中。在得到与失去之间，林嘉茉渐渐地成熟起来，她要得不多，每天傍晚，能看着苏凯在球场上认真的样子，能陪着他走过从校门到路口的短短100米，她已经很开心了。

在那100米的距离里，偶尔苏凯也会谈起郑雪，林嘉茉因此慢慢知道了郑雪最终选择出国的决定，以及一系列的手续。这些点点滴滴的过程可以说就是郑雪与苏凯渐行渐远的过程，每每说到这里，她总能在苏凯眼睛里看到一丝淡淡的伤感。在那个阳光灿烂的春天，她比方茴他们先体会到了离别的滋味。

郑雪很少来看苏凯打球，到她最后要走的那段日子，就再也没来过。林嘉茉比谁都清楚，在苏凯那运着球的坚强身影后面，蕴含着怎样的沉重情感。这种情感累积成了强大的力量，他带着F中篮球队，在耐克杯的征途上不断前进。所以，在每一次的胜利欢呼中，她都特别心疼苏凯，真的特别心疼。

F中一路过关斩将打到了半决赛，那场比赛也是在F中打的。篮球场边上能站人的地方就全都站满了人。赵烨也去看了，自从陈寻替他出场之后，他心里就缓过来了点。他知道陈寻他是为了自己，都盼着自己能赶快好起来。看着这么多朋友如此用心的分上，他一大男生也不好意思太别扭了。再者说，他还是舍不得林嘉茉，还是想能跟她并肩站在一起，哪怕不是男女朋友也行。

比赛过程很激烈，两队比分咬得死死的，都拼得很凶。在场下看的观众都被这种胶着的气氛弄得很紧张，不断地替本队加油助威，大声喊着："防守！防守！防守！"

而方茴站在场边，心都快提到了嗓子眼上。那天陈寻有点发低烧，上午上课的时候一直趴着，直到现在也没好，得着空儿就弯腰歇会儿，方茴怕他扛不住，病厉害起来。

果然不出她所料，第二节下场之后，陈寻在场边就吐了。方茴忙挤过去看他，带着鼻音问：
"怎么样了？没事吧？"

"没事儿……"陈寻摆摆手，接过水漱了漱口说。

"他这是怎么着了？"苏凯走过来焦急地说，"怎么突然吐了？"

"他今天发烧……"方茴低着头说。

陈寻在旁边拉了她一把，打断她说："没什么大不了的，小毛病，不碍事。"

"真是烧着呢！"苏凯摸了摸他的脑门说，"你别瞎逞能！撑得住吗？不行咱们就
换人！"

"就是！你这样行吗？别硬扛啊！"赵烨皱着眉说。

"真没事！没问题！你丫怎么婆婆妈妈的啊！"陈寻勉强扯着嘴角笑了笑说，"我
可不能给你留下话把儿，给你机会让你以后挤对我！我不亲自上场把冠军拿回来，你
丫能服么？"

"行！我等着你给我拿冠军！"赵烨抿了抿嘴，眼睛里泛起了光。

"陈寻，你小子真牛逼！走！这次把丫们彻底灭了！"苏凯搂过陈寻的肩膀说。

陈寻笑着站起来，和赵烨击了下掌，向场内走去。方茴在陈寻身后偷偷抓住了他
的衣服，陈寻回过头，冲她灿烂地笑了笑说："放心！等着看我给你进三分啊！"

第三节开始，比赛更加白热化了，对方也看见陈寻刚才吐了，因此对他的逼抢更
加凶狠，陈寻病着，脚底下多少有些软，好几次都被他们生生挤出了边线。方茴在场
外看着他虚弱的样子，都快掉下眼泪了。苏凯也急了，为了陈寻差点和对方后卫争执
起来。就这么一直熬到第四节，F中还是以两分劣势略落后于对手。时间所剩不多，陈
寻也快到了极限，他也不去争球了，只在中线附近站好位置，等着中锋刘博抢下来篮板，
传给他打反击。

这个战术简单实用，刘博抓住机会，把球传到了陈寻手里。陈寻接到球就向对方
篮下跑去，对手防守很快，后卫马上就追了上来。陈寻估计他的速度很难跑到篮下，
便在三分线附近站住，准备跳投三分，而紧随其后的后卫也跳了起来，打算把这个球
盖了。篮球越过了两人的指尖，最终应声入网，而那个后卫收势不及，手招呼在了陈
寻身上，陈寻就像片叶子一样，落在了地上。

　　方茴觉得脚下的场地颤了颤，她的心也紧跟着颤了颤。耳边传来了赵烨"操你大爷的！下手太黑了！"的怒骂声，场内苏凯和对方球员互相推搡了起来，场边的观众一片惊呼。这些对方茴来说就像发生在另一个世界的事，她的眼里只有场中间那个像断了线的木偶一样的人，她急匆匆地推开身边的人，不管不顾地向场中间跑去。

　　陈寻仰躺在地上，他本来试着翻身起来，却一点力气也没有，干脆就踏实地躺着了。他眯起眼睛，心满意足地看着方茴含着泪的脸庞出现在他的视线内，笑着说："球进了吗？"

　　"进了。"方茴蹲在他身边，吸了吸鼻子说。

　　"怎么样？没骗你吧？这三分够名留青史了吧？"陈寻松了口气说。

　　"嗯……"

　　"哭什么啊，又不是没进！"

　　"没哭……"

　　"眼泪都掉我身上了……"

　　"疼么？"

　　"不疼……有点……"

　　"到底疼不疼啊？"方茴眼睛还红着，却扑哧一下笑了出来。"

　　"刚才不疼，看见你就开始疼了……"

　　"讨厌！那我走了！"

　　"别别别！不闹了……我说……拉我一把……我好像真没劲起来了。"陈寻向方茴伸出手说。

　　方茴握住了他的手，和旁边的队员一块把陈寻从地上拉了起来，一路将他扶下场。

　　"这回可让大家都看见了。"陈寻望了望四周，低声说。

　　"是啊……"方茴红着脸，叹了口气。

　　"可是看见你跑过来我特高兴，"陈寻笑着说，"真的，我躺地上的时候第一个想的是球，第二个想的就是你。"

　　方茴低下头笑了，偷偷攥了一下他的手。

　　陈寻最终没能坚持完整场比赛而提前下了场，但是F中却一直把这一分的优势守

Fleet
of
Time
· · · · ·

匆匆那年

到了最后，昂首挺进了耐克杯高中男子篮球联赛的总决赛。哨响的那一刻，全场爆发出了惊天动地的欢呼声和掌声。学生们整齐划一地逐个呼喊着自己球队队员的名字，从"苏凯"到"陈寻"，包括没能上场的"赵烨"。赵烨几乎激动得哭了出来，苏凯紧紧搂住他，骄傲地笑了。

那天所有篮球队员都起哄似的争着在赵烨右胳膊的石膏上签名，林嘉茉也被方茴鼓动着在上面写了自己的名字。后来赵烨无数次地偷偷摸索着那个名字，他用左手，歪歪扭扭地在上面记下了日期，并特别注明"耐克杯入决赛纪念"。

方茴说，多年之后那个石膏被赵烨摔得粉碎，破裂的白色粉末让每一个人的心都裂了一个缺口。直到那时，他们才明白，那场比赛是标识他们青春的纪念，证明他们之间的友谊和爱情曾经全心全意地交付，而这一切终究在时光里一去不返。

14

耐克杯决赛是在正规的体育场馆举行的，标准比赛地板、选手席、观众席一应俱全，气氛非常好。啦啦队到了那里都仿佛感染了专业气息，一个个跳得很卖力，一边挥舞着塑料彩球，一边喊"给我一个 F，给我一个 CUP，给 F 中一个 CUP"。

场边的观众也不示弱，林嘉茉学着《灌篮高手》里面的样子，事先拿了好几个空的可乐瓶，往里面装上一毛钱的钢镚儿，晃起来"哗啦啦"地响，声效超好。栏杆上也被他们挂上了旗子，什么"F 中必胜""勇者无敌""冠军只属于我们"，两方的旗语几乎连成了一片，混起来也分不清楚这旗子上写的冠军到底是哪边的了。不过大家都知道，真正的冠军只有一个，即将在今天、在这里产生。

比赛之前教练先叮嘱了一遍战术，队员们多少都有点紧张，教练说话那不大会儿的工夫，中锋刘博竟然上了三次厕所，等他第三次回来，苏凯皱着眉头说："怎么了你？

漏啦？要不咱们暂时先塞上会儿？"

大家哄笑起来，紧张的情绪也稍稍缓和了一点。

"该说的，该嘱咐的，也都说了，我作为队长就说两句题外话吧，"苏凯呼了口气说，"我呢，是高一下学期当上的校队队长，当时教练找我谈话的时候我特激动，一冲动就说'我一定给咱们学校赢个奖杯回来，摆在您办公桌上'，但是特不好意思，到现在我这句话也没能实现，直接影响了咱们教练涨工资发奖金，在此，我要郑重地跟教练说句对不起啊！"

教练笑了笑，一巴掌呼在了他肩膀上，苏凯"哎哟"一声，揉着膀子笑着说："您别沉不住气啊，下狠手也得等没人的时候，要不他们谁敢接我的班啊？呵呵，反正都今天了，我这队长占着茅坑不拉屎的日子也算到头了，您就让我说完吧！说实在的，我真没想到咱们能今天站在这块场地上。赵烨受伤的时候，我特绝望，我琢磨着别在咱们主场输，就算对得起观众了。但是我那天去看赵烨，他的那几句话真是一下子把我给震了，我觉得就冲了这孩子，我都得拼尽全力，宁可躺在场上输了，也不能放弃。后来咱们也确实打得很辛苦，高三的队员因为高考，一个个地退出了。这也不能怪他们，我作为一个考生很能理解。而就在这会儿，陈寻站出来了。他根本不是篮球队的人，他也要会考，也要分班考，其实这比赛就和他没什么关系。可是他还是来了，自己一个人在放学以后偷练投篮，即使生着病都没吭声，可以说没有他咱们可能早就打道回府了。所以，我今天必须谢谢他，不只是他，还要谢谢站在这儿的所有人，能跟你们一起并肩作战，是我这辈子的荣幸！你们可能都认为我太看重这个冠军了，太想在毕业之前拿一个冠军了，但是我要告诉你们，今儿个不管能不能得到冠军，我都没有遗憾！我以后都会骄傲地跟别人说，我曾经在一个最牛逼的篮球队待过，和一帮最牛逼的队员一起打过最牛逼的篮球！"

苏凯说这些的时候眼睛炯炯有神，闪动着不可一世的光芒。在场的每一个人都被他的强大气势震撼了，队员们一个个地站起来，包括还吊着胳膊的赵烨，大家像往常一样搭着肩膀围成了一个圆圈。

苏凯笑了笑，他看着圆圈中心大声地喊："F 中！"

"赢！"

所有队员一起大喊，雄厚嘹亮的声音，直冲云霄。

那天的比赛很激烈，在苏凯他们的同心协力、奋力拼搏之下，F 中最终捧得了 2000 年耐克杯的冠军。终场的那一刹那，苏凯流下了眼泪。他像孩子一样叫喊着跑到场边，紧紧抱住了赵烨，嘴里不停地说："冠军！我们是冠军！"赵烨的胳膊被苏凯坠得生疼，可他根本顾不上这些，也跟着一起蹦着喊："冠军！冠军！"

观众席上林嘉茉抱着方茴的肩膀，哇哇大哭。方茴和她抱在一起，一边安慰林嘉茉一边歪着头望向场下寻找陈寻的身影。她正望着就听见栏杆下有人大声喊着她的名字。方茴低下头，看见陈寻笑着向她挥手，他高高地举起了食指，比着一字的手势。

方茴说，在那一刻她觉得陈寻就像是凯旋的英雄，身上散发出了金色的光，而这个万众瞩目的英雄只把笑容送给了她，因此让她陶醉其中无比幸福。也就是从那时候起，她开始奢求陈寻的唯一，只注视着她，只向她伸出手，只对她笑。

我想方茴的这种想法是一种可爱而幼稚的小女孩心思，她忘了英雄之所以是英雄，就是因为他被很多人推崇认可，如果只是对她一个人，那么他就根本不可能被称作英雄。方茴的愿望必然会成为陈寻的束缚，而往往最后，只能困住她自己。

晚上全体篮球队和"家属"一起吃了庆功宴，教练带他们去了眉州东坡，说随便吃随便点，他来埋单。对吃惯了雨花餐厅宫保鸡丁的队员们来说，这简直就是国家队待遇了，一个个嘴甜得不得了，纷纷说，得冠军就是好啊就是好，教练涨工资，他们吃东坡，把教练弄得哭笑不得。

席间苏凯格外兴奋，轮着敬队员们酒，敞开了喝了个够。别人都觉着他是太高兴了，林嘉茉却看着不对劲，再怎么高兴都用不着喝这么猛，就跟自己灌自己似的。

过了一会儿，在大家都高兴地聊着吹着显摆着的时候，苏凯一个人走了出去。林嘉茉看得仔细，等过了十分钟，见他还没回来，就趁着没人注意也出去了。她走到门口，看见苏凯坐在台阶下面，默默地望着大街。林嘉茉从后面拍了他一下，挨着他坐下来说："怎么偷偷跑出来了？吐啦？"

"没有！我在你眼里就那么屄啊？我是出来坐会儿，"苏凯笑了笑说，"你呢，怎么出来了？"

"我……我也出来坐会儿。"林嘉茉红着脸，低下头小声说。

"话说回来，要真的醉了吐了也就好了。"苏凯叹了口气说。

"为什么啊？"林嘉茉疑惑地说。

"没事，我就是觉得今天过得特他妈不真实。"苏凯望着天说。

"有什么不真实的！要不我把奖杯再拿来让你看看？"

"死丫头！笑话你哥哥呢？"苏凯斜着眼看她说。

"没有……我不是……"

"知道啦，逗你呢！今儿怎么了？你也不灵泛了？"

林嘉茉看着他的侧脸默默地叹了口气，她在苏凯面前又何尝灵泛过，如果真的机灵点，也许就不会像现在这样深陷其中不可自拔了。

"嘉茉，你坐过飞机么？"苏凯突然问。

"没有，你坐过？"

"我也没有，你说坐飞机能看得见下面什么样么？"

"能吧，但肯定特小。"

"那我要是放个花，在飞机上能看见么？"

"不知道，也许能看见？"

"那你知道这边哪儿有卖烟花爆竹的么？"

"这儿哪儿有啊！全北京都没有，要买肯定得去外地。"

"哦对了，禁放了哈。"

"你喝多了吧？现在要那玩意干吗啊？"

"呵呵，可能真有点多。"苏凯捂住脸，闷声说。

"你到底怎么了？"林嘉茉侧过身，直直地看着他问。

"今天……郑雪走了。"苏凯拿下了手看着林嘉茉无奈地说，那一瞬间，林嘉茉在他眼里隐约看见了泪光。

"真的？"林嘉茉觉得自己心里揪了一下，她慢慢地感觉到了苏凯的疼痛，那种好像连呼吸都很费力的疼痛。

"嗯，也许现在就在咱俩上边呢。"苏凯指了指天空说。

"所以你想放花？"

"啊……够傻缺的吧？"苏凯苦涩地笑着低下头，"你说她在中国明明能考上不错的大学，干吗非上国外啊？新西兰就那么好吗？不就一放羊的地方么？咱们中国什么没有啊！至少有我陪着她啊！呵呵，可能她不稀罕我陪着吧。"

　　苏凯的每一句话都敲打在了林嘉茉心里最柔软的地方，她抿着嘴听他讲他对另外一个女孩子的不舍、忠贞和愚蠢的幻想。这些话冲击着林嘉茉的耳膜，让她从头到脚都冰冷异常，她感觉自己最珍惜的东西被别人弃如敝屣，她一直小心攥着的珍珠，不过是颗水珠，马上就要从指缝中滑落，然后蒸发消失不见。虚无的恐惧感让她终于坚持不住，紧紧抱住了苏凯。

　　"我稀罕！我要！让我来陪着你！苏凯，我喜欢你！我特喜欢你！我就是高依依，高依依就是我，水是我买的，BP机也是我呼的，小说和磁带都是因为想和你说话才故意不给你的……从我认识你起，我就喜欢你了，一直很喜欢……"

　　林嘉茉突然扑过去的力量让苏凯的身体禁不住磕在了台阶上，疼痛感使他逐渐清醒，他望着自己怀里的女孩，还是慢慢推开了她。

　　"嘉茉，我真没想到是你，谢谢你，谢谢你对我那么好。但是我答应了要等郑雪回来，不管以后会怎么样我都想等等看。也许你会觉得我很傻，可能我就是很傻。可是我还是想等她，人要不趁着年轻的时候做点傻事，以后还什么时候做啊！我宁愿以后因为等了她而后悔，也不愿意因为没等她而后悔。嘉茉，你是个好女孩，是我见过的最可爱、最善良、最好的女孩。我一直把你当亲妹妹看待，以前是以后也是，妹妹，你也等等吧，会有比我更好的男孩陪着你的，我，不行。"

　　林嘉茉怔怔地看着他，她美丽的眼睛里慢慢流出了泪水，继而她又扑到他怀里号啕大哭，而这次，苏凯没有推开她。

　　他抱着林嘉茉抬起头望向天空，墨色的夜空中闪过了一点飞机飞行的红色，也许那闪烁的红过于突兀刺眼，因此他也流下了眼泪。

15

关于耐克杯的所有悲欢都像一个美丽的泡沫一样，升腾到最高点然后消失不见。它散发出的透明的七彩光芒，在每个人心里都留下了难以忘记的影子。

林嘉茉用很平静的语调向方茴叙述了那个别致的夜晚，每一句话，每一个停顿，每一滴眼泪，她都牢牢地记住了，精确得仿佛在讲别人的故事，没掺杂一点自己的感情在里面。方茴不知道怎么安慰她好，而林嘉茉也没想得到她的安慰。换句话说不幸的人不会愿意在幸福的人面前哀悼，那只会让人感觉更加不幸。那时候的方茴还不知道什么叫刻骨，什么是锥心，她的眼睛清澈见底没有一丝涟漪，所以她根本安慰不了林嘉茉。有些痛苦不经历过永远无法体会，所有开导的话都会变成不疼不痒的风凉话。赵烨和苏凯两个人接连折磨了林嘉茉的身心，这些意味着什么只有她自己才能明白。

讲完这些林嘉茉轻盈地从学校的槐树围栏上跳了下来，落地时脚不慎崴了一下，她皱着眉骂了声"他奶奶的"，随后高声唱起"在我心中，你是一根大葱，撅吧撅吧揉吧揉吧扔进垃圾桶中"，她一边笑一边回过头看方茴，毫无意外地，她在方茴眼中看见了不可思议无法理解的眼神。

那是方茴第一次听到林嘉茉骂人，而她却仅仅以为只是心里不痛快罢了，轻易忽略掉了其中默默隐藏的悲伤和坚强。

在那年春天的最后，F中照例举行了运动会。由于赵烨还没好利索，所以陈寻和乔燃报了很多项目，什么男子四乘一百、四百、八百、一千、一千五、跳高跳远……但凡能上的，两人几乎都参加了。侯老师特别高兴，充分表扬了他们的责任心和集体荣誉感，就差在黑板上写"向陈寻和乔燃同学学习"了。

运动会当天挺热的，方茴抱着一大袋子水陪在陈寻和乔燃旁边，一直照应着。陈寻跑完 400 米下来，一屁股坐在地上，向方茴伸出手说："水水！不要矿泉水，给我一个红牛！"

方茴翻了翻袋子说："红牛只剩一个了，待会儿乔燃还要跑一千，给他留着吧，你先喝矿泉水。"

"我就喝一口！我还要跑一千五呢！这他妈破天，热死了！"陈寻揪着方茴的裤腿说。

"瞧你丫这德行！快快快！赶紧让他喝了吧！"乔燃笑着说。

"那……好吗？"方茴看着乔燃说。

"没事！丫太尿！我用不着！"

"你跑一圈试试就知道了！"陈寻接过水，咕嘟咕嘟灌了一大口说，"我得上去歇会……"

陈寻往前走，方茴跟着他，忽又停下来，转身对乔燃说："谢谢啊，他就是这样，待会儿我去再给你买一罐。"

"真不用，"乔燃摆摆手说，"你多帮我喊两声加油就行了。"

对面的阳光有些刺眼，方茴眯着眼睛，微微点了点头。乔燃看着她，开心地比起了 V 字。

可惜最终方茴也没能去替乔燃加油，在乔燃起跑的时候，方茴正陪着陈寻检录一千五百米长跑。陈寻一边压腿，一边哼哼着歌，方茴帮他重新别好号牌说："现在有精神了？"

"嗯！喝完红牛好多了！"陈寻捅捅她说，"哎！你听我唱的这歌了么？好听么？"

"没怎么听清楚，还行吧。"

"还行？多好听啊！这歌是我最喜欢的一个地下乐队写的，叫《河》，特别棒！"

"是吗？"方茴随口说道，她知道陈寻很迷摇滚，但她却不怎么懂。

"嗯！现在玩吉他的都知道，痉挛乐队，非常牛逼！孙涛还认识他们的主唱呢！赶明我带你去听一次，你就知道了！"

"哦，快去吧，就要开始了。"每次听到他那些发小的名字，方茴总是淡淡地回应。她知道陈寻并没有遵守诺言，不再和他们常联系，而她自己也始终没能想通，不去介怀从前。这两者之间有点别别扭扭的，陈寻和方茴不知道该怎么解决，只是选择了回避而已。

"加油啊！要是不舒服就跟老师说下来！我在旁边等着你！"方茴叮嘱了两句。

"下来？不能够！那多丢人啊！你擎好吧！"陈寻骄傲地说。

方茴笑了笑，站在了跑道边。比赛过程中她一直盯着陈寻，不知不觉地竟然围着跑道走了一圈，陈寻跑了一千五百米，她走了八百米。虽然没能拿到名次，但是陈寻还是坚持了下来，直到看着他到达终点，方茴才走上了观众台。

林嘉茉见她走来，忙把手里的纸笔塞过去，一脸不满地说："哎哟，你可算回来了！快点写两篇通讯稿吧！我是彻底没词了，什么英姿飒爽、朝气蓬勃、勇猛拼搏、体育万岁我都写了，差点没写上龙马精神！你说说，咱俩到底谁是宣传委员啊！"

"对不起，对不起！我刚才陪陈寻跑一千五去了。"方茴忙道歉说。

"看见啦！"林嘉茉白了她一眼，"不是我说，我觉得你喜欢人的方式真的很蠢！他跑他的步，你围着操场转圈干吗啊？"

"我……我就是看看……"方茴不好意思地埋下头，在纸上胡乱写了起来。

"你悠着点，别把高二一班通讯稿写成陈寻同学专稿！"林嘉茉继续挤对她。

"你讨厌！"方茴挥起手拍过去，林嘉茉笑着躲开，不小心撞着了身后的赵烨。

此时赵烨胳膊上的石膏已经拆掉了，但还用夹板夹着，白色绷带挂在脖子上，样子多少有些狼狈。两人对视了一下又慌忙躲开，仿佛两块同极的磁铁，很默契地一左一右各自走远，躲闪竟然已经成习惯。

林嘉茉绕到方茴身后坐了下来，她支着下巴，遥遥望向赛场，轻叹了口气说："其实……就像你这样傻了吧唧的也挺好的。"

"什么？"方茴回过头，眼神依然清澈。

"没什么，快写吧！"林嘉茉扶着她的脑袋，把她扭了过去。

远处的广播中响起了广播员的声音，曼妙的声音念道："高二（1）班来稿：运动场上的欢喜和悲伤都是如此真切，没有什么是我们克服不了的！珍惜每一秒，享受每一天。拼搏、拼搏、拼搏！加油、加油、加油！我们的未来不是梦！"

运动会结束以后，陈寻非拉着方茴去听那什么痉挛乐队的演唱，方茴可以说是一点兴趣也没有，但她不愿意扫陈寻的兴，便勉强跟着他去了。

陈寻换了一辆新车，他原来那辆在饭馆门口被人偷了。那时候北京偷车贼特别猖獗，基本上骑车的人就没有没丢过车的。好车丢，破车也丢；弹簧锁丢，U 形锁还丢。自行车市场在偷车与倒卖二手车之间，形成了独特的产业链。陈寻的这辆"新车"就是在二手市场淘回来的，之前他已经丢过一次车了，他妈刚给他掏了一千多块买了辆车，他还没骑热乎就又弄丢了，这次他怎么也不敢再向家里要钱，无奈之下只好去四惠那边的一个二手车交易市场买了辆一模一样的"新车"。那会儿的四惠根本连 CBD 商圈的影都没有，无数小平房跟乡下似的。在一个民宅里，陈寻被一群村民围住，以视死如归的决心，讨价还价买下了这辆车。在捷安特专卖店卖一千多的车，在这里一百多就成交了，弄得陈寻非常郁闷，乔燃开玩笑说没准这就是他丢的那辆，循环一圈又物归原主了。

　　这辆车没有后座，后轱辘上只有个挡泥板，方茴只能坐在大梁上。由于大梁是斜的，所以坐上去非常不舒服。但是方茴还是津津有味，她坐在上面可以感觉到陈寻的气息，还可以听他嘴里哼哼唧唧的歌。

　　陈寻带方茴去的是北新桥那边一间叫"忙蜂"的酒吧，陈寻对她说这里经常会有没出名的地下乐队来这里表演，据说花儿乐队就是从这出来的，没有孙涛的关系他们根本进不来。方茴第一次来这种地方，她诧异陈寻知道这么多而自己竟然一点也不知道。两个人穿着校服混迹在人群中，陈寻不时停下来和旁边的人打招呼，方茴一直跟在他身后，却觉得始终跟不上他的脚步。

　　最终陈寻挤到了前面，方茴落在了后面。痉挛乐队出场时震耳欲聋的欢呼声让她直犯恶心。主唱酷酷地向下面挥手致意，又引起了一片尖叫。那天他们表演的第一首歌就是《河》，而方茴也终于听清楚了让陈寻沉醉其中的歌。

　　　　　小时候我故乡有一条河，
　　　　　她就住在河那旁，
　　　　　是个梳着辫子的可爱姑娘。

　　　　　傍晚我总是拉着她的手，
　　　　　河水映着她的娇艳脸庞，
　　　　　她说以后我们要顺着河一起流浪。

我以为我们真的会去流浪，
可是她却陪伴在别人身旁。
她走的那天河很蓝，
她说不舍得和我再见，

我说我找不到你怎么办，
她指着河说这就是我的方向，
那里的名字叫他乡。

后来我有了自己的姑娘，
那个人却让她受了伤，
我顺着河走接她回家，
她却说傻瓜，他才是我的家。

她等着他，我等着她。
我们都不害怕，
总有一天我们死后会变成河，
流到一起，
不再牵挂。

她等着他，我等着她。
我们都不害怕，
总有一天我们死后会变成河，
流到一起，
不再牵挂。

方茴听完整首曲子，立刻站起身走了出去。方茴走的时候，陈寻正打着拍子唱"流到一起，不再牵挂"。她在陈寻脸上看见了迷茫的表情，而陈寻并没有看见她。

　　方茴本来想回家，但怎么也没能等到车，只好泄气地坐在了马路牙子上。路旁的灯火在她眼里渐渐模糊，她轻轻抹了把脸，一片湿漉漉的。

　　方茴对我说，不知道为什么，她那天就是觉得这首歌是在唱陈寻和吴婷婷，而她，只是像个旁观者一样。

16

　　陈寻从"忙蜂"里跑出来的时候，方茴正在抹眼泪。陈寻站在马路对面看着路灯下她那纤细的身影，突然有种说不出来的难过。

　　陈寻跑过马路，一把拉住她说："你怎么跑出来了？这又怎么了？我刚才找你半天，都快急死了！"

　　"没事……"方茴吸了吸鼻子说。

　　"没事哭什么！"

　　"眼睛疼。"

　　"别瞎掰！"陈寻捧住她的脸说。

　　"你为什么喜欢《河》？"方茴拉下他的手，定定地望着他问。

　　"不……不为什么啊……"陈寻被她问得发愣。

　　"歌词喜欢吗？"

　　"喜欢啊……编曲也……"

　　"听这首歌的时候，想过吴婷婷么？"方茴打断他，直接问了出来。

　　"你又想什么呢！"陈寻松开手，看着路边说。

　　"想过没有？"

　　"……"

　　陈寻没能回答方茴的问题，说实话他的确想过，但是他觉得自己的那种想，和方茴认为的想不太一样。他不知道该怎么说，只好拉住她低下头吻了过去。

　　方茴别过头，推开他说："你别糊弄我。"

　　"不是……"

　　"你不是说不和你的那些发小多联系了么？我跟你说过我和他们就不是一路的。"

　　"怎么说到这上头了，我知道，可是……"

　　"那干吗还和孙涛来这种地方？你看看里面有学生么？再两个月咱们就要考试了，到时候咱俩考不到理科Ａ班怎么办？分开了怎么办？你想过么？"

　　"上不了理Ａ上文Ａ呗，反正你文科比较好，我本来就想陪你学文了。"

　　"可能么？你连语文都学着费劲，你学文？我看你是根本没想过！"

　　"你怎么知道我没想过！"陈寻有点生气了，"我有点业余爱好都不行了？"

　　"谁说不行了，但是你不要和那些人在一起……"

　　"哪些人啊？我从小就和他们在一起也没见我怎么着了！方茴，你别太较真啊！"

　　"好吧！算我较真！"

　　方茴抿抿嘴唇，悲伤地看了陈寻一眼，猛地转身打了一辆车。

　　陈寻站在原地愣愣地看着那辆夏利的顶灯越来越远，几分钟后他才拔腿追了过去，但是那一点红还是融化在了夜色中。那一刻，陈寻感到特别无力。

　　晚上陈寻给方茴打了电话，方建州接起来的时候很不耐烦，陈寻在电话那头隐隐约约地听见他说："这男生是谁啊？怎么老给你打电话？说完了就快点挂！别聊天啊！"

　　方茴应着接起电话，陈寻说："你怎么说跑就跑啊！我追出了几百米呢！"

　　"是吗？"方茴淡淡地说。

　　"先开始我以为你会下来呢！没想到你真走了！"

　　"哦。"

　　"还生气呢？"

　　"没。"

　　"别生气了，真不是你想的那样。"

"哦。"

"那我以后不去了。"

"随便。"

"你别这样。"

"嗯。"

"我给你弹首歌吧！"

"不行……"方茴压低声音，"我爸在……"

"哦。"

"那先这样吧。"

"嗯，明天再说，你别瞎琢磨了啊！拜拜。"

"拜拜。"

第二天上学，陈寻一直没话找话地围在方茴身边，方茴也没怠慢他，很耐心地陪着他玩五子棋和"东南西北"等幼稚的游戏，就像什么都没发生一样。

放学之后，陈寻凑过来，有些不自然地说："那个……今天……我还得去一趟'忙蜂'……"

方茴收拾东西的手停顿了两秒，继而接着把书放到了书包里。

"是这样的，昨天孙涛给我打电话，不是我联系他啊，是他打给我的！他说和那边的人说了，可以让我去唱一首歌！我想去试试，就一次，以后再也不去了！"陈寻忙解释说。

"哦。"方茴依旧没有反应，她拉好书包拉锁，站了起来。

"陪我一起去吧！"陈寻觍着脸蹦下桌子，挡在她面前说。

"不去。"方茴轻轻闪过他。

"为什么？"陈寻拉住她，"我第一次上台唱歌！"

"我去干什么？听你唱《河》，陪你怀念初恋？"方茴挣扎开淡淡地说。

"不是！都跟你说不是……"

"我不想再去那种地方了，"方茴打断他，"也不想再听'流到一起，不再牵挂'！"

陈寻松开手，眼神复杂地看了会方茴说："随便你吧！"

方茴低下了头，她没敢看陈寻离去的背影，只听见了一声重重的摔门声。

乔燃在后面一直看着他们，等陈寻走后，他才走到方茴身边说："怎么了？他闹什么别扭啊？"

方茴抬起头，深吸了口气说："乔燃，你有忘不了的人么？就是那种不管怎么样，以前忘不了，现在忘不了，以后也还是忘不了的人。"

乔燃愣了愣，随后看着她笑着说："有啊。"

那天乔燃陪着方茴一起回家了，方茴并没说她和陈寻到底怎么了，乔燃也没再问，两人有一搭没一搭地闲聊着，尽说些不着边际的话。

"既然有忘不了的人，那现在喜欢的人怎么办呢。"方茴踢着小碎石子说。

"我忘不了的人就是我现在喜欢的人。"乔燃说。

"你也糊弄我？"

"真的。"

"那以后喜欢的人呢？"

"就是我以后忘不了的人。"

"以前那个呢？"

"一块忘不了。"

"真贪心。"

"呵呵，谁也不希望就这样被轻易忘记吧？再说，忘不了也不代表一直喜欢。"

"是吗？"

"是啊，比如我问你，你会把我忘了么？"乔燃站定，笑盈盈地看着方茴说。

方茴摇摇头说："不会吧。"

"那么你喜欢我吗？"

树上的丁香被吹了下来，好像在他们中间下了一场雪。方茴诧异地看了他一眼，仿佛无处躲藏般的，忙又把目光投向别处。

"不喜欢对吧？"乔燃依旧笑着，但却笑得空落落的，"所以你看，忘不了也不是多么了不得的事。"

后来她们也没再说什么，到方茴家楼下，乔燃朝旁边的丁香花丛走了过去，他在树丛中找了半天，揪下一朵花放在了方茴手心里。

"什么啊？"方茴看着手中小小的白色花朵疑惑地说。

"五瓣丁香，据说会带来幸福，"乔燃解释说，"别愁眉不展的了，我希望你能是世界上最幸福的人！"

方茴抬起头，感激地看着乔燃，随后她也去花丛中找了一朵五瓣的丁香，递给乔燃说："这个给你！你也要幸福！"

乔燃笑着接过来，小心翼翼地夹在了书本里，方茴攥着手里的五瓣丁香向他道别，乔燃挥挥手，一直目送她走进楼里，才慢慢转过身。

那朵五瓣丁香，被他保留了很多很多年。

陈寻赶到"忙蜂"，诧异地看见了站在门口的吴婷婷。那天吴婷婷穿了一件紧身的黑色外套，里面衣服领子很大，露出了一片白皙的脖颈，她瑟缩着向陈寻笑着跑过来说："腕儿，谱挺大的啊！还没出名就学会迟到了！枉我们巴巴地跑来捧场！"

"先把自己裹好了再跟我说话！不知道晚上凉啊？冻不死你！"陈寻皱着眉把自己的外套递过去说。

"你就是一事妈！"吴婷婷接过衣服套在身上，往他身后瞅了瞅说，"你的小女友呢？怎么没来？"

"她啊……"陈寻顿了顿，拿脚蹭着地面说，"有事儿。"

"嘿！褶子了！"旁边的孙涛一拍巴掌喊起来，"怎么不早说啊！海冰今天特意没来！怕扫兴。"

"怎么着？有什么的啊！还怕她了！操！现在就打电话！把海冰叫来！我第一次表演没他哪成！"陈寻瞪着眼睛说。

"没瞧出来！你丫还挺有骨气的！"孙涛笑着挽过杨晴说，"去，给海冰打电话去！"

"当然了！我是谁啊！见神杀神，见鬼拍鬼！就不怕那些牛鬼蛇神！"陈寻停好车，背着琴走进了门口。

吴婷婷和孙涛互看了一眼，孙涛使了个眼色，吴婷婷跟上陈寻轻声说："怎么了？你们俩吵架啦？"

"不是……"陈寻低下头说，"就是有时候……我真不知道该拿她怎么办。"

"哎哟！还有能拿得住你的人啊？"吴婷婷笑着说。

"你丫装什么孙子啊！"陈寻白了她一眼，"当年你不是就把我玩得滴溜乱转吗！"

"是吗？我怎么不知道啊！真有成就感！"吴婷婷使劲捶了他一下，笑得花枝乱颤。

"那可不是？没你我们还真不至于这样！"陈寻揉着肩膀说。

"你等会，什么意思？你们俩到底怎么了？"吴婷婷拉住他，收起笑脸说。

"待会儿再说吧！先让我踏踏实实把这曲子弹完了！我还得再练一遍呢。"

陈寻坐好了，拿起别在琴弦上的拨片开始调音。他用的还是方茴新年送的那枚红色拨片，只不过上面银色的桃心贴纸已稍稍有些褪色。

周末之后的"忙蜂"略显冷清，吴婷婷他们几个可以算是人数最多的一桌客人，这让陈寻缓解了一些紧张的情绪。他装束很简单，把校服外套脱了之后，上身是一件文字图案的白T恤，下身他也没换，穿着校服裤子就拿起他300多块钱的吉他上场了。

"瞧丫那屌样！"刚赶来的唐海冰笑着说。

"嘘！小点声！"吴婷婷用胳膊肘捅了他一下。

"你那么投入干吗啊？"孙涛坏笑着说。

"你别说，陈寻还真挺有范儿的！我都有点被他迷住了！"杨晴捧着脸蛋，满脸崇拜地看着陈寻说。

"滚蛋！你不许看！"孙涛一把捂住她的眼睛，把她按在了自己怀里。

陈寻望着他们，遥遥一笑，轻轻拨动了琴弦。

月光下的树影斑驳了多久时间，
白裙子的女孩路过了多少次这街，
夕阳下我多少次回望着你的眼，
你有过多少遗憾总是苍茫了爱恋。

忘川河畔盛开了多少朵红莲，
轮回中我们擦肩了多少个百年，
前世的你吟唱了多少梦萦魂牵，
如今的我多少次梦回少年蹁跹。

一百年一千年之后匆匆过去多少年，
漫漫岁月中我们许过多少诺言，
多年之后我们是否还会无悔相伴，
只为你的一笑误我浮生的匆匆那年。

　　陈寻唱完了之后，唐海冰他们发疯似的鼓掌叫好起来，陈寻索性放开了胆，又弹唱了几首时下流行的歌，更显出色了。

　　他一下来就被他们围住，孙涛勾住他的脖子，笑得眼睛都成了一条缝，热络地说："哥们儿，刚才老板跟我打听你电话呢，他说你是可塑之才！真给劲啊！干脆你就往娱乐圈发展吧！有你在，那什么谢霆锋、陈晓东都得卷铺盖回乡下了！"

　　"对对对！赶明你出名了，我就给你当经纪人，谁想要你签字都得先过我这关！哇噻！想想都爽！"杨晴满眼金光地接茬说。

　　"瞧你们俩那尿样！真是烂泥扶不上墙！娱乐圈有什么好的？你搞搞我，我搞搞你，放眼望去男人都是表兄弟，女人都是表姐妹！掰着手指头数，超不过三人就能扯上不正当男女关系！我就看不惯他们那操行！我们陈寻玩这个也就图一乐！这叫丰富自己的课余生活！是吧？"唐海冰很不屑地说。

　　"切！还'我们陈寻'，陈寻什么时候成你的了？怎么也是人方茴的啊？你算哪根葱啊！"杨晴白了唐海冰一眼说。

　　她这无心的一句话却让大家都突然没了动静，唐海冰松开了搭在陈寻肩膀上的手，陈寻扭过头一声不吭地坐了下来。孙涛狠狠掐了杨晴一把，惹得她又痛又怒，嘴里依然不老实："本来就是！你掐我干什么！够下狠手的啊！都青了！"

　　吴婷婷使劲拧了拧她，凑到陈寻身边说："那歌是你写的？不错嘛！叫什么名字？"

　　"《匆匆那年》。"陈寻闷声说。

　　"啧啧，高才生就是不一样啊，起个名字都这么清雅脱俗……"

　　"滚蛋啊！"陈寻没等她说完就打断了，"少跟我这装！"

　　"夸你你还不爱听了！天生贱命呀！我告诉你，别在外头受了闲气，上我这来发无名火！"吴婷婷也有些生气了。

　　"不是，我这不是心里堵着呢么！"陈寻软下口气说。

　　"那歌……是给方茴写的？"吴婷婷的目光透过暗色的灯幽幽打在陈寻身上。

　　"也不是……"陈寻有点不好意思地低下头说，"反正是想让她来听听来着，呵，现在可好……"

　　"那女孩子心里弯太多了，也不能怪她，我想她是太在意你了。你啊，既然真心喜欢她，就多担待点吧！谁叫当初我们那么劝你都不听呢！"吴婷婷叹了口气说。

　　陈寻笑了笑，伸手戳她的脑门："你这人说起道理比谁都明白，办起事又比谁都糊涂！有时候我就想，你和方茴要是能匀乎匀乎就好了！"

　　"想得美！还什么都是你的了！"吴婷婷把他的手扒拉掉，从鼻子里哼了一声说，"吃着碗里的瞅着锅里的，不怕撑死啊！"

　　"你可别冤枉我！我就是那么一说，你就那么一听。你现在这话可太暧昧了，我就是跳进黄河也洗不清啊！我总算看出来了，我就是这么被你们丫一点点给算计的！"陈寻忙澄清说。

　　"滚！少他妈装窦娥！说真的，要不然我去和方茴说说吧，省得你以后糟心，指不定再胡说八道点什么出来。"

　　陈寻转了转眼睛，喜笑颜开地说："也行！婷婷，我真没发现，你正经起来，那简直不是一般的靠谱啊！"

　　"去去去！别烦我！我什么时候不正经了！德行！"吴婷婷挥了挥手，独自听起了歌。

　　唐海冰看他们聊得挺欢也走了过来，他点上根烟说："怎么着？待会儿咱们去哪方面活动啊？好久没聚这么齐了。"

　　"活动？他肯定不行！"吴婷婷指着陈寻说，"他还不得乖乖回去写作业啊？"

　　"谁说的！"陈寻瞪着眼说，"咱们五个都多久没一块玩了！走！'六月'切台去！"

　　"六月"是一家台球厅的名字，没认识方茴之前，陈寻总会和唐海冰他们去那玩。

　　"好啊！"唐海冰一下子来了劲，"我也检查一下你的技术见长了没，上回你硬说要薄一张纸，最后愣是厚了个本，直接把黑八晕进底袋了，我可还记着呢！"

　　"切！那次是失误，我早今非昔比了，不知道我现在被称为'天下第一缩杆'啊！今儿就让你开开眼！"陈寻也难得地放松起来，挽着唐海冰一起亲亲热热地走了出去。

　　那天陈寻和唐海冰他们玩了个痛快，方茴本来以为能在晚上等来他的电话，却迟迟不见动静，便一边遗憾一边心酸地睡了。

　　第二天陈寻精神不错，可方茴却还阴郁着。但因为那天有实习老师来做公开课，所以班委们在中午一起开了个会，安排一下谁举手谁发言什么的。在大家面前他们也不好别别扭扭的，两个人例行公事地说了几句话，那点不开心的事渐渐也就不了了之了。

　　方茴他们的实习老师姓马，是教语文的刚毕业的研究生，她选的公开课是林黛玉进贾府的那篇课文，事先做了不少准备。那时候很多北京高中都像模像样地安置了闭路电视和投影仪等在当时还算高档的设备，但这些设备在一般情况下都不会用，只有公开课或领导视察学校时，才象征性地开开，证明一下机器还是能运转的，不仅仅是个摆设。

　　那天马老师就在 40 分钟的时间里，把这些设备用了个遍。先在投影仪上放人物关系图，电视机放《红楼梦》电视剧的片段，后又每一小组发十二金钗的扑克牌，在黑板上摘抄红楼梦诗词，把教参里的那点内容背得滚瓜烂熟。课是上得确实不错，只不过不是哪堂都是这么上的。总之弄得有声有色的，就像课后整个语文教学组给的评价："准确把握教学要点，课堂气氛生动活泼。"

　　送走了语文教学组的所有人，马老师总算松了口气，那天是两节连堂的课，第二节课的时候马老师如释重负地放弃了那些设备，改上作文评讲课。方茴他们平时一周

写一篇周记，有时按着教学进度再安排点命题记叙文或议论文。那次他们正好学到小说单元，作文作业要求写的就是短篇小说。马老师大概讲了讲写小说的要点，就选了几篇同学写得不错的文章让他们逐个上讲台前念。

其中有一篇乔燃的，可轮到他时，他却死活不上去。马老师那天心情好，就笑眯眯地说："乔燃，我看了你的文章，很不错的嘛。男孩子有什么扭扭捏捏的，没准那个女同学就想欣赏你的这篇作文呢！"她这么一说更引起了大家的兴趣，男生们都起着哄让他上去，乔燃推托不过，只好红着脸走上了讲台。

"《一朵丁香花》，高二（1）班，乔燃。"乔燃昏头昏脑地把班级姓名也念了出来，底下同学一片哄笑，他不好意思地停顿了会，直到马老师维持好秩序，才小声继续念完了全部。

　　每年到了春天，到了丁香盛开的季节，我都会想起一个人，她是一个像丁香般的女孩。

　　我记不清楚什么时候开始对她格外在意了，如果时光也可以像电影镜头似的分开成一张张的画面，那么现在在我脑子里闪现过的关于她的第一张画面就是在一丛丁香树的旁边。

　　那天是个明媚的春日，她走过丁香花旁的时候，突然刮起了一阵微风，轻盈的白色四瓣花飘了下来，落在她的头发上、肩膀上，就像是特意为她下了一场花雨。我站在她身后闻见芬芳的气息，也许是那个画面太美了，恍惚中，我分不清那香气究竟是来自花，还是来自她。

　　后来我经常路过那片花丛，因为她的缘故，我总是在那里停下一会儿。偶尔也还会遇见她，但是她却从未再看那些丁香一眼。

　　那个春天，我记住了，她忘记了。

　　每年都只有一个春天，我不知道我们会在多少个春天擦肩而过。有人告诉我，五片花瓣的丁香能够给人幸福，于是我找了很多朵五瓣丁香，多得我都觉得这个传说不可信了，却始终不敢送给她一朵。

　　终于有一天，在丁香散发迷人香气的日子里，我又和她一起走过了那片花丛。那天她穿着白色的外套和暗红色的球鞋，其他的我记不清了，因为我一直没怎么抬头。她的样子并不开心，她问我有忘不了的人么。我说有。她说既然忘不了过去那么现在喜欢的人怎么办。我说现在喜欢的人就是我忘不了的人。她问那以后喜欢的人呢。我说一起忘不了。她说我骗她。我就反问，那你会把我忘记吗？她摇摇头。我接着问，那你喜欢我吗？她没有回答，我却知道了答案。所以我对她说也对我自己说，你看，忘不了也不是什么了不起的事。

　　那天我从树丛中摘了一朵五瓣丁香送给她，她也回送了我一朵。如果这朵丁香花灵验，那么我宁愿把我的幸福也送给她。

　　其实，上面对话我的所有回答，我都想在后面加一句话。

　　忘不了的人，是你。

　　现在喜欢的人，是你。

　　不管以前、现在还是以后都不想忘记的人，是你。

　　我渐渐明白了一件事情，我喜欢丁香，白色的粉色的，盛开的枯萎的，我全部都喜欢。就像喜欢她一样，无论她是什么样子，长发短发，是我的或不是，我全部都喜欢。

　　这个春天，我记住了，她会忘记吗？

　　乔燃念作文的时候，班里的同学渐渐不再浮躁，他们就像听故事一样，认真聆听着这个少年的独白。也许唯一不太专心的就是方茴，只有她真正听懂了这篇优美的作文，就因为太懂了，以至于差点流下了泪。

18

　　乔燃念完之后很平静地走下了讲台，所有的柔情百转仿佛都融化在了那些文字中，他没看方茴一眼径直走向了自己的座位，赵烨伸出手掌，乔燃默契地和他击打了一下。陈寻若有所思地看着他，乔燃回以了一个腼腆的微笑，眉毛揪在一起说："真他妈的丢人！"

　　"没没没！你不是丢人，是文人！"陈寻飞快地转着笔说。

　　马老师照例要点评一下，她笑着说："大家觉得这篇文章怎么样？挺好的吧？呵呵，的确是不错的作品，里面蕴含着的真情实意很让人感动。但是，我想这篇作文可以说是一篇好文章，但不能说是一个好小说。无论多短的小说，都还是会有清晰的脉络，事情的起因经过发展结果，还有必不可少的高潮。这篇作文更像是散文，结构有些松散，故事略显单薄。乔燃你可以回去再修改一下，最好是把内容丰富些，当然，我也期待看到这篇作文能有精彩的后续发展！"

　　马老师俏皮地的眨了眨眼，同学们又嬉笑起来。乔燃默默低下了头，马老师的话打动了他，倒不是那些评语起了醍醐灌顶的作用，只是他猛然发现，原来他和方茴之间没有起因经过发展结果，更没有高潮，连篇短篇的小说都无法构成，充其量只能是篇结构松散的散文，而且，这篇散文注定没有续集。

　　我曾问过方茴，听完乔燃的作文之后是什么样的感觉。她垂下头，乌黑的长发擦过苍白的脸形成了对寂寞的最好诠释，而后她轻轻地说出了两个字，惶恐。

　　那天方茴都没有再抬起眼睛看乔燃，沉默比言语有着更深刻的内涵。她不是没被打动，正是因为被打动才觉得惶恐。

　　而乔燃好像一点没有意识到方茴的敏感，他和往常一样，笑笑地走向方茴，甚至让她产生那篇作文的作者并非乔燃的错觉。

　　"嘿，借块橡皮！"乔燃在她面前站定。

　　方茴匆忙地从笔袋里掏出橡皮递了过去，那块橡皮制作成了粗粗的铅笔形状，从外表看和它的用途严重不符。

　　"靠！这么大块！"乔燃惊讶地说，"有小点的吗？"

"没……没有。"方茴使劲摇了摇头，耳边的碎发飘了起来，让对面的人微微怔了神。

"这个够用一辈子了吧……"乔燃看着手中的橡皮说，"那干脆送给我吧！我做个试验，看能不能一直把它用完。"

方茴点点头没有说话，直到乔燃走开她才重新仰望世界。

窗外的春光明媚刺眼，沉静的校园里不知道掩埋了多少单纯的真心爱慕，只可惜他们不明白那时一切尚早，辗转岁月里再多细腻情思也会最终化灰流逝，暗恋可以支撑起少年时代的所有梦想，却不能抵挡成人以后的微薄现实。

陈寻对这篇作文同样耿耿于怀，体育课也没好好打球，和受伤尚未痊愈的赵烨一起坐在了场边。他远远地一会儿看看方茴，一会儿看看乔燃，心里总是禁不住有些不痛快。

"真没看出来乔燃丫还有这本事啊！"陈寻拍着球说。

"什么呀？"赵烨茫然地扭过头说。

"作文啊！"陈寻把手里的球抛起来又稳稳接住，"那什么《一朵丁香花》。"

"哦，那个啊，丫不是早就从愤青变文青了么。"

"你说，他写的是谁？"陈寻试探着问。

"他喜欢的人呗。"赵烨漫不经心地回答，"以前他不是跟咱们说过么，他暗恋自己的初中同学。"

"是吗？"

"是啊！"赵烨瞥了他一眼说，"算了，跟你说你也明白不了，饱汉不知饿汉饥，你和方茴天天卿卿我我的，哪能明白我们的痛苦啊！"

"嗯……我说假如啊……你觉不觉得乔燃喜欢方茴？"陈寻别别扭扭地把心底的疑问说了出来。

"操！敢情你绕着弯琢磨这事哪！你丫什么时候变得这么婆婆妈妈的了？我发现他们真没说错，你小子就是鬼心眼特多，我不知道乔燃是不是喜欢方茴，但我觉得不管他喜不喜欢都没什么事。他妨碍你们了么？打扰你们了么？没有吧，所以你只要自己踏踏实实地和方茴好，乔燃又能怎么着？甭管谁喜欢谁，都是仅凭自愿的事。"赵烨站起来说。

　　陈寻被他说得有些没面子，讪讪地小声念叨："切，你现在说得轻松了，当初哪个傻缺和苏凯过意不去来着？又是谁到现在还不敢和嘉茉说话！"

　　"嘟囔什么呢！不服啊！"赵烨拍了他的脑袋一下说。

　　"服！服！服！"陈寻揉着头说，"说真的，你和嘉茉到底要怎么着啊？"

　　"不怎么着，"赵烨伸出右手，阳光穿过指缝照在他的脸上，让他微微眯起了眼，"嘿！你看，我的手就快能打球了！"

　　"是吗？"陈寻毫不手软地拍了上去，随着赵烨的号叫，两个大男孩在操场上追跑起来，刚才的惆怅一扫而光，释然对年轻的他们来说，也不是什么难事。

　　那天放学之后，陈寻送方茴回家。陈寻的情绪很高，一会儿说起音乐，一会儿说起考试，而方茴却蔫蔫的，没怎么回话。他们在夕阳下穿过斑马线，走过过街天桥，陈寻买的炭烧咖啡冰棍渐渐化了，他一边蹭自己的校服，一边不经意地说："方茴，我以后再也不说乔燃的事了。"

　　"啊？"方茴愣住了，手脚都不自在起来。

　　"嗯，之前我那么说他不对，赵烨今天跟我说了乔燃喜欢的人，是初中的同学，"陈寻皱着眉，看着自己校服的污迹说，"水瓶里还有水么？给我浇上点。"

　　"哦！"方茴拧开自己带的水瓶，往陈寻的校服上倒了一点，本应垂直的水流却因她的抖动，而微微洒在了外面。

　　"笨哪！"陈寻笑着接了过去，自己冲着衣服说，"我都觉得挺不好意思的，对哥们儿的态度有点恶劣，说真的人家也真没碍着咱们什么……反正这事挺扯的，我现在看乔燃都快抬不起头了。嘿，你听着呢吗？上哪儿神游去了？说白了也都赖你！没你我们俩根本不至于！唉，女人是祸水啊！"

　　陈寻捅了方茴一下，她摇摇晃晃地险些摔倒。陈寻的这些话字字锥心，他越是坦诚相对，偏偏方茴就越觉得自己心虚惭愧。她不知道怎么回答陈寻，也不知道如果说出真相，该怎么解释乔燃和她之间的这些事。望着陈寻的笑脸她只能勉强笑笑，假装一切如他所想。

　　"我说……"陈寻的语调突然沉稳下来。

　　"什么？"方茴惊如寒蝉。

Fleet
of
Time
• • • • •

匆 匆 那 年

"那个嘛……婷婷想找你出来聊聊天！"陈寻努力看着她的眼睛说。

"聊什么？"松了一口气的方茴，随后又更加紧张起来。"你和她见面了？"

"我没和你说吗？我在'忙蜂'唱歌那天，她也去了。"陈寻想起，《匆匆那年》那首歌她还没听到，而自己也还没来得及跟她说。

"哦，这样，"方茴淡然地说，"唱《河》了么？"

"没有！"听见自己最喜欢的歌曲名字，陈寻却烦躁起来。

"有时间吧……"方茴转过身继续往前走，她不知道有什么事是非要吴婷婷来跟自己聊的，想来想去都觉得心里没底，"有时间和婷……婷婷再聊，物理课外练习还有一半没做呢，生物也没怎么看。"

"随便吧。"陈寻背好书包，跟了过去。

两个人都有难以言明的事情，也都不是刻意欺骗，只是不想把已经掩埋的秘密，挖出来接受拷问。年轻的时候不懂什么是信任，只是觉得心里惴惴的滋味，不太舒服。

19

赵烨和林嘉茉说话了。

在他能打球后的第一天，训练后上楼的时候，赵烨碰见了刚来学校的林嘉茉。就像下过雨的天空，赵烨的眼里碧蓝如洗，他用右手托起那个庙会得来的公牛队篮球，笑着递给林嘉茉说："帮我把球拿回班里去行吗？"

许久没能看到的笑颜让林嘉茉感动得想哭，她完全没有迟疑地伸出了手。他们递交的刹那恍如隔世，两个人都有点忘记了，上次这么自然地说话要追溯到什么时候。

林嘉茉抱着篮球上楼时不禁又偷偷多上了一层。为了保证高三年级能有安静的学习环境，学校把他们安排在了教学楼的最顶层上课。苏凯他们班对着楼梯口，林嘉茉总会上来从后窗户偷偷看他一眼。无论是打球还是读书，那个男孩认真的样子，都让她沉溺其中流连忘返。其实林嘉茉很明白，在那个微醺的傍晚，苏凯已经算明明白白地告诉她，他不会喜欢她了。可是这并不影响林嘉茉继续付出感情，说白了不管喜欢谁都是自己的事，较起真来甚至能说无关乎那个被喜欢的人。既然他苏凯可以选择等待郑雪，林嘉茉就也可以选择等待苏凯。

林嘉茉忘神地看了会儿苏凯，有些失落地下了楼。赵烨的微笑只能温暖她心里的一角，剩下的则是没人可拯救的大片荒凉。做这些鬼鬼祟祟的事到最后只让她觉得自己可悲。好在她已经决定彻底放手，就像当初和方茴说的一样，在苏凯毕业那天，好好再见。扭头看看楼上醒目的高考倒计时牌，时日无多的数字同样倒计时着林嘉茉的全部爱恋。在终结之前，林嘉茉就权当放纵自己的迷梦了。

黑色七月笼罩着闷热的北京，几乎让人喘不过气来。方茴他们站在烈日骄阳下陪着林嘉茉一起等待即将解放的苏凯。考场周围站满了密密麻麻等着考生的家长，如果说里面在考验知识，那么外面就是在考验耐力。两边都像绷紧的弦，经不起一点风吹草动。

一辆出租车偏偏在这个节骨眼上开了进来，不知缘故的司机按了声喇叭，四周的人群立刻炸了窝般向他涌过来。顶头的家长使劲拍了拍车前盖，愤怒地说："嘀嘀什么嘀嘀！里面学生考试呢！"

"别碰车！别碰车！"司机站出来说。

"那你就赶紧走，吵着孩子，考不上大学怎么办！"家长们一个个横眉立目。

"你们堵在这儿我能过去吗？再说了，就喇叭那点声还能考不上学了？"司机不满地说。

"废话！那是噪音！"

"没看工地都要求停工了么！"

"就是！影响情绪，分散注意力！"

家长们理直气壮地指责，把司机围在了中间。

陈寻看着他们无奈地说："这动静可比那喇叭声大多了！不就考一大学吗？至于这么费劲？"

"你丫是不至于！和方茴乔燃都分到理科Ａ班了，哪儿像我们啊，考试前一无所知，考试中伺机窥探，考试后更加懵懂，还真就发愁考不上大学呢！"赵烨撇着嘴说。

"得了吧，我是吊车尾进去的，据说高三一月一次考试，优胜劣汰，每次都把 A 班后五名刷下去，把剩下其他班的前五名收进来，我啊，估计不久就能和你还有嘉茉胜利会师了！"乔燃叹了口气说。

"快别说了，我心里都突突了！反正这气氛是够吓人的，对吧？嘉茉。"方茴按住胸口，回身问林嘉茉，可林嘉茉却根本没听见她的话，两眼直直地盯着大门，手攥紧成了拳头。

看她这副样子，方茴他们也沉默了下来。这次林嘉茉格外地执拗，死活要让他们一起来等苏凯高考结束，说是要请客吃饭庆祝一下。赵烨心里有些不情愿，但毕竟两人刚和好，也不忍拂了她的面子。看着她如此高度紧张，赵烨也只是低下头了事。经过了这些日子以来发生的种种，他和林嘉茉一起成熟了起来，而所谓成熟，不过是更加能忍耐痛苦罢了。

考试结束的铃音仿佛唤回了所有人的魂，人群呼的一下向门口围去，个个翘首企盼。林嘉茉挤在最前面，瞪大了眼搜索苏凯的影子。

不一会儿苏凯就走了出来，他看见站在人群中使劲向他挥手的林嘉茉，不由脚步一滞。不管怎么说，明白彼此心意以后，总归再也不能像以前一样心安理得。

"嘉茉，你怎么还是来了？"苏凯走到林嘉茉跟前说，"昨天电话里不是说不用了么？"

林嘉茉的眼睛里瞬间闪过了一丝失望，她抬起头勉强笑着说："不是早就说好了？考试完帮你庆祝一下！"

"就是就是！"陈寻忙凑过来打圆场，"我们也就是找一由子，乐和乐和。你考得怎么样啊？"

"还行吧，就那么回事，还能怎么样啊？"苏凯笑笑说，"我一猜你们就没安好心，说是为我庆祝，其实是算计蹭我饭吧！"

"不！今天这顿我请！"林嘉茉打断了他，不容置疑地说。

大家都有点愣，苏凯拍了拍她的肩膀说："不用不用，不就请师弟师妹吃顿饭么，还真当我请不起啊？"

"是啊！不就是请师哥吃顿饭吗？我也不是请不起呀！这次我来，反正以后指不定什么时候再一起吃饭了。"林嘉茉错开肩膀，闪过了苏凯的手，独自走在前头。方茴忙追了上去，其他人略有些尴尬地跟在了后面。

　　林嘉茉在簋街找了个麻辣烫的馆子，几个人围着坐好了，陈寻和赵烨上来先点了鸳鸯锅，拿起菜单就和服务员臭贫。

　　陈寻说："哎哟！人这儿买一送一呢！服务员，你们是买一羊肉送一肥牛还是买一羊肉送一羊肉啊？"

　　"买羊送牛。"服务员眼都没抬。

　　"你当老板是傻子啊！究竟是羊肉的市价贵还是肥牛的市价贵人家早八百年就算清楚了，这叫从南京到北京，买的没有卖的精！你还想占便宜？玩儿去！"赵烨在一旁搭腔，"我替您回答他了！是这意思吧，服务员？"

　　"牛肉比羊肉贵！"服务员忍不住辩解起来。

　　"听见没有！人家是诚心招待八方来客，不求利只求名！待会儿给咱上肉绝对不会是冰柜里放了四五天的，肯定有肥有瘦！肥的多了爱腻，瘦的多了爱老，人一准给咱都想好了！对吧？服务员？"陈寻和赵烨一唱一和。

　　服务员被他俩弄得哭笑不得，林嘉茉笑着扯住方茴："你也不管管你们家陈寻，有他们这样的吗？"

　　方茴微红着脸摇了摇头，苏凯接着说："就是！见过贫的，没见过这么贫的！你们丫快点菜！我们同学都呼我好几遍了，我晚上还一摊呢！"

　　"既然都来了，就别着急了。"林嘉茉淡淡地应道。她跟服务员张罗着要了几瓶啤酒，苏凯看了她好几眼，她却犹自视而不见。

　　酒一上来林嘉茉就让服务员开了瓶盖，她挨着个地给在座的人倒满了，方茴使劲挡着杯子，也被她扒拉开了。

　　"嘉茉，别倒了，我真不成……"方茴懊恼地看着越来越满的杯子说。

　　"没事，你喝不了我替你！"坐在她身旁的陈寻说。

　　"去去去！少来这套啊！今天谁也躲不过！"林嘉茉白了她一眼，竖起指头，一个个点了过去。

　　苏凯看着她晃动的手指，不由低下了头，他不清楚林嘉茉想做什么，放在以前的话现在他早就站起来阻止了，大声说"小女生裹什么乱啊！"，或者干脆直接夺过酒杯。而现在，苏凯根本不知道该怎么办了。

就在苏凯沉默的时候，赵烨站了起来，他举起酒杯说："行了行了，女生半杯，男生一杯。怎么着，咱们不先说两句？"

"就祝苏凯高考顺利，金榜题名吧！"乔燃接过话茬。

"什么金榜啊？我不名落孙山就行了！"苏凯和乔燃碰杯，笑着说。

"前程似锦！"方茴接着站起来，苏凯点头道谢同样和她碰了杯。陈寻想帮她，她摆摆手自己喝了下去。

"嘿！我刚想说锦绣前程！你抢我台词！"赵烨也举起了杯子，"队长，我反正是没词了，我没佩服过谁，但我一直觉得你是特牛逼的男人，就祝你继续牛逼下去吧！"

赵烨说完就一口气干了杯子里的酒，苏凯目光炯炯地看着他，使劲拍了拍他的肩膀，陪着他喝了一杯。

"我也不会说那些四字成语，我这人特务实，祝你一志愿填哪儿就去哪儿吧！"陈寻也跟着喝了一杯，他抹抹嘴拉起林嘉茉说，"最后嘉茉你来压轴！"

"我就不说了，总之你不管到哪儿，别把我们忘了就行了。"林嘉茉说完没等苏凯反应，就一仰脖喝干了酒，起伏间仿佛能看见她美丽的眼睛泛起一层水雾。苏凯手中的酒杯尴尬地停在了半空，圆形的饭桌还是没能让这圈酒圆满。

20

"行了行了，都吃点菜吧！干喝哪成啊！"陈寻招呼着说，"苏凯，你报的哪儿啊？"

"操！连我报哪儿都不知道你刚才扯什么淡哪！"苏凯扔过来一根筷子，陈寻笑着躲开。

"北科。"林嘉茉替他答道。

"不是。"苏凯淡淡地说，"我改了，最后报的是 H 工大。"

林嘉茉的眼睛讶异地闪动起来，她久久地望着苏凯，但苏凯却没有看她一眼，于是她的目光又恢复了平静，甚至比刚才还要幽深。

"啊？干吗跑那么老远啊？你开始不是说一定要留在北京么？"乔燃惊讶地问。

苏凯自己却丝毫不以为然，夹了块羊肉，慢悠悠地说："我水平有限，就算人家学校照顾我们特长生，我也觉得够呛能上分数线，干脆不费那劲了，直接报外地多省心。外地学校分低好考，而且能上外面转悠转悠也挺好的。"

林嘉茉看着苏凯筷子下的羊肉由生红变熟红，心里轻笑了一下，什么外地好、分数低都是弯弯绕——瞎掰呢！郑雪走了，他自然没有了留在北京的动力。

"那你就更不能急着走了！以后见你多不方便啊！今天我得劲看看，把你的光辉形象深深印在我脑海里！"陈寻又给苏凯倒满了酒。

"看个屁！我又不是方茴看我干吗！再说分还没出来，指不定我去哪儿呢！万一'海跑'或'家里蹲'了呢！就杯中酒吧，别再倒了！"苏凯抢过自己的酒杯。

"服务员！再来六瓶燕京！"林嘉茉突然站起来说，"咱们今儿图个痛快！对瓶吹吧！"

苏凯低下了头，赵烨别过了脸，方茴小声劝了劝也没管用，林嘉茉最后到底在每人面前摆了一瓶啤酒。她当真说到做到，自己先对嘴灌了一大口。

考试后的轻快、离别前的萧索、放纵般的癫狂，爱怨离愁纠缠在一起成了难解的情丝。渐渐他们都有了点醉意，赵烨和林嘉茉比谁身上更红，方茴斜靠在陈寻身上，咪咪笑着用勺子磕打着碗边，苏凯独自一人喝起了闷酒，乔燃撑着晕乎乎的头使劲把身边的人一个个拉开。

"差不多咱们就结账走人吧！再折腾一会儿都得醉了！"乔燃皱着眉头说。

"哦。"苏凯下意识地去翻自己的钱包，却被林嘉茉一把按住了。

"不要抢，说好了，今天我埋单。"林嘉茉温和地说，她漂亮的笑颜带着一点点的神秘，让苏凯和赵烨都恍了神。

林嘉茉拿出了一个精致的绣包，里面都是一块钱的纸币，她慢慢打开，一张张地仔细铺在桌子上说："不知道够不够……应该差不多吧，这些年来的都在这儿呢。反正我一张也不想留下，全都花掉才好呢！"

　　男孩们都不明所以地看着桌子上的钱，方茴的眼睛却随着林嘉茉抖动的手湿润了起来，她抓起一张纸币塞到苏凯手中，颤声说："苏凯，我不管你以后要怎么着，可你一定得好好看看这个！这是嘉茉从高一开始一点点攒起来，你看看那上面的字母，那是……那是……"

　　方茴终于痛哭失声，她心疼林嘉茉，为她难过叹息。而苏凯早被自己名字的首字母震撼住了，桌上的纸币不下 200，或新或旧，边角整齐，每一张上都有醒目的"SK"。他怔怔地看着，小心地摩挲，并不洁净的钱带着所谓的铜臭味，可是他一点也不在乎。从这些一块钱里，他第一次深深地体味到林嘉茉的气息，然后突然发现，原来那气息那么熟悉，原来她已在他身后那么多年。

　　在别样的气氛下，陈寻扶着哭得戚戚艾艾的方茴走了出去，赵烨绷着脸喝干了瓶子中的最后一口酒，也猛地站起身走了，乔燃跟在他后面，轻轻拍了拍他的肩膀。

　　最后只剩下林嘉茉和苏凯面对狼藉残局，两人之间隔了一桌子的纸币，红绿相间的颜色铺撒开来，说不尽的哀悼。

　　"我喜欢你，很喜欢，很喜欢。"许久之后林嘉茉才缓缓张口，她的嘴唇略有些抖，吐露着焚心的字句，"但是……今天以后就不喜欢了。我绝对不缠着你，你也不用再躲着我。咱俩都好好过自己的，谁也不讨厌谁，谁也不忘了谁，好吗？"

　　"嗯，好！"苏凯坐到她身边，小心翼翼地替她擦拭着眼泪，"别哭了，听话。"

　　"话都说到这分上了，苏凯，我问你，你有没有一点点喜欢过我啊，就一点点？"被酒精和哀愁缠绕的林嘉茉，露出了小孩子一样的委屈表情。

　　"有过。"苏凯轻轻整理好她的头发。

　　"那……有时候会不会觉得后悔？"林嘉茉盯着他的眼睛问。

　　"现在就有点后悔。"苏凯狠狠吸了吸鼻子，眼圈又红了。

　　"嘿嘿，活该……"林嘉茉破泣而笑，酒色醺红了她的脸颊，谁也无法说清她究竟放下了多少，又记住了多少才能绽放出那样的笑容。

　　林嘉茉从饭馆走出来的时候，陈寻正坐在马路牙子上，方茴蜷缩在他撑起的两腿之间已经睡着了。林嘉茉走过去挨着陈寻坐下来，陈寻凝视着她还挂着泪痕的脸问："苏凯呢？"

"从那边走了,哦对,他让我谢谢大家,"林嘉茉向另一边努了努嘴说,"赵烨他们呢？"

"买烟去了。"

"烟？ 他什么时候抽上烟了。"林嘉茉皱着眉说。

"有一阵子了,我也记不住是从你拒绝他开始,还是从他骨折开始。"陈寻叹了口气说。

林嘉茉默默低下头,她趴在膝盖上说："陈寻,我啊,有时候真的想重来一遍,回到过去告诉自己别那么不知好歹。你说如果我当初没喜欢苏凯,喜欢赵烨,喜欢乔燃,是不是就不会这么难受了？"

"没什么如果当初,"陈寻望着喧嚣热闹的大街说,"不管重来多少次,人生都肯定会有遗憾。"

"那你和方茴有吗？ "林嘉茉侧过脸问。

"没准……有吧。"陈寻看着怀中沉静的人说。

"有？ 有还天天腻腻歪歪地在一块？ "

"不想因为那一点点遗憾就放弃。"

"呵呵,又一个不想放弃！ 我就奇怪了,你们男生都怎么想的啊？ 和女孩在一起到底是喜欢啊,还是责任啊？ 我问你,你和方茴差距那么大,你现在对她还是喜欢吗？ 是不是因为时间久了,有责任感了,才在一块儿舍不得分开的？ "

"没有喜欢就不会有责任感,没有责任感喜欢也不能长久。我不知道我们能不能最后在一起,这种事谁都没把握,但是现在,我喜欢对她负责任,你明白么？ "陈寻搂紧方茴,轻轻挪动了一下,把她放在更舒服的位置。

"不是特明白,"林嘉茉撇撇嘴笑了起来,"不过你知道么,你刚才说那些话的时候还真挺帅的,我都快动心了。"

"那是,我什么时候不帅了！ 后悔了吧？ 谁让你一眼就认准苏凯了,肥水直奔外人田,其实我们都不比他差啊！ "陈寻看她笑了,也放松了些心情。

"是啊！ 我快羡慕死方茴了！ 哪像我没人疼没人爱！ "林嘉茉眨了眨眼,"不过要是以后有比方茴好的女孩喜欢你,你怎么办？ "

"这不没有么,有的时候再说。"陈寻不以为然地说。

"切！刚夸完你，还是靠不住呀！这要让方茴听见，又得心里难受。下回别人再问你，你可得继续表决心啊！你瞧人家苏凯对郑雪……"林嘉茉说着说着就没了动静，她捂住脸闷闷地呼了口气说，"陈寻，我能靠会儿你么？"

"靠吧，再睁眼就什么都别想了啊！"

"嗯。"林嘉茉抵在了陈寻肩膀上，不知不觉流下的泪水在他的衣服上留下了一点水迹。

后来林嘉茉果真彻底告别了眷恋，她像最初认识他们时一样，和苏凯赵烨相处得自然愉快。按林嘉茉的话说，从今往后他们就是她的亲兄弟，谁说不是亲的她跟谁急。

那年是他们过得最疯狂的夏天，几乎天天聚在一起。去青年湖游泳，把大家挨着个地抛起来扔到池子里，以各种搞怪的姿势滑下水滑梯。去麒麟商场打五块钱一局的保龄球，看方茴笨拙地蹲着把球滚出去，无数次得零分。去工体看国安队踢球，站在绿色狂飙7号看台上玩人浪，和北京球迷一起挥旗呐喊，唱"国安永远争第一"。去北海划船打水仗，弄得全身湿漉漉的，骑车回家时顺着衣服流下一路水痕，惹得路人集体向他们行注目礼。去东单公园里打"敲三家"，输了的人学雕像摆Pose，往脸上贴纸条。去学校打球，比赛投三分，谁输谁请客吃冰棍，天冰大红果都不行，必须得百乐宝以上。去饭馆玩真心话大冒险，出各种鬼点子，让大冒险的人抱着贴满"专治××，一针见效"的电线杆喊"我的病终于有救了"……

方茴说，一个人的快乐，快乐有可能是假的，一群人的快乐，快乐已经分不出真假。他们尽情挥霍着自己的青春，恨不得就此燃烧殆尽，那架势就像末日前的狂欢。

（上册完）

Fleet
of
Time
· · · · · ·

Fleet
of
Time
. . . . . .

匆 匆 那 年

匆匆
那年

Fleet
of
Time